DEHONGLI BYWYD ABRAHAM:
Y Patriarch Eciwmenaidd

**CYFROL O ASTUDIAETHAU
O HANES ABRAHAM**

GAN

GARETH LLOYD JONES

CYHOEDDIADAU'R
GAIR

Cyflwynedig
i Gwyneth

ⓗ Cyhoeddiadau'r Gair 2020

Testun gwreiddiol: Gareth Lloyd Jones

Dymuna'r cyhoeddwyr gydnabod cymorth
Adran Grantiau Cyngor Llyfrau Cymru.

Golygydd Testun: John Pritchard
Golygydd Cyffredinol: Aled Davies
Cynllun y clawr: Rhys Llwyd

Argraffwyd oddi fewn i'r Undeb Ewropeaidd

**Cyhoeddwyd gan
Cyhoeddiadau'r Gair, Cyngor Ysgolion Sul Cymru,
Ael y Bryn, Chwilog, Pwllheli, Gwynedd LL53 6SH.
www.ysgolsul.com**

CYNNWYS

Rhagair

Dechreuodd y gyfrol hon ei gyrfa fel cyfres o ddarlithiau i ddosbarth oedolion o dan nawdd Ysgol Dysgu Gydol Oes, Prifysgol Bangor. Rwyf yn ddyledus iawn i aelodau'r dosbarth am y drafodaeth fywiog a gafwyd wrth ddehongli bywyd Abraham bob pnawn Dydd Iau am ddeng wythnos. Yn y tudalennau sy'n dilyn, gwneir ymgais i grynhoi casgliadau a safbwyntiau rhai o brif ysgolheigion ein cyfnod ar y testunau Beiblaidd perthnasol. (Sylfaenir y sylwadau ar y *Beibl Cymraeg Newydd Diwygiedig,* 2004). Rhoddir sylw hefyd i esboniadaeth ôl-Feiblaidd yr Iddewon, ac i arwyddocâd Abraham fel patriarch eciwmenaidd. Fy ngobaith yw y bydd y cipolwg yma ar hynt a helynt cyndad ysbrydol tair o'r crefyddau undduwiol yn help i werthfawrogi pwysigrwydd y deialog sydd ar droed rhwng Iddewiaeth, Cristnogaeth ac Islam.

Dymunaf gydnabod yn ddiolchgar gymorth Mrs Megan Tomos yn ateb llu o ymholiadau ynglŷn â'r orgraff pan oedd y gwaith ar y gweill. Diolch hefyd am y gwahoddiad i gyfrannu at y gyfres *Dehongli* gan Cyhoeddiadau'r Gair. Mae fy nyled yn fawr i'r golygyddion, John Pritchard ac Aled Davies, am eu cyfarwyddyd parod, ac am fynd trwy'r llawysgrif â chrib mân a gwneud amryw o welliannau.

Gareth Lloyd Jones

Rhagarweiniad

Ers cyn cof, anoddefgarwch yw un o nodweddion tair o brif grefyddau'r byd. Arweiniodd yr ymrafael cyson a gafwyd dros ganrifoedd rhwng Iddew, Cristion a Moslem at erlid parhaus, creulondeb anhygoel a rhyfeloedd gwaedlyd. Mae pob crefydd yn honni ei bod yn hyrwyddo heddwch a haelioni, ac felly teg yw gofyn beth sydd wrth wraidd y gynnen. Beth yw achos y fath ffyrnigrwydd? Pam fod y ffyddloniaid yn cyfeirio at ei gilydd fel anghredinwyr ac yn defnyddio geiriau sarhaus megis 'heretic' a 'phagan' (*infidel*)? Sut ellir cyfiawnhau casineb, sy'n gallu esgor hyd yn oed ar hil-laddiad, yn enw crefydd?

Un ateb posibl i'r cwestiynau hyn yw'r ffaith i'r crefyddau dan sylw darddu o'r un ffynhonnell, sef Abraham. Ef yw cyndad y tair crefydd; a dyna'r esboniad dros yr enw cynhwysol sydd iddynt, 'Y Crefyddau Abrahamaidd'. Arddelir prif nodweddion y patriarch – argyhoeddiad, ffydd ac ufudd-dod – gan bob un ohonynt. Er i Abraham gael ei fagu'n bagan, trodd ei gefn ar amldduwiaeth ei deulu, a dod i gredu mewn un Duw; ef oedd y cyntaf i arddel undduwiaeth. Er bod amgylchiadau'n milwrio yn ei erbyn am flynyddoedd, credodd Abraham, gyda ffydd ddiysgog, yr addewid triphlyg a roddodd ei Dduw iddo am wlad a disgynyddion a bendith. Ufuddhaodd i alwad y Duw anweledig i adael ei dylwyth a'i deulu a mynd i wlad arall, er nad oedd ganddo syniad i ble roedd yn mynd. Heb air o brotest, gwnaeth baratoadau manwl i aberthu ei unig fab am fod Duw wedi gorchymyn iddo wneud hynny. Tybed sawl pregeth a draddodwyd, o fewn y tair crefydd, yn canmol ffydd ac argyhoeddiad un a oedd yn barod i ladd ei blentyn ei hun mewn ufudd-dod i Dduw?

Y nodweddion hyn sy'n rhoi i Abraham, yn y tair crefydd, le anrhydeddus fel eu cyndad ysbrydol, yr esiampl berffaith o'r gwir grediniwr. Ef yw'r patrwm byw delfrydol y dylai'r ffyddloniaid ei efelychu. Ond ar waethaf treftadaeth gyffredin, mae cariad a chytgord rhwng y crefyddau'n brin.

Nid parch a chydweithrediad yw nodweddion amlycaf y berthynas rhyngddynt. Tystia hanes i'r ysbryd ynysol a chystadleuol a greodd elyniaeth a arweiniodd at dywallt gwaed. Gan fod plant Abraham wedi methu â byw'n gytûn ar un aelwyd, mae'n bosibl ystyried yr anghydfod fel cweryl teuluol. Ac fel y gwyddom, does dim ffrae fwy dinistriol a thanbaid na ffrae o fewn teulu: digiodd llawer am byth wedi darllen ewyllys; ac nid eithriad yw clywed hyd yn oed am drais teuluol yn arwain at lofruddiaeth.

Gwraidd y ffrae rhwng y crefyddau a darddodd o Abraham yw diffyg cytundeb ynghylch cwestiynau o bwys ynglŷn â'r penodau yn Llyfr Genesis sy'n adrodd hanes y patriarch a'i deulu. Mae dehongliad y testun gwreiddiol yn bwnc dadleuol. Pwy sy'n cyfrif fel plant Abraham: llinach Ismael ynteu llinach Isaac? Pa ran o'r Dwyrain Canol yw etifeddiaeth ddiamheuol ei ddisgynyddion? Pa garfan ymhlith y bobl sy'n dilyn ôl troed Abraham yw gwir addolwyr yr unig wir Dduw? Gwnaeth yr atebion i gwestiynau o'r fath fwy at gadw Iddewon a Christnogion a Moslemiaid ar wahân nag at eu hannog i ddod ynghyd.

Gan fod stori Abraham yn greiddiol i dair o brif grefyddau'r byd, camgymeriad fyddai tybio mai stori sy'n perthyn i'r gorffennol ydyw, heb ddim i'w ddweud wrth y byd modern. Y mae iddi oblygiadau sy'n pontio'r canrifoedd. Daw arwyddocâd y prif gymeriad i'r amlwg mewn tri maes sy'n perthyn i'w gilydd.

Yn gyntaf, *diwylliant.* Mae unrhyw un – boed grediniwr ai peidio – a fagwyd mewn diwylliant sydd dan ddylanwad y Crefyddau Abrahamaidd wedi teimlo effaith y gwerthoedd a'r agweddau a'r syniadau a geir yn y stori hon. Mae Iddewon a Christnogion a Moslemiaid wedi defnyddio rôl Abraham fel penteulu i gyfiawnhau'r patrwm patriarchaidd o fywyd teuluol. Trwyddynt hwy, cafodd ei stori ddylanwad pellgyrhaeddol ar gymdeithas yn gyffredinol; dylanwad a enillodd iddo'r disgrifiad, 'tad gwareiddiad y Gorllewin'.

Yn ail, *gwleidyddiaeth.* Bu stori Abraham, fel stori Iesu a stori Mohamed, yn ddigon dylanwadol i newid cwrs y byd. Yn ôl yr hanes, rhoddodd yr unig Dduw ddarn o dir penodol yn etifeddiaeth i un genedl ac un grefydd arbennig. Mae'r cyfeirnod map yn Genesis. Wedi canrifoedd o alltudiaeth ac erlid, yn bennaf dan law Cristnogion, cafodd yr Iddewon gartref parhaol yn y wlad a addawodd Duw i'w cyndad ysbrydol. Gadawsant y geto, ac ailfeddiannu eu dinas sanctaidd. O ganlyniad i Ddatganiad Balfour yn 1917, sefydlwyd Gwladwriaeth Israel yn 1948. O hyn ymlaen, ni allai'r byd anwybyddu'r Iddewon na grym gwleidyddol eu crefydd. Un achos yr helynt presennol yn y Dwyrain Canol yw'r addewid o wlad i un o feibion Abraham ond nid i'r llall. Yng ngolwg yr Iddew Uniongred, mae'r addewid dwyfol yn cyfiawnhau meddiannu tir y Palestiniaid.

Ond mae Islam hefyd yn hawlio Abraham. Daeth y gwledydd Moslemaidd i rym yn wleidyddol yn sgil argyfwng olew'r ganrif ddiwethaf pan sylweddolodd gwareiddiad y Gorllewin ei ddibyniaeth ar gynnyrch y diffeithwch. Cyfunwyd gwleidyddiaeth a diwinyddiaeth pan ddaeth y Weriniaeth Islamaidd i fodolaeth yn Iran yn 1979. Erbyn hyn, mae grym a phwysigrwydd gwleidyddol Islam i'w ganfod yn ei hysbryd a'i hegni cenhadol sydd mor amlwg yn y cyfryngau. Mae gan raglen wleidyddol ffwndamentaliaeth Islamaidd wreiddiau cadarn mewn gwledydd a fu yn y gorffennol yn agored i werthoedd y Gorllewin, megis Iran, Twrci, Yr Aifft, Algeria a Pacistan.

Yn drydydd, *diwinyddiaeth.* Er mai'r grefydd sy'n gwneud y defnydd mwyaf o stori'r patriarch i ddibenion diwinyddol yw Islam, y mae i'r stori le arbennig yng nghred yr Iddew a'r Cristion hefyd. Arwyddocâd pennaf Abraham yw ei dystiolaeth nad oes ond un Duw. Datguddiodd y Duw hwn ei hun yn derfynol mewn tair ffordd wahanol, ac mewn tri chyfnod gwahanol yn hanes y tair crefydd. Un o nodweddion Duw, sy'n gyffredin i ddysgeidiaeth y tair, yw ei fod yn gwbl anoddefgar o'r sawl sy'n gwrthod credu ynddo.

Wrth amddiffyn ei chred mewn datguddiad terfynol, bu'r tair crefydd yn euog o gasineb ac erledigaeth a brwydro ffyrnig. Gwrthododd yr Iddewon dderbyn bedydd am eu bod yn ystyried, ymysg pethau eraill, fod athrawiaeth y Drindod yn tanseilio'r gred mewn un Duw, y Duw a'i datguddiodd ei hun unwaith ac am byth i Abraham. O ganlyniad, cawsant eu herlid yn ddidrugaredd gan yr Eglwys oherwydd eu hystyfnigrwydd a'u dallineb ysbrydol. Undduwiaeth ddigymrodedd yw un o'r rhesymau dros y rhyfela cyson a gafwyd dros ganrifoedd rhwng Moslem a Christion; gyda'r naill yn ystyried y llall yn anghrediniwr. Gan fod y diwinyddol a'r gwleidyddol ynghlwm wrth ei gilydd, byddai bywyd yn wahanol iawn i filiynau o bobl heb y dogmâu a'r athrawiaethau sy'n deillio o argyhoeddiad Abraham nad oes ond un Duw, ac mai un datguddiad yn unig ohono sy'n haeddu teyrngarwch dynoliaeth.

Bwriad y gyfrol hon yw ystyried tarddiad y traddodiad sy'n arwain credinwyr yn ôl at Abraham. Ynddi, byddwn yn canolbwyntio ar y portread ohono a geir yn y testun gwreiddiol. Felly, ein prif faes llafur fydd y penodau perthnasol yn Llyfr Genesis. Ond gan fod y patriarch yn ddolen gyswllt rhwng y crefyddau, byddwn yn crwydro o dro i dro i gyfnodau diweddarach gan roi sylw i draddodiadau esboniadol Iddewiaeth, Cristnogaeth ac Islam. Pwrpas hynny fydd gweld y defnydd a wna'r crefyddau o'r stori Feiblaidd fel sail i'w diwinyddiaeth, a'r hyn a ychwanegant ati. Ein gobaith yw y ceir cipolwg ar le allweddol y patriarch yn nysgeidiaeth y Crefyddau Abrahamaidd, ac ar y dylanwad a gafodd ei stori ar gwrs y byd dros dri mileniwm. Fel yr awn ymlaen, gwelwn fod gwahaniaeth sylweddol rhwng yr hyn a ddywed awdur Genesis am Abraham a'r hyn a glywodd ac a ddarllenodd y ffyddloniaid mewn cyfnodau ddiweddarach. Dros y canrifoedd, mae ei bersonoliaeth yn newid a'i statws yn cynyddu, a chaiff sawl côt o baent newydd.

1. Egwyddorion Esboniadol

Cyn rhoi ystyriaeth fanwl i'r testunau Beiblaidd sy'n sôn am Abraham, a'r traddodiadau diweddarach sy'n sicrhau iddo le fel y patriarch eciwmenaidd, buddiol fydd gwneud ychydig sylwadau rhagarweiniol ynglŷn â'r stori, megis: egluro rhai termau technegol a ddefnyddir i'w dehongli; ei gosod yn ei chyd-destun Beiblaidd; rhoi cyflwyniad byr i'r drafodaeth ynglŷn â'i hawduraeth; nodi rhai o'i nodweddion llenyddol; a chydnabod ei harwyddocâd diwinyddol.

Dau enw

Cnewyllyn yr Hen Destament yw'r pum llyfr cyntaf, sef Genesis i Deuteronomium. Mae dwy ffordd o gyfeirio atynt. I'r Iddew, dyma'r *Tora*: gwreiddyn y gair hwnnw – gair benywaidd yn yr Hebraeg – yw 'hyfforddi' neu 'addysgu'. Casgliad o lyfrau sy'n cynnwys hanes a chyfraith yw'r Tora; gwybodaeth am y gorffennol, ac arweiniad ar gyfer y dyfodol. Yng ngeiriau awdur y Salm Fawr: 'Llusern yw dy air i'm traed, a llewyrch i'm llwybr' (Sal. 119:105, BWM). Gan fod Duw wedi ei ddatguddio'i hun, yn gyntaf i ddynoliaeth ac yna i'w genedl etholedig, disgwylir i bob Iddew fod yn hyddysg yn stori'r datguddiad. O'i chlywed, ei ddyletswydd yw ymateb mewn ffordd ymarferol i Dduw, a addawodd i Abraham wlad ac a achubodd ddisgynyddion Abraham o gaethiwed yr Aifft, trwy gadw ei gyfreithiau. Felly, mae rhan helaeth o'r Tora'n cynnwys gorchmynion. Dyna pam mai 'Y Gyfraith' yw'r cyfieithiad o'r gair *tora* yn y Beibl Cymraeg. Gan fod y Tora'n dangos i gredinwyr 'y ffordd i'r bywyd', mae'r Iddewon yn rhoi iddo'r flaenoriaeth dros ddwy ran arall o'r Beibl Hebraeg, sef y Proffwydi a'r Ysgrifeniadau. Ond rhaid cofio nad cyfreithiau yn unig yw cynnwys y Tora.

Yr enw a roddodd diwinyddion yr Eglwys Fore i'r llyfrau agoriadol oedd y **Pumllyfr (Pentateuch)**, a dyna'r enw a ddefnyddir yn gyffredinol gan ysgolheigion cyfoes. Y gwreiddyn yw'r geiriau Groeg *pente teuchos*, sy'n golygu 'pum sgrôl'. Mae'r enw'n pwysleisio patrwm llenyddol a chynllun yr uned, yn hytrach na'r cynnwys. Mae Cristnogion yn rhoi llai o bwyslais na'r Iddewon ar y Pumllyfr fel casgliad arbennig o lyfrau sy'n cyhoeddi neges o bwys. Un rheswm am hyn yw mai prif ddiddordeb y traddodiad Cristnogol yn yr Hen Destament yw'r cyfeiriadau a'r proffwydoliaethau a geir ynddo at y Meseia. Yn ôl Martin Luther, yr Hen Destament yw'r 'preseb lle gorwedd y Crist'. Mae'r preseb yn fwy amlwg yn y llyfrau proffwydol a'r Salmau nag yn y Pumllyfr.

Duw'r dechreuadau

Mae gan darddiad a dechreuad le pwysig yn hanes pob cenedl. Pwy oedd ein cyndadau? O ble y daethant? Beth a wnaeth iddynt ymfudo o un lle i'r llall? Pam dewis y naill le mwy na'r llall i ymgartrefu ynddo? Mae'r atebion i'r cwestiynau hyn yn ein helpu i ddeall rhywbeth amdanom ein hunain ac am y byd o'n cwmpas. Dyna pam bod i Lyfr Genesis le mor bwysig ym mywyd y ffyddloniaid o fewn Iddewiaeth, Cristnogaeth ac Islam.

O ran cronicl hanesyddol, mae'r Tora'n ein harwain o Ardd Eden, yn Genesis, i ffiniau gwlad yr addewid, yn Deuteronomium. Y mae i'r hanes ddwy ran amlwg. Y rhan gyntaf yw Genesis 1–11. Yn y penodau hyn ceir stori dynolryw, heb unrhyw gyfeiriad at genedl arbennig. Wrth ddisgrifio dechreuad y byd, dengys yr awdur bod trugaredd Duw yn amlwg trwy'r cyfan. Gosododd Duw Adda mewn gardd ffrwythlon; dewisodd gymar addas iddo; aeth i chwilio amdano pan oedd yn cuddio mewn cywilydd; rhoddodd nod ar Cain i'w amddiffyn. Ond wedi dechrau da, mae'r berthynas rhwng Duw a hil Adda'n dirywio, ac agendor yn datblygu: pechod ac anufudd-dod yn Eden; Cain yn llofruddio'i frawd; ac angylion yn cael cyfathrach rywiol â merched dynol, sef disgynyddion Cain. Pan welodd Duw 'fod drygioni'r bobl yn fawr ar y ddaear, a bod holl ogwydd eu bwriadau bob amser yn ddrwg', bu edifar ganddo greu dyn ar y ddaear (Gen. 6:5–6). Ei ymateb oedd cosbi'r greadigaeth: poen wrth esgor plant; alltudiaeth o Eden; a boddi byd pechadurus.

Ond er mwyn ailgychwyn y ddynoliaeth, arbedodd Duw un dyn a'i deulu. Creodd enfys yn arwydd o'i fwriad i ailddechrau, ac yn addewid na fyddai byth eto'n dinistrio'i greadigaeth trwy ddilyw (9:11). Serch hynny, aeth pethau o chwith unwaith eto: aeth rhai pobl ati i godi dinas, 'a thŵr a'i ben yn y nefoedd' (11:4). Pe llwyddai eu hymdrech, gwyddai Duw na ellid eu rhwystro 'mewn dim y bwriadant ei wneud' (11:6). Gwyddai hefyd y gallai grym, yn y dwylo anghywir, gael ei ddefnyddio er drwg yn hytrach na da. Er mwyn gwarchod ei greadigaeth rhag niwed, rhaid oedd atal y gwaith. Ond y tro hwn, nid dinistrio'r byd a wnaeth, ond gwasgaru'r adeiladwyr trwy ddrysu eu cynlluniau a chymysgu eu hiaith.

Mae'r stori hon yn Genesis 1–11 yn dechrau'n obeithiol ond yn diweddu mewn siom. Mae'n dangos datblygiad byd o'r hyn ydoedd pan nad oedd neb yn ei adnabod i'r hyn ydoedd yn nyddiau Noa, byd y mae angen ei achub oherwydd drygioni ei drigolion. Mae'r penodau hyn ar ddechrau'r Beibl nid am iddynt gael eu hysgrifennu'n gyntaf ond am eu bod yn arwain at brif thema'r Hen Destament, sef y sôn am achub. Duw'r Creawdwr yw pwnc rhan gyntaf y Tora (Genesis 1–11), Duw'r Achubwr yw pwnc yr ail ran (Genesis 12 – Deuteronomium 34).

Yn Genesis 12, mae ffocws yr hanes yn culhau, a chyfnod newydd yn agor a Duw'n dechrau eto. Adnodau agoriadol y bennod yw'r bont rhwng hanes y byd a hanes Israel. Daw stori'r cyfanfyd yn stori un dyn, Abraham, sy'n troi ei gefn ar gysuron ei gynefin gan fynd ar daith nas gŵyr i ble. Ond mewn gwlad estron, ac yntau'n gwbl ddibynnol ar yr anweledig, daw i ymwybyddiaeth newydd sy'n ei osod ar wahân i'w gefndir paganaidd. Ef fydd cyndad cenedl arbennig, cenedl a gaiff ei defnyddio gan Dduw i fendithio'r ddynoliaeth. Yr adnodau allweddol yw'r rhai sy'n sôn am Dduw'n addo iddo wlad a disgynyddion a bendith (Gen.12:1–3).

Mae'r addewid yn hollbwysig am ei fod yn drobwynt amlwg yn y stori. Trwy Abraham, try melltith ar bawb yn fendith ar bawb. Trwy'r patriarch, mae Duw'n dechrau eto. Yr hyn a addewir yw syniad llywodraethol ac allweddol y llên. Daw i'r golwg mewn ffurfiau gwahanol ym mhob un o'r pum llyfr. Er bod y geiriad yn amrywio, mae'r pwyslais cadarnhaol yn amlwg. Ym mhob cyfnod tywyll yn ei hanes, addewid Duw i Abraham sy'n rhoi i'r genedl Iddewig obaith am y dyfodol a hyder y bydd yn goroesi, pa dreialon bynnag a ddaw i'w rhan.

Er mwyn deall arwyddocâd stori Abraham mae'n rhaid deall ei chyddestun. Rhaid cofio bod gan bob crefydd gynsail. Yng ngeiriau un ysgolhaig, 'There are no absolute beginnings; none of the religions known to us found a religious clean sheet; all built on earlier strata of religion'. Yn union fel y mae i Gristnogaeth gynsail yn yr Hen Destament, a bod i Islam gynsail yn y Beibl, y mae i'r grefydd Iddewig, sy'n dechrau'n swyddogol gyda'r datguddiad ar Fynydd Sinai, gynsail yn stori Abraham. Dyna sy'n gwneud hanes y pagan o Fesopotamia o bwys i'r diwinydd.

Awduraeth y Tora

Am ganrifoedd, roedd y Synagog a'r Eglwys yn rhagdybio mai gwaith un person oedd y Tora, a'i fod wedi ei gwblhau mewn cyfnod byr, tua 1200 CC, wedi'r Ecsodus ond cyn i'r genedl gyrraedd Canaan. Mae William Morgan yn dilyn y traddodiad wrth gyflwyno'r llyfrau unigol yn ei Feibl. Pennawd Genesis yng nghyfieithiad Cymraeg 1588 yw 'Llyfr cyntaf Moses a elwir Genesis', er nad dyna a gaed yn yr Hebraeg gwreiddiol. Yr arfer Iddewig yw cyfeirio at bob un o'r pum llyfr wrth ei eiriau agoriadol. Felly, 'Yn y Dechreuad' yw enw'r llyfr cyntaf.

Sail y traddodiad mai Moses oedd yr awdur yw adnod ar ddiwedd Deuteronomium: 'Ysgrifennodd Moses y gyfraith hon a'i rhoi i'r offeiriaid, meibion Lefi ... ac i holl henuriaid Israel hefyd' (Deut. 31:9). Cymerwyd yn ganiataol fod 'y gyfraith hon' yn cyfeirio at y Tora yn ei gyfanrwydd, ac nid yn unig at y gyfraith a draddododd Moses i'r Israeliaid ar lethrau Mynydd Pisga (Deut. 4:44). Erbyn diwedd y bumed ganrif CC, fel 'Llyfr Moses' y cyfeiriai'r Iddewon at y Tora (Esr. 6:18), er na cheir yn y Beibl ei hun unrhyw dystiolaeth mai Moses oedd awdur y cyfan.

Dechreuodd rhai Iddewon yn yr Oesoedd Canol, a Christnogion yn ystod y Diwygiad Protestannaidd, amau awduraeth Moses am o leiaf dri rheswm yn ymwneud â chynnwys y llyfrau. Yn gyntaf, *ailadroddiadau.* Caiff rhai adrannau eu hailadrodd. Er enghraifft, caiff y Deg Gorchymyn eu hadrodd deirgwaith: bron air am air ddwywaith, ond y trydydd tro mae'r ffurf a'r cynnwys yn wahanol iawn i'r ddau dro arall. Yn ail, *gwrthddywediadau.* Mae hanes creu'r byd, rhif yr anifeiliaid a aeth i'r arch gyda Noa, a lleoliad pabell y cyfarfod, yn cael eu hadrodd ddwywaith, ond bod y naill adroddiad fel petai'n gwrth-ddweud y llall. Ac yn drydydd, cyfeiriadau *anamseryddol.* Wedi amser Moses y cafodd y camel ei ddofi, ond yn ôl yr hanes yn Genesis rhoddodd Pharo lawer o gamelod i Abraham yn gyfnewid am Sara ganrifoedd cyn hynny. Dyma ran o'r dystiolaeth a arweiniodd Baruch de Spinoza (1632-77), yr athronydd enwog o dras Iddewig yn yr Iseldiroedd, i'r casgliad ei bod 'yn gliriach na haul ganol dydd' nad Moses ysgrifennodd y Tora, ond rhywun a ddaeth ymhell ar ei ôl. Cafodd ei alltudio o'r synagog yn Amsterdam am fynegi'r farn hon.

Un ateb a gynigiwyd gan esbonwyr Cristnogol y ddeunawfed ganrif i'r anawsterau uchod oedd y ddamcaniaeth mai gwaith cyfansawdd yw'r Tora. Nid corff o lenyddiaeth gan un awdur ydyw, ond casgliad o draddodiadau llafar yn ymestyn dros amser maith, ac yn trysori atgofion am y gorffennol. Barn llawer o ysgolheigion Beiblaidd yw bod pedwar awdur anhysbys wedi rhoi ar gof a chadw chwedlau cynnar llwythau Israel, hanesion a oedd wedi goroesi trwy gael eu hailadrodd dros genedlaethau. Mae'r pedair ffynhonnell ysgrifenedig – a oedd yn annibynnol ar ei gilydd ac yn cynrychioli ardal ac oes a safbwynt arbennig – yn dyddio o'r cyfnod oddeutu 900–500 CC. Tua diwedd y cyfnod hwnnw, penderfynwyd cyfuno'r dogfennau a chreu un stori gyfansawdd, ond heb geisio'u plethu i'w gilydd yn daclus. Diben y cyfuniad oedd gwarchod treftadaeth grefyddol a hanesyddol yr Iddewon mewn cyfnod ansicr. Roedd y Gaethglud ym Mabilon yn ystod y chweched ganrif CC wedi dangos mor fregus oedd y traddodiad ysgrifenedig, heb sôn am yr un llafar. Pe deuai argyfwng gwleidyddol arall, a bod y ffynonellau hyn yn mynd ar chwâl, hawdd iawn fyddai i'r genedl golli pob cysylltiad â'i gorffennol. I olygydd diwyd, oddeutu 500 CC, y mae'r diolch am gasglu'r dogfennau a llunio'r Tora fel y'i gwelir yn ein Beibl heddiw. Yr enw ar roddir i'r eglurhad hwn am darddiad pum llyfr cyntaf y Beibl yw 'Y Ddamcaniaeth Ddogfennol'. Meddylier am y Tora, felly, fel cadeirlan enfawr a gymrodd ganrifoedd i'w chodi gyda sawl haen o gerrig, un ar ben y llall.

Afraid dweud nad yw'r syniad o waith cyfansawdd yn apelio at bawb. Mae rhai esbonwyr yn argyhoeddedig mai Moses oedd yn gyfrifol am y Tora cyfan, ac eithrio'r adnodau sy'n cyfeirio at ei farwolaeth (Deut. 34:1–7). Mae eraill yn cytuno mai gwaith un awdur ydyw, ond mai un a ddaeth ymhell wedi cyfnod Moses oedd hwnnw. Ond mae'r mwyafrif o'r farn fod mwy nag un llais i'w glywed yma, er na allant gytuno ar y ffordd orau i'w hadnabod a'u disgrifio. Mae rhai'n gwasgu dwy ffynhonnell at ei gilydd i wneud un ddogfen, ac eraill yn eu hollti ymhellach gan greu mwy o ffynonellau. Damcaniaeth arall yw nad dogfennau ysgrifenedig gyda nodweddion arbennig megis cyfnod, ardal a bwriad, yw patrwm llenyddol y Tora, ond traddodiadau annibynnol megis hanes y creu, selio'r cyfamod ar Sinai, crwydro'r anialwch, concro a gwladychu Canaan.

Ymatebion o'r math hyn gan ysgolheigion i'r Ddamcaniaeth Ddogfennol sy'n gwneud astudiaeth feirniadol o'r Tora'n faes eang a chymhleth. Ond ar waethaf yr anawsterau, mae'r ddamcaniaeth wreiddiol o bedair ffynhonnell ysgrifenedig, neu o leiaf fersiwn diwygiedig ohoni, yn dal yn boblogaidd. Gwnawn ddefnydd ohoni yn ei ffurf symlaf, heb fynd i fanylion, er mwyn ein harwain trwy hanes Abraham.

Pynciau perthnasol

a. Patrwm Llenyddol
Mae pob diwylliant yn cynnwys toreth o storïau esboniadol. Eu diben yw egluro arferion cymdeithasol, ffenomenau daearyddol,

pwysigrwydd cysegrleoedd, enwau enwogion a lleoedd arbennig. Un o'r enghreifftiau gorau yng Nghymru yw'r chwedl am Gelert, y ci ffyddlon, a gaiff ei hadrodd i ymwelwyr er mwyn egluro enw anghyffredin pentref adnabyddus yng Ngwynedd. Nid croniclo'r gorffennol yw diben chwedlau o'r fath, ond dehongli'r presennol. Bwriad yr awdur yw goleuo ei gyfoedion.

Yr enw swyddogol ar y storïau hyn yw *chwedlau achosegol,* a cheir cyfran deg ohonynt yn Genesis. Mae ynddo ddwy stori i egluro pam y newidiwyd enw Jacob i Israel, y naill yn gysylltiedig â digwyddiad rhyfedd wrth groesi'r afon ym Mheniel (Gen. 32:28) a'r llall yn ymwneud â chodi cysegr ym Methel (35:10). Efallai mai ymgais i esbonio bodolaeth craig ag iddi siâp anarferol yng nghyffiniau'r Môr Marw yw'r chwedl am wraig Lot yn troi'n golofn o halen (19:26). Y cysylltiad rhwng un o'r patriarchiaid a chysegrfeydd megis Hebron a Bethel sy'n esbonio bod Duw'n cael ei addoli yno ganrifoedd yn ddiweddarach (18:1; 28:12–22). Cafodd dinas Beerseba ei henw, sy'n golygu 'Ffynnon y Saith' neu 'Ffynnon y Llw', am fod Abraham ac Abimelech wedi gwneud cytundeb yno ynglŷn â dyfrio eu hanifeiliaid (21:31). Mae'r chwedl achosegol neu esboniadol yn batrwm llenyddol eithaf cyffredin yn stori Abraham.

b. Llên Iddewig

Yn y canrifoedd olaf CC, datblygodd yr Iddewon ddull arbennig o ddehongli a chymhwyso'r Ysgrythur, sef *Midrash.* Tarddiad yr enw yw'r ferf Hebraeg *darash,* sy'n golygu 'ystyried' neu 'chwilio'. Defnyddir y gair mewn dwy ffordd. Yn gyntaf, i ddisgrifio *categori* o lenyddiaeth sy'n esbonio ystyr y Beibl ac yn dangos ei berthnasedd. Yr egwyddor sylfaenol yw bod i bob testun arwyddocâd dyfnach na'r ystyr arwynebol: dyletswydd yr esboniwr yw darganfod hwnnw. Yn ail, i ddynodi *cyfrol* a luniwyd gan y rabiniaid yn y canrifoedd cynnar OC er mwyn diogelu sylwadau ac esboniadau eu rhagflaenwyr. Ceir ynddi hefyd ychwanegiadau gan yr awduron eu hunain. Mae gan bob un o lyfrau'r Tora, a rhai llyfrau eraill yn y Beibl, ei Midrash, sef cyfrol esboniadol sy'n ymhelaethu'n sylweddol ar y testun Beiblaidd gan egluro ei arwyddocâd i genedlaethau diweddarach. Gan mai cymhwyso neges yr Ysgrythur yw un o'r amcanion, mae cyfnod yr esboniwr ac amgylchiadau'r Iddewon ar y pryd yn lliwio cynnwys y Midrash.

Perthnasedd y Midrash i ni yw ei fod yn dangos sut y mae'r Iddew yn dehongli ei Feibl. Yn achos Abraham, rhaid i'r darllenydd ddibynnu ar yr ychydig benodau yn Genesis. Ond mae'n amhosibl llunio cofiant o'r patriarch yn seiliedig ar y Beibl yn unig am fod y testun yn fylchog; prin y gellir sôn am fywgraffiad. Fel y gwelwn yn nes ymlaen, mae awduron y Midrash yn llenwi'r bylchau trwy wneud defnydd helaeth o'u dychymyg.

Arwyddocâd Diwinyddol

Os yw'r Abraham hanesyddol yn perthyn i'r cysgodion, mae ei gyfraniad i dair crefydd yn amlwg iawn. Byddwn yn sylwi sut a pham y caiff y stori sylfaenol am y patriarch a'i deulu ei hadrodd, ei ehangu, ei hail-bobi a'i haddasu dros y canrifoedd, yn gyntaf gan Iddewon, yna gan Gristnogion, ac yn olaf gan Foslemiaid. Gwelwn fod Abraham wedi cyflawni nid yn unig lawer mwy nag a nodir yn Genesis, ond hefyd bethau hollol wahanol. Gan fod ei gyfraniad yn greiddiol ac anhepgorol i'r crefyddau sy'n arddel ei enw, y mae ei stori'n cynyddu'n sylweddol dros dreiglad amser. Erbyn y cyfnod Cristnogol cynnar, mae wedi mynd ymhell y tu hwnt i'r ychydig benodau yn y Beibl, a hynny oherwydd ei harwyddocâd diwinyddol. Y datblygiad hwn yn llenyddiaeth tair crefydd sydd o ddiddordeb i ni wrth fynd ar drywydd y patriarch eciwmenaidd.

Cwestiynau i'w trafod

1. I ba raddau y mae cyfraniad ysgolheigion Beiblaidd o help i ni ddeall a chymhwyso neges y Beibl?

2. Pa mor bwysig i ni, yn bersonol, yn grefyddol, yn wleidyddol, yw gwybod am ein dechreuadau?

3. Ym mha ffordd y mae stori Abraham yn drobwynt yn y Tora?

2. Twf y Traddodiad

Mae Iddewiaeth, Cristnogaeth ac Islam yn dibynnu ar yr un ffynhonnell lenyddol am eu portread o Abraham. Genesis 11:26 – 25:11 yw'r unig adroddiad cynhwysol o'i fywyd a'i gyflawniadau yn y Beibl. Wrth gyfeirio at y patriarch, mae llên ôl-Feiblaidd yr Iddewon, y Testament Newydd, a'r Cwrân yn cymryd yn ganiataol bod y darllenydd yn gyfarwydd â'r stori yn Genesis, neu o leiaf fraslun ohoni. Ond fel llawer rhan arall o'r Beibl, nid yw'r penodau hyn heb eu hanawsterau; nodwedd sy'n rhoi rhwydd hynt i esbonwyr.

Cyfnod y cyndadau

Gan fod Genesis yn croniclo digwyddiadau sy'n perthyn i gyfnod mor gynnar yn hanes gwareiddiad, cyfyd cwestiwn y gellir ei ofyn mewn sawl ffordd. Oedd yna erioed berson hanesyddol o'r enw Abraham yn byw yn y Dwyrain Canol yn ystod hanner cyntaf yr ail fileniwm CC, hynny yw, rhywbryd rhwng 1800 a 1500? Ai chwedl ynteu ffaith yw'r hanesion am helyntion y dyn hwn a'i brofiad o gyfathrach agos â Duw, o glywed llais Duw, derbyn ei addewidion ac ufuddhau i'w orchymyn? Os mai chwedl, neu gynnyrch dychymyg duwiol, yw cynnwys Genesis, i ba raddau y gellir eu defnyddio fel sail ddiwinyddol i dair crefydd fyd-eang?

Cafwyd atebion amrywiol i'r cwestiynau hyn. Ateb traddodiadol y Synagog, yr Eglwys a'r Mosg yw mai gair ysbrydoledig ac anffaeledig Duw yw'r Beibl, ac na ellir felly amau cywirdeb y cynnwys: adroddiad ffeithiol sydd yn Genesis, ac unigolyn hanesyddol oedd Abraham. Am ganrifoedd, dyna fu agwedd pob un o'r crefyddau. Ond wedi Cyfnod yr Ymoleuo yn y ddeunawfed ganrif, mynnodd ysgolheigion Ewropeaidd gael tystiolaeth hanesyddol gadarn. Wedi astudio'r testun yn fanwl, daeth y beirniaid Beiblaidd i'r casgliad nad adroddiad ffeithiol oedd Genesis, ond chwedloniaeth Iddewig. I'r beirniaid hyn, ffrwyth traddodiad llafar a ddatblygodd yn raddol dros y blynyddoedd, a'i roi ar gof a chadw mewn cyfnod diweddarach, oedd hanesion y patriarchiaid.

Mewn ymateb i ddamcaniaeth negyddol y beirniaid hyn, ac er mwyn profi cywirdeb hanesyddol y Beibl, daeth yr archaeolegydd i'r adwy yn gynnar yn yr ugeinfed ganrif. Gyda rhaw yn y naill law a'r Beibl yn y llall, aeth i'r Dwyrain Canol i gloddio yn y tywod. Er na ddarganfuwyd prawf uniongyrchol o fodolaeth Abraham, cafwyd digon o dystiolaeth i argyhoeddi llawer bod hanesion Genesis yn adlewyrchu bywyd beunyddiol y llwyth a'r teulu yn y rhan honno o'r byd yn ystod hanner cyntaf yr ail fileniwm. Er enghraifft, mae yna arwyddion fod llwythau wedi ymfudo a chrwydro o un wlad i'r llall. Mae yna dystiolaeth fod arferion cymdeithasol a ddisgrifir yn Genesis yn perthyn i'r Dwyrain Canol yn gyffredinol. Er enghraifft, yn ôl deddfau Mesopotamia, a ddaeth i rym cyn y cyfnod Beiblaidd, roedd yn gyfreithlon i ŵr gyfathrachu â chaethferch os oedd ei wraig yn methu â beichiogi (Cymh. Gen. 16:1–4). Roedd gan benteulu hawl i benodi caethwas yn etifedd os nad oedd ganddo fab (Cymh. 15:1–2).

Roedd y math hwn o dystiolaeth yn ddigon i'r ysgolhaig Americanaidd enwog William Albright ddweud yn 1949: 'There can be little doubt about the substantial historicity of the patriarchal narratives'. Ac o ganlyniad, cyhoeddwyd toreth o lyfrau a thraethodau mewn cylchgronau academaidd a oedd yn olrhain bodolaeth Abraham a'i deulu, a'u cefndir a'u bywyd cymdeithasol. Yn ystod pumdegau'r ugeinfed ganrif, cafodd cyfraniad archaeoleg gryn gyhoeddusrwydd gan newyddiadurwr Almaenig mewn llyfr o'r enw *The Bible as History: Archaeology Confirms the Book of Books.* Ymgais oedd y llyfr hwn i gadarnhau a phoblogeiddio casgliadau ysgolheigion fel Albright. Mae geiriad diamwys y teitl yn datgan nad oes unrhyw le i amau fod yr hanesion am y patriarchiaid yn y Beibl yn ffeithiol gywir. Roedd gwerthiant y llyfr yn llwyddiant ysgubol.

Erbyn hyn, gellir rhannu'r ysgolheigion yn ddwy garfan: ceidwadol a rhyddfrydol. Cred yr ysgolheigion ceidwadol fod yr adroddiad a geir yn y Beibl am wreiddiau cenedl Israel yn ffeithiol gywir, ac yn dderbyniol o safbwynt hanesyddol. Yn eu barn hwy, mae tystiolaeth archaeoleg yn ddigon grymus i ategu'r Ysgrythur. Ond ar waethaf eu hymdrechion, ni lwyddasant i argyhoeddi pawb. Oherwydd ym marn llawer o ysgolheigion rhyddfrydol, yn Iddewon a Christnogion, bregus ar y gorau yw cyfraniad archaeoleg: er hidlo llwch y canrifoedd, does dim byd o sylwedd yn aros.

Mae'r ysgolheigion rhyddfrydol yn mynnu nad oes dystiolaeth ddigon cryf i brofi bodolaeth y patriarchiaid fel unigolion o'r ail fileniwm. Mae rhai'n mynd mor bell â gwadu bod yna sail ffeithiol i'r adroddiad Beiblaidd am hanes Israel, o leiaf cyn cyfnod Dafydd a Solomon, sef y ddegfed ganrif CC. Yn eu barn hwy, ofer yw'r ymgais i ddangos i'r Israeliaid dreulio pedwar can mlynedd yn gaethweision yn yr Aifft. Ni ellir profi bod dros ddwy filiwn o bobl, a fu'n ffoaduriaid rhag Pharo, wedi teithio trwy'r anialwch am ddeugain mlynedd cyn ymosod ar wlad Canaan a difa'i dinasoedd yn llwyr. Meddai Almaenwr yn 1990 wrth gyfeirio at ei faes ymchwil arfaethedig: 'Paid â chyffwrdd ag Abraham, meddai cyfaill o Brydain wrthyf. Does neb yn gwybod fod y fath gymeriad wedi bodoli'. Yn ôl y garfan ryddfrydol, cymeriad chwedlonol yw'r patriarch. Yn eu tyb hwy, y gymhariaeth agosaf â'r penodau perthnasol amdano yn Genesis yw stori Hamlet neu'r Brenin Llŷr.

Wedi canrif o ddyfalu a chwilota, mae ysgolheigion yn dal i ddadlau ynglŷn â ble yn y Beibl y mae hanes ffeithiol yn dechrau: ai gardd Eden, ynteu'r Dilyw, ynteu stori Abraham, ynteu'r waredigaeth o'r Aifft, ynteu orchestion Josua, ynteu gyfnod Dafydd a Solomon hyd yn oed yw'r dechrau hwnnw? Ble bynnag y bo, y mae'r amheuaeth a ddaeth i'r amlwg yng nghysgod Cyfnod yr Ymoleuo ynghylch cywirdeb hanesyddol stori Abraham a'i ddisgynyddion yn parhau.

Defnyddio dychymyg

Mae mwyafrif mawrion pob cenedl yn gadael gwaddol sylweddol o wybodaeth i'r hanesydd – mewn ysgrifau, llythyrau, areithiau, neu trwy atgofion cyfoedion. Wedi i'r ffynonellau hyn gael eu gwyntyllu ac i'r cofiant gael ei ysgrifennu, nid oes mwy i'w ddweud: mae gwrthrych y cofiant yn cilio i'r cysgodion, a'r gyfrol yn hel llwch ar silff. Ond nid felly yn achos Abraham. Nid lleihau a wnaeth ei stori ef dros y canrifoedd ond cynyddu, a hynny fel y dywedwyd eisoes, am fod y wybodaeth a geir amdano yn y Beibl yn annigonol. Boed berson hanesyddol ai peidio (ac fe bery'r ddadl honno'n ddiddiwedd), y peth cyntaf sy'n taro unrhyw ymchwilydd yw cymaint o sylw a gafodd Abraham gan y crefyddau sy'n dwyn ei enw, ymhell y tu hwnt i Genesis.

Mae hyn yn wir am gymeriadau mawr y Beibl yn gyffredinol. Wedi iddynt ddod yn ffigyrau allweddol, awdurdodol a dylanwadol o fewn y gymdeithas, buan iawn y mae dychymyg yn cymryd drosodd ac yn eu hail-bobi. Llenwir bylchau yn yr adroddiad gwreiddiol er mwyn bodloni dyhead y ffyddloniaid am bortread llawnach, ac er mwyn sicrhau eu bod yn cydymffurfio â'r darlun delfrydol sydd gan gredinwyr ohonynt. Dyna a wnaeth yr Iddewon yn y Midrash wrth ymdrin â stori Abraham. Dyna hefyd a wnaeth y Cristnogion cynnar mewn ymgais i lenwi'r blynyddoedd coll rhwng babandod Iesu a'i fedydd: yn eu portread o'r Forwyn Fair, mae rhai eglwysi Cristnogol yn ychwanegu'n sylweddol at yr hyn a ddywedir amdani yn y Testament Newydd.

Un enghraifft o lên ôl-Feiblaidd Gristnogol yw *Efengyl Iago,* a ysgrifennwyd tua 170 OC. Mae'r awdur yn defnyddio'r enw 'Iago' er mwyn rhoi'r argraff mai brawd Iesu ydoedd. Ymdrin â phynciau cyn geni Iesu, megis hanes Mair a'i theulu, a wna'r llyfr hwn a ddaeth yn hynod boblogaidd, ac a gyfieithwyd o'r Roeg gwreiddiol i o leiaf chwech o ieithoedd y Dwyrain Canol, yn ogystal â Lladin. O'r un cyfnod y daw *Efengyl Plentyndod Thomas* sy'n canolbwyntio'n benodol ar fywyd Iesu rhwng pump a deuddeg oed. Ymateb a wna'r awdur i chwilfrydedd ei ddarllenwyr a oedd am wybod pa fath o blentyn oedd Iesu. Dros y canrifoedd, ymddangosodd mewn tair ar ddeg o ieithoedd. Llyfr arall yw *Hanes Joseff y Saer,* sy'n tarddu o'r Aifft ac yn perthyn i'r Oesoedd Canol cynnar, sef o'r bumed i'r seithfed ganrif. Ynddo, mae'r Iesu atgyfodedig yn eistedd ar Fynydd yr Olewydd ac yn adrodd hanes ei dad wrth ei ddisgyblion. Gan fod y wybodaeth am Joseff mor brin yn y Testament Newydd, mae'r awdur hwn yn defnyddio'i ddychymyg i ychwanegu'n helaeth ati. Mae dros hanner y testun yn canolbwyntio ar ei salwch olaf a'i farwolaeth.

Yn ogystal â chynnig rhagor o wybodaeth, diben llyfrau o'r fath oedd hybu safbwynt diwinyddol arbennig. Er i'r elfen chwedlonol fod yn amlwg ynddynt, fe'u defnyddir gan eglwysi'r Dwyrain a'r Eglwys Gatholig Rufeinig i gefnogi rhai athrawiaethau creiddiol. Traddodiad ôl-Feiblaidd y credinwyr cynnar yw sail y gred ym meichiogi dihalog Mair, ei gwyryfdod parhaus, a'i hesgyniad – yn gorff ac enaid – i'r nefoedd. O ran materion ffydd, mae awdurdod traddodiad yn elfen bwysig o fewn Cristnogaeth. Ond pan luniwyd Beibl y Gorllewin yn derfynol tua diwedd y bedwaredd ganrif, ni chynhwyswyd y llyfrau hyn ynddo. Er eu bod mewn llawer o ieithoedd, sy'n arwydd o'u poblogrwydd, ni chawsant eu cyfrif yn ffynonellau swyddogol. Hyn sy'n cyfrif am y disgrifiad ohonynt fel 'yr efengylau apocryffaidd'. Serch hynny, mae Eglwys Goptaidd yr Aifft ac Eglwys Uniongred Ethiopia'n ystyried amryw ohonynt yn ffynonellau awdurdodol, ac yn eu cynnwys yn eu Beibl.

Yn union fel y mae'r efengylau apocryffaidd yn dangos y datblygiad yn y traddodiad Cristnogol o'r hanes gwreiddiol yn y Testament Newydd, mae'r Midrash yn dangos sut y datblygodd stori Abraham dros y canrifoedd o fewn Iddewiaeth. Rhaid cydnabod mai prin yw tystiolaeth yr Hen Destament i gymeriad mor allweddol. Ar wahân i fân gyfeiriadau ato yn y llyfrau proffwydol a'r salmau, dim ond ychydig benodau yn Genesis sy'n adrodd ei hanes. Ond yn fuan wedi i Genesis ymddangos yn ei ffurf derfynol tua 500 CC, dechreuodd Abraham ddatblygu sawl dimensiwn newydd.

Yn eu llên ôl-Feiblaidd, ychwanegodd yr Iddewon yn sylweddol at y testun gwreiddiol. Ceir llyfrau cyfan, cynnyrch y canrifoedd olaf CC, sy'n ymhelaethu ar hanes Abraham. Aiff pob un ohonynt â ni ymhell y tu hwnt i'r ychydig benodau yn Genesis. Yn gynnar yn y cyfnod Cristnogol, cyfrannodd dau o hoelion wyth yr Iddewon – Philo o Alexandria, a'r hanesydd enwog Joseffws – at y darlun. Wrth ychwanegu at dystiolaeth y Beibl, bwriadai'r ddau nid yn unig fodloni cywreinrwydd eu darllenwyr, ond hefyd ddangos perthnasedd y patriarch i gyfnod diweddarach. Rhoddwn sylw penodol yn nes ymlaen i gyfraniad llên ôl-Feiblaidd yr Iddewon yn achos Abraham, ond byddwn yn nodi ambell enghraifft ohoni wrth esbonio'r testun Beiblaidd.

Ychwanegwch at y traddodiadau Iddewig am Abraham y sylwadau a geir yn y Testament Newydd, yn esboniadau'r Eglwys Fore, yn y Cwrân, ac yn yr Hadith – sef casgliad o draddodiadau cynnar Islam – ac fe welwch ar unwaith fod Abraham yn cael llawer mwy o sylw y tu allan i'r Beibl nag ynddo, yn union fel yn achos Iesu, Mair a Joseff. Mae'n amlwg, i'r sawl sy'n dilyn ei hynt, fod stori'r patriarch a'i deulu'n cynyddu gyda threigl amser. Esblygodd ei gymeriad yn ddiderfyn dros y canrifoedd. Mae rhywun wedi cymharu'r broses i fegaffon: y darn main yw'r stori wreiddiol mewn ychydig benodau yn Genesis, a'r darn llydan yw'r helaethiad ohoni mewn tair crefydd. Erbyn y seithfed ganrif OC roedd yna Abraham Iddewig, Abraham Cristnogol ac Abraham Islamaidd: patriarch eciwmenaidd yng ngwir ystyr y gair!

Ond mae'r datblygiad yng nghymeriad Abraham, a'r cynnydd yn y traddodiad, yn her i'r hanesydd. Mae cloriannu ei bwysigrwydd fel sylfaenydd ysbrydol tair crefydd yn golygu nid yn unig ddarllen Genesis, ond hefyd fynd i'r afael â chyfeiriadau ato, a storïau amdano, mewn tri gwahanol draddodiad. O wneud hynny gwelwn, pa elfennau yn y stori wreiddiol a danlinellir ac a werthfawrogir gan y tair crefydd, beth a ychwanegir at y gwreiddiol, a beth a anwybyddir a pham. Gwelwn hefyd sut y mae Abraham wedi achosi cynnen ymysg ei blant; cynnen sy'n pontio'r canrifoedd ac yn fagl i'r ymdrech i greu perthynas agosach rhwng y crefyddau.

Cwestiynau i'w trafod

1. A oes lle i ddychymyg mewn crefydd?

2. Faint o awdurdod athrawiaethol y dylid ei briodoli i draddodiad o fewn Cristnogaeth?

3. Lle, yn eich barn chwi, mae hanes ffeithiol yn dechrau yn yr Hen Destament?

3. Taith Tera

Genesis 11:27–32

Pwnc Genesis 1–11 yw'r berthynas rhwng Duw a'r ddynoliaeth yn ei chrynswth. Stori pob un sydd yma; 'y ddynoliaeth' yw ystyr y gair Hebraeg 'adam (Adda). Wedi adrodd hanes creu'r byd, mae awdur Genesis yn neidio'r canrifoedd gan wasgu hanes ugain cenhedlaeth i un bennod ar ddeg – deg cenhedlaeth o Adda i Noa, a deg arall o Noa i Tera. Nid oes unrhyw sôn am genedl etholedig. Ond yn sydyn, mae'r arolwg brysiog yn arafu, cyn dod i ben yn gyfan gwbl. O'r ddeuddegfed bennod i'r bumed ar hugain, mae'r testun yn canolbwyntio ar un dyn a'i deulu; a rhoddir tair pennod ar ddeg i groniclo helyntion un genhedlaeth.

Y rheswm am hyn yw bod stori'r prif gymeriad yn haeddu sylw arbennig. Wrth sôn yn y ddeuddegfed bennod am ei alwad, mae'r awdur yn torri tir newydd. Nid ar y ddynoliaeth gyfan y mae'r ffocws bellach, ond ar un genedl arbennig. O hyn hyd ddiwedd Genesis, dim ond un dyn a'i ddisgynyddion a gaiff sylw. Ffurf wreiddiol enw'r dyn hwnnw a'i wraig yw 'Abram' a 'Sarai'. Daw'r newid o 'Abram' i 'Abraham' a 'Sarai' i 'Sara' yn ddiweddarach yn y stori. Ond er hwylustod wrth adrodd yr hanes, ar wahân i ddyfyniadau o'r testun Beiblaidd fe ddefnyddiwn ni'r ffurfiau adnabyddus o'r cychwyn. Mae'r stori'n dechrau gyda chyflwyniad byr.

Cyflwyno Abraham

Un o dri mab Tera oedd Abraham. Nid oes sôn am ei fam. Bu farw un o'i frodyr, Haran, yn ddyn ifanc. Daw enw'r llall, Nachor, i'n sylw yn nes ymlaen pan fydd Isaac yn chwilio am wraig. Gan mai yn Ur y ganwyd Haran, cymerir yn ganiataol mai dyma hefyd gartref cynnar Abraham. Pan oedd Abraham yn ddyn ifanc, penderfynodd ei dad ymfudo i Ganaan gyda'i ŵyr Lot, fab Haran ei fab hynaf, ac Abraham a'i wraig Sara. Gadawodd Nachor yn Ur. Ond wedi cyrraedd dinas Haran, tua phum can milltir i fyny afon Ewffrates, arhosodd Tera yno weddill ei oes. Yno hefyd y bu Abraham nes iddo gyrraedd oedran teg.

Fel hyn, mewn chwe adnod o adroddiad moel heb fod ynddo ddim syfrdanol, y cyflwynir gyntaf y dyn sy'n arwr mawr i dair crefydd ac yn dad i wareiddiad y Gorllewin. Ni cheir gair am ei eni na'i blentyndod. Ni cheir chwaith gyfeiriad at ei fywyd cyn iddo adael Haran, ar wahân i'r ffaith ei fod yn briod â Sara a'u bod hwy'n ddi-blant. Fel dyn oedrannus, heb fam, heb blentyndod, heb orffennol, heb bersonoliaeth, heb gyflawniadau, y cyflwynir cyndad ysbrydol a chorfforol yr Iddewon, cyndad ysbrydol Cristnogion, a phensaer gwreiddiol Islam. Does dim i awgrymu'r lle anrhydeddus a'r rôl hollbwysig a fydd ganddo maes o law.

Mae dweud cyn lleied mewn cyflwyniad yn gwbl groes i ddull y Beibl o ddod ag enwogion i sylw'r darllenydd. Cyflwynir rhai cyn eu geni, rhai yn blant ifainc, eraill ychydig yn hŷn. Mewn sawl enghraifft, mae elfen o'r gwyrthiol a'r anghyffredin yn perthyn i'r beichiogi ac i'r geni. Rhagfynegwyd genedigaeth Isaac, gan dri angel, i ŵr a gwraig a oedd o fewn dim i fod yn gant oed. Pa ryfedd iddynt wrthod credu'r neges? Mewn ymateb i weddi Isaac dros ei wraig ddi-blant, ganwyd iddi efeilliaid, Esau a Jacob. Ac yntau'n ddim ond dwy ar bymtheg oed, cyflwynir Joseff, ffefryn ei dad, fel dehonglwr breuddwydion ymhell cyn iddo ddod i amlygrwydd yn yr Aifft. Plentyn gŵr a gwraig o dylwyth Lefi, y llwyth offeiriadol, oedd Moses; cafodd ddihangfa wyrthiol, magwraeth freintiedig, a gyrfa anturus cyn iddo gael ei alw i achub yr Israeliaid o gaethiwed. Mae Llyfr Samuel yn disgrifio plentyndod unigryw un arall a anwyd mewn ymateb i weddi gwraig amhlantadwy. Roedd stori Dafydd, y llanc bochgoch a laddodd Goliath gyda dim ond un garreg, o gymorth i lwythau Israel wrth iddynt chwilio am arweinydd grymus i'w hamddiffyn rhag gelynion.

Ym mhob un o'r enghreifftiau hyn, mae'r darllenydd yn gwybod ymlaen llaw fod arwyddocâd arbennig yn perthyn i'r unigolyn. Ond nid felly yn achos Abraham. Mae ef yn saith deg a phum mlwydd oed cyn bod dim o bwys yn digwydd iddo, ar wahân i briodi. Y cyfan a wyddom amdano yw ei fod yn perthyn i deulu arbennig ac yn ddietifedd. O'i gymharu ag arwyr mawr eraill yr Hen Destament, mae'r diffyg cefndir yn gwneud Abraham yn eithriad.

Diffyg etifedd

Mae llinach Adda, trwy Noa a'i fab hynaf Sem, yn arwain ymhen deg cenhedlaeth at enedigaeth Abraham (Gen. 11:10–26). Ceir sawl esiampl o restrau tebyg yn y Beibl. Yn Genesis 5, er enghraifft, ceir rhestr o ddisgynyddion Adda cyn y Dilyw, ac yn Genesis 10 restr o ddisgynyddion Noa a'i feibion wedi'r Dilyw. Yn wyth pennod gyntaf Llyfr Cyntaf y Cronicl ceir rhestr sy'n ymestyn yn ddi-dor o Adda i'r brenin Saul. Ceir llinach Iesu mewn dwy o'r efengylau. Dengys y sylw a roddir i'r pwnc yn y Beibl fod yr awduron nid yn unig yn rhoi cryn bwys ar olrhain tras unigolion arbennig, ond eu bod hefyd yn awyddus i osod pob cymeriad o fewn cyd-destun penodol. Wrth olrhain tras Abraham trwy Seth a Noa i Adda, mae'r awdur am ddangos nad o'r gofod y daeth y teulu hwn: yr un yw Duw'r patriarch â'r Duw a greodd y byd.

Gan fod rhestr faith o enwau yn annhebyg o wefreiddio'r darllenydd, mae lle i ddiolch mai un adnod yn unig sy'n cael ei neilltuo i genedlaethau Tera (Gen. 11:27). Daw'r achau i ben gydag Abraham am fod Sara'n methu â beichiogi: 'Yr oedd Sarai yn ddi-blant, heb eni plentyn' (11:30). Ond nid Sara yn unig sy'n anffrwythlon. Mae'r teulu'n dioddef o'r un cyflwr am dair cenhedlaeth. Ar ôl Sara, mae Rebeca (25:21) a Rachel (29:31) hefyd yn ddi-blant. (Sylwer mai'r gwragedd nid y gwŷr sy'n gyfrifol am ddiffyg etifedd!) Nid oes eglurhad am gyflwr Sara. Disgrifiad o'r sefyllfa sydd yma, heb unrhyw ymgais i'w hesbonio trwy ddweud mai melltith neu gosb am bechod sy'n gyfrifol.

Ond mae neilltuo adnod gyfan (11:30), a honno wedi ei saernïo'n ofalus a'i gosod yn y lle priodol, yn awgrymu nad adrodd ffaith hanesyddol yn unig a wna'r awdur. Ei fwriad, trwy bwysleisio bod Sara'n ddi-blant, yw gwneud sylw diwinyddol o bwys. Dywedodd eisoes fod Duw, wrth fendithio Noa a'i feibion wedi'r Dilyw, wedi ailadrodd y gorchymyn a roddodd i Adda ac Efa (1:28): 'Byddwch ffrwythlon, amlhewch a llanwch y ddaear' (9:1). Roedd yn orchymyn cadarnhaol a gobeithiol a oedd yn magu hyder am ddyfodol bendithiol wedi'r gyflafan. Ond bellach, mae'n amhosibl ufuddhau i'r gorchymyn: mae anffrwythlondeb Sara'n dangos bod y drws i'r dyfodol i linach Tera trwy ei fab hynaf wedi cau, a'i bod y tu hwnt i allu bodau dynol i'w agor. Unig obaith Tera am barhad ei deulu yw ei ŵyr, Lot.

Mewn cymdeithas sy'n tanlinellu pwysigrwydd achau, etifeddiaeth a disgynyddion, mae hyn yn achos tristwch. Metaffor am anobaith yw anffrwythlondeb. Ganrifoedd yn ddiweddarach, yng nghyfnod y Gaethglud, defnyddia Eseia'r un gair i'r un pwrpas i ddisgrifio'r genedl gyfan: 'Cân di, y wraig ddi-blant na chafodd esgor; dyro gân, bloeddia ganu, ti na phrofaist wewyr esgor' (Eseia 54:1). Neges obeithiol a thestun cân sydd gan y proffwyd i rai a oedd yn wylo mewn anobaith wrth afonydd Babilon. Mae'r dydd yn agos, meddai, pan fydd Duw'n eu harwain yn ôl i Jwda. Yr unig un a fedr achub y sefyllfa yw Duw. Yng ngeiriau'r Salmydd: 'Rhydd deulu i'r wraig ddi-blant; daw hi'n fam lawen i blant. Molwch yr ARGLWYDD' (Sal. 113:9).

Defnyddia'r awdur y metaffor yn fwriadol er mwyn cynyddu'r tensiwn a pharatoi'r darllenydd ar gyfer tair nodwedd arbennig yn y penodau dilynol. Y nodwedd gyntaf yw'r paradocs bod Abraham, yn y cyflwyniad yn Genesis 12, yn *ddi-blant* ond o fewn ychydig adnodau yn cael addewid am genedl fawr. Dylai dyfalu sut y gallai hynny ddigwydd gadw'r darllenydd yn effro! Yr ail nodwedd yw'r ffaith bod Abraham yn gorfod cydnabod ei *angen am gymorth Duw* er mwyn lleddfu ei anobaith cynyddol o gael disgynyddion. Bydd gan Dduw ran allweddol yn y stori. Y drydedd nodwedd yw cyfiawnhau rhoi cymaint o sylw maes o law i *enedigaeth plentyn*. Gofid Abraham ar hyd ei oes yw parhad y llinach deuluol. A fydd ganddo fab? A fydd ganddo fwy nag un? Os bydd, pa un fydd ei etifedd? Fel y gwelwn o ddarllen y stori, mae'r rhain yn gwestiynau llywodraethol iddo. Mae ymgais yr awdur i'w hateb yn greiddiol i arwyddocâd Abraham fel cyndad ysbrydol tair crefydd. Mae'r berthynas rhwng plant Abraham a'i gilydd yn dibynnu ar yr atebion hynny.

Stori deithio

Dyhead pob awdur yw medru dal sylw'r darllenydd. Pa bynnag bwnc a pha bynnag wers sydd i'w dysgu, rhaid i'r cyflwyniad a'r cynnwys fod yn ddiddorol. I'r diben hwn y daeth y stori deithio i fodolaeth fel patrwm llenyddol poblogaidd. Mewn sawl diwylliant – megis Sgandinafaidd, Celtaidd a Rhufeinig, a heb unrhyw gysylltiad amlwg rhyngddynt a'i gilydd – ceir disgrifiadau bywiog o hynt a helynt enwogion yn crwydro dros fôr a thir.

Defnyddir y daith nid yn unig fel fframwaith, ond yn aml hefyd fel sail i storïau serch a storïau antur. Mae taith yn cario stori yn ei blaen ac yn rhoi momentwm i'r cynnwys, boed hwnnw'n hanesyddol neu ddychmygol. Mae'r elfen o ansicrwydd, a'r amrywiaeth o ddigwyddiadau cyffrous, yn cadw'r darllenydd ar bigau'r drain. Mae disgrifiad byw a manwl o erlid, neu o anfon yr arwr ar daith beryglus ac anturus, yn creu difyrrwch ac adloniant trwy gynnal tensiwn y stori. Cyfeirio'n unig at ddigwyddiadau a wna'r hanesydd, ond mae'r nofelydd yn manylu er mwyn cyfoethogi'r stori a chadw diddordeb y darllenydd. Caiff y storïwr rwydd hynt i ddethol digwyddiadau a defnyddio'i ddychymyg i gyfansoddi araith neu ymgom er mwyn hyrwyddo'i neges. Rhydd ei gyfrwng iddo gyfle iddo fynegi safbwynt personol.

Esiampl amlwg yw stori'r Groegwr enwog Wlysses gan Homer, yn yr *Odyseia* yn yr wythfed ganrif CC. Wedi dinistrio Caer Droea, mae'r arwr a'i gyfeillion yn hwylio o un wlad neu o un ynys i'r llall ar hyd Môr y Canoldir, am amser maith. Cânt bob math o brofiadau ar y ffordd. Tua dechrau'r ganrif gyntaf OC, ysgrifennodd Fyrsil yr *Aenëis*, sef fersiwn Rhufeinig yr *Odyseia*. Yr enghraifft hynaf o'r patrwm yw *Stori Gilgamesh,* un o chwedlau Mesopotamia o tua 3000 CC, sy'n disgrifio taith y brenin Gilgamesh i chwilio am anfarwoldeb. Cafodd ei chyfieithu i lawer o ieithoedd, a daeth yn boblogaidd iawn yn y Dwyrain Canol. Yr oedd wedi cyrraedd Canaan ymhell cyn i'r Israeliaid goncro'r wlad. Ym mhob diwylliant, mae anturiaethau annisgwyl yr arwr ar ei daith yn creu stori gyffrous a gwefreiddiol. Y stori deithio yw'r patrwm llenyddol a ddewisodd awduron y Tora i groniclo cyfnod y cyndadau. Stori deithio a ddewisodd Luc fel fframwaith i adrodd hanes cynnar yr Eglwys yn Actau'r Apostolion. Gwyddent ei bod yn gyfrwng delfrydol i drosglwyddo neges ddiwinyddol ac i gyflwyno themâu sy'n greiddiol i bob cymdeithas, heb sôn am gadw diddordeb y darllenwyr.

Hyd yn oed pan fo'r prif gymeriadau'n weddol sefydlog, mae'r teithio'n parhau. Daeth Abraham i Ganaan (Gen. 12:5), ond yn lle ymgartrefu mewn un man 'tramwyodd trwy'r tir ... hyd dderwen More' (12:6). Er iddo adeiladu allor ym More, 'symudodd oddi yno i'r mynydd-dir' rhwng Bethel ac Ai, lle gosododd ei babell (12:8). Ond mae'r ysfa i deithio ym mêr ei esgyrn. Symudodd 'yn raddol' tua'r de (12:9) cyn dychwelyd i Bethel (13:3). Wedi ymwahanu oddi wrth Lot, aeth i fyw i Hebron (13:18). Teithiodd oddi yno i'r de unwaith eto 'a byw rhwng Cades a Sur' (20:1). Mewn ufudd-dod i'r gorchymyn i aberthu ei fab, aeth 'i wlad Moreia' (22:2). Daeth yn ôl i Hebron lle bu Sara farw (23:2), ac yno y claddwyd ef a'i wraig (23:19; 25:9). Pa ryfedd iddo'i ddisgrifio'i hun, wrth iddo fargeinio â'r Hethiaid am ogof Machpela, fel 'dieithryn ac ymdeithydd' yn eu mysg (23:4).

O ddilyn y stori, awn ar daith o Ur i Haran, o Haran i Ganaan, o Ganaan i'r Aifft, dychwelyd i Ganaan, a mynd yn ôl eto i'r Aifft (yn gaethion y tro hwn). Wedi darllen am deithiau Isaac, Jacob a Joseff, awn ymlaen at weddill y Tora. Wedi cyrraedd yr Aifft, gwelwn mai un bennod yn unig, sef Exodus 1, a neilltuir i adrodd am gyfnod sefydlog yn hanes y genedl cyn i'r teithio ailddechrau. Pan welodd Duw adfyd y caethion, daeth i'w gwaredu o law'r Eifftiaid a'u harwain i wlad yr addewid. O hyn ymlaen, digwyddiadau sy'n nodweddiadol o stori deithio yw'r cynnwys: paratoi i adael yr Aifft, wynebu'r peryglon o groesi'r Môr Coch a byw yn yr anialwch, cyflenwad gwyrthiol o fwyd a diod i gynnal dros ddwy filiwn o bobl am ddeugain mlynedd, grwgnach parhaus a galw am gael dychwelyd i'r Aifft, colli cenhedlaeth gyfan am fod mor wrthryfelgar ac anniolchgar. Stori deithio, hanes ffoaduriaid a chrwydriaid yn chwilio am gartref yw'r Tora. O Genesis 11:31 i Deuteronomium 34:12 prin fod neb yn aros yn llonydd.

O Ur i Haran

Mae'r daith yn dechrau gyda Tera. Bro ei febyd oedd Ur y Caldeaid, dinas ym Mesopotamia lle mae afonydd Ewffrates a Tigris yn dod yn un cyn llifo i Gwlff Persia. Yn ôl yr archaeolegwyr, roedd y ddinas yn nes at y môr bryd hynny: mae'r arfordir wedi newid dros y canrifoedd. Yr enwau cynharaf ar y rhan hon o'r byd oedd Accad a Swmer, y naill yn cyfeirio at y deyrnas ogleddol a'r llall at y ddeheuol. Disgrifir teyrnas Swmer gan haneswyr fel 'crud gwareiddiad', ar sail cyfraniad arbennig y boblogaeth i fywyd y cyfnod rhwng 2900 a 2100 CC.

Ymysg cyflawniadau'r Swmeriaid rhestrir gwaith haearn cain; troi traddodiad llafar yn llenyddol; dofi anifeiliaid a thyfu planhigion at ddefnydd dynoliaeth; amaethu llwyddiannus trwy ddyfrhau'r tir. Cafodd diwylliant Swmer ddylanwad trwm nid yn unig ar yr hen Ddwyrain Canol, gan gynnwys Israel, ond ar wareiddiad yn gyffredinol. Mae teitl llyfr safonol ar y pwnc, *History Begins at Sumer,* yn dweud y cwbl. Er i'r Assyriaid a'r Babiloniaid ddisodli'r Accadiaid a'r Swmeriaid erbyn 2000 CC, parhaodd dylanwad y diwylliant am ganrifoedd.

Mae archaeoleg wedi cadarnhau bod Ur yn ddinas bwysig, nid yn unig oherwydd ei chyfoeth a'i diwylliant eithriadol ond hefyd am ei bod yn un o ganolfannau gweinyddol y deyrnas. Ymysg yr adfeilion, darganfuwyd sawl bedd brenhinol. Mae ei chymeriad arbennig yn gwneud penderfyniad Tera i'w gadael, a dewis mynd i fyw i Ganaan, yn ddirgelwch llwyr. Er nad yw'r awdur yn cynnig datrys y dirgelwch, mae'r ffaith bod oes aur Swmer yn dechrau dirwyn i ben erbyn diwedd y trydydd mileniwm yn awgrymu bod a wnelo hynny â phenderfyniad Tera. A oedd bywyd bob dydd yn mynd yn drech na'r trigolion am fod yr economi'n dechrau gwegian? A oedd gelynion yn ymosod ar y deyrnas? A oedd teulu Tera'n dioddef erledigaeth? Ond beth bynnag oedd achos yr ymfudo, pam dewis Canaan mwy nag unrhyw wlad arall? Ni allwn ond dyfalu.

Os yw'r rheswm dros fynd i Ganaan yn ddirgelwch, fe wyddom na chyrhaeddodd Tera ben ei daith. Wedi cyrraedd dinas Haran, gannoedd o filltiroedd i'r gogledd ar lan afon Ewffrates – ar y ffin rhwng Syria a Thwrci heddiw – penderfynodd aros yno. Arhosodd yn ei gynefin. Adeiladodd dŷ, magodd ei deulu, bu farw ac fe'i claddwyd yn Haran. I fynd o Ur i Ganaan fel yr hed y frân, byddai'n rhaid croesi Diffeithwch Arabia, taith o tua chwe chan milltir. Roedd yn gwneud synnwyr i Tera osgoi'r anialdir a dilyn yr afon, ond prin fod angen iddo fynd mor bell i'r gogledd-orllewin â Haran, ac yna i'r de-orllewin ar hyd arfordir Môr y Canoldir, i gyrraedd ei nod.

Mae darganfyddiadau archaeolegol yn tystio bod llwythau'n teithio'n barhaus ledled y Dwyrain Canol yn ystod y cyfnod hwn. Rhan o'r ymfudo cyson hwn oedd taith Tera. Nid ar orchymyn Duw y gadawodd Ur y Caldeaid ond ar ei liwt ei hun, er mwyn cael bywyd gwell iddo ef a'i deulu. Ond efallai na fwriadodd fynd ymhellach na ffin ogleddol Mesopotamia. Wrth ddweud mai ei fwriad oedd mynd i wlad Canaan, mae'n bosibl mai cyfeirio a wna'r awdur at daith arfaethedig Abraham o Haran i Ganaan. Gydag Abraham y mae'r daith i wlad yr addewid yn dechrau. Ond nid oes eglurhad pam fod Duw wedi dewis Canaan, mwy nag unrhyw wlad arall, i gyflawni ei fwriad ar gyfer dynoliaeth.

Cwestiynau i'w trafod

1. Pam fod cymaint o bobl heddiw'n ymddiddori yn llinach eu teulu?

2. Beth sy'n arwain y Cristion i feddwl am fywyd fel taith neu bererindod?

3. Pam fod y stori deithio'n batrwm llenyddol mor boblogaidd gan awduron hen a newydd?

4. Hanes yr Alwad

Genesis 12:1–3

Ym mhle roedd Abraham pan ddaeth yr alwad? Yr awgrym yn Genesis yw ei fod yn Haran (12:4). Ond yn ôl y weddi faith a groniclir yn Llyfr Nehemeia, cafodd ei alw yn Ur, cyn i'r teulu symud i Haran. Ynddi mae'r awdur yn cyfarch Duw fel yr un 'a ddewisodd Abram a'i dywys o Ur y Caldeaid, a rhoi iddo'r enw Abraham' (Neh. 9:7). Yr un traddodiad a geir yn araith Steffan yn Actau'r Apostolion: 'Ymddangosodd Duw'r gogoniant i'n tad ni, Abraham, ac yntau yn Mesopotamia, cyn iddo ymsefydlu yn Haran' (Ac.7:2). Cefnogir y ddamcaniaeth hon hefyd yn nhraddodiad ôl-Feiblaidd yr Iddewon. Ond yma bodlonwn ar yr adroddiad yn Genesis, a derbyn bod hanes yr alwad yn dechrau yn Haran.

Pam fod pobl yn ymfudo? Gallwn feddwl am amryw o resymau, personol a gwleidyddol: anghydfod teuluol, tlodi a newyn, chwilio am waith, hawlio noddfa rhag erledigaeth. Gellid tybio y byddai Abraham wedi gadael Haran am resymau tebyg; ond yn ôl y Beibl, rheswm gwahanol iawn oedd ganddo dros droi cefn ar ei gynefin. 'Dywedodd yr ARGLWYDD wrth Abram, "Dos o'th wlad, ac oddi wrth dy dylwyth a'th deulu, i'r wlad a ddangosaf i ti"' (Gen.12:1). Ni cheir unrhyw esboniad pam y daeth yr alwad hon i Abraham. Gorchymyn anesboniadwy a achosodd i'r patriarch newid cyfeiriad ei fywyd. Yr unig beth a wyddom yw mai Duw a gymerodd y cam cyntaf, ac mai gydag ufudd-dod Abraham i'r gorchymyn i adael ei gartref y mae hanes y genedl Iddewig yn dechrau.

Duw Abraham

'Cyn llunio'r byd, cyn lledu'r nefoedd wen' roedd 'y ddaear yn afluniaidd a gwag, ac yr oedd tywyllwch ar wyneb y dyfnder ... A dywedodd Duw, "Bydded goleuni." A bu goleuni' (Gen. 1:2–3). Mae gair Duw yn ddigon i gael trefn yn lle anhrefn. Yma eto, yn Genesis 12, trwy ei air y mae

Duw'n newid cwrs y byd. Mae ei eiriau wrth Abraham yn nhair adnod gyntaf y bennod ymysg geiriau mwyaf trawiadol y Beibl. Geilw Abraham i'w ddilyn er mwyn cyflawni ei fwriad o roi trefn ar fyd pechadurus trwy ei ail-greu wedi cyflafan tŵr Babel, pan wasgarwyd y bobl i'r pedwar gwynt am iddynt geisio codi tŵr i gyrraedd y nefoedd (11:8). Y tro hwn, yn Genesis 12, nid daear 'afluniaidd a gwag', nac ymffrost dynoliaeth, yw man cychwyn yr ail-greu, ond galwad gan Dduw i unigolyn arbennig.

Byddai rhai'n dadlau bod y portread o Dduw yn Genesis 12 yn wahanol iawn i'r un a gafwyd ym mhenodau cynnar y llyfr. Er iddo greu'r byd trwy ei air, nid bod trosgynnol sy'n preswylio yn y nefoedd yw Duw'r dechreuadau: mae'n ymwneud yn uniongyrchol â'i greadigaeth. Creodd ddyn o lwch y ddaear; plannodd ardd yn Eden; aeth drwyddi am dro gyda hwyr y dydd. Gwnaeth beisiau crwyn i Adda ac Efa pan ddaeth o hyd iddynt yn cuddio am iddynt glywed ei sŵn yn cerdded yn yr ardd. Prin y byddai cuddio ymysg y coed yn llwyddo i osgoi Duw hollwybodol y traddodiad diweddarach, ond ymddengys nad oedd yn hollwybodol yr adeg honno, oherwydd galwodd ar Adda a gofyn iddo, '"Ble'r wyt ti?"' (3:9).

Yn yr un modd, gellid dadlau nad Duw sy'n plannu gardd ac yn cerdded ynddi yw'r un sy'n gorchymyn i Abraham adael ei dylwyth a'i deulu, ond rhyw rym anweledig nad yw'n dewis ei gyflwyno'i hun. Dim ond gair sydd gan y patriarch. Mae ufuddhau yn galw am ffydd. Rhaid iddo dderbyn yn hyderus fod y sawl sy'n galw yn ddilys ac yn ddibynadwy. Ac y mae hynny'n her go fawr iddo. Roedd yn haws o lawer i Moses a'r Israeliaid dderbyn amodau cyfamod Sinai, a theithio'r anialwch nes cyrraedd Canaan, am eu bod yn adnabod y Duw oedd yn eu cyfarch er na welsant erioed mohono. Gwyddent eisoes ei fod yn Dduw grymus a chariadlon. Roedd Duw wedi clywed ei bobl yn griddfan yn yr Aifft 'oherwydd eu caethiwed' (Ex. 2:23), a daeth i'w hachub. Anfonodd blâu ar yr Eifftiaid; agorodd ffordd i'r ffoaduriaid trwy'r Môr Coch; arweiniodd hwy trwy'r anialwch, a'u bwydo gyda manna a soflieir.

Ond nid datguddiad o'r math hwnnw oedd profiad Abraham. Cyn cychwyn ar ei daith, bu raid iddo fodloni ar air yn ei glust, heb ddim math o dystiolaeth bellach i bwyso arni. Serch hynny, cymer yr hanesydd yn ganiataol nad un o'r duwiau paganaidd oedd yn ei alw ond Yahweh, Duw Israel, y gwir Dduw. Mae'r alwad yn syfrdanol mewn dwy ffordd: yn yr hyn y mae'n ei ofyn ac yn yr hyn y mae'n ei addo – yn y gorchymyn ac yn yr addewid.

Gorchymyn ac addewid

Ni fu erioed orchymyn mwy miniog na'r un a gafodd Abraham i godi ei bac a gadael Haran. Yn ei esboniad ar Genesis, dywed John Calfin fod Duw fel petai'n dweud wrth Abraham, 'Rwyt i fynd â'th lygaid ynghau; ni chei ofyn i ble rwyf yn dy anfon hyd nes y byddi wedi diarddel dy wlad a'th roi dy hun yn gyfan gwbl i mi'. Gorchymyn sydd yma i ddyn ffarwelio â'i wlad a'i dylwyth a'i deulu am byth. Sylwer ar y pwyslais bwriadol. I drigolion yr hen fyd, lle'r oedd bod yn aelod o deulu neu lwyth yn hollbwysig, roedd gorfod gadael cynefin a chyfeillion yn sicr o greu argyfwng. I ŵr di-blant yn ei saithdegau, roedd y gorchymyn yn fwy miniog byth.

I wneud pethau'n waeth, nid mewn rhyw bentref diarffordd yr oedd Abraham pan ddaeth yr alwad ond yn Haran. Dyma ddinas ag iddi dai braf a strydoedd llydan; dinas ddiwylliedig, ddiogel, foethus, uchel ei safon byw; dinas heb brinder am ei bod ar un o groesffyrdd y Dwyrain Canol, a marsiandïaeth yr hen fyd yn llifo drwyddi; dinas lle'r oedd y merched yn gwisgo sidan ac yn berchen ar ddysglau o alabaster, llestri sydd wedi goroesi'r canrifoedd ac a welir heddiw yn yr Amgueddfa Brydeinig. Yr unig beth sy'n gwneud gorchymyn mor llym yn dderbyniol yw'r addewid, sef pwnc sylfaenol y stori. Nid cyfraith neu ddisgyblaeth yw hanfod y gorchymyn, ond addewid. Derbyn yr her i adael ei gynefin sy'n rhoi gobaith i Abraham y bydd ganddo ddisgynyddion. Cawn ein hatgoffa o eiriau Iesu, 'Pwy bynnag a fyn gadw ei fywyd, fe'i cyll, ond pwy bynnag a gyll ei fywyd er fy mwyn i a'r Efengyl, fe'i ceidw' (Mc. 8:35).

Mae pob addewid yn rhwymo'r sawl sy'n ei dderbyn wrth y dyfodol. Ond mae natur y berthynas rhwng y dyfodol a'r addewid yn hollbwysig. Nid gobaith niwlog am welliant maes o law sydd ynghlwm wrth addewid; nid agwedd agored tuag at ryw ddyfodol ansicr ac anhysbys. Mae addewid yn ein cyfeirio at ddyfodol pendant trwy osod sail gadarn i'n gobeithion. Yn hyn o beth gellid dweud fod addewid yn rhagori ar obaith. Ond gan fod pob addewid yn naturiol yn edrych tua'r dyfodol, mae'r cyfnod rhwng rhoddi'r addewid a'i chyflawni yn llawn ansicrwydd a thensiwn. Mae cyfle i obaith gilio ac i anobaith flaguro. Wrth ddilyn hynt Abraham, buan y gwelwn ei fod yn ymwybodol iawn o'r gofid a'r tyndra o aros am y cyflawniad, yn enwedig cyflawniad yr addewid o eni etifedd. Y tensiwn rhwng yr addewid a'i gyflawniad sy'n cadw'r stori'n fyw, ac yn gadael y gwrandawyr yn awchu am fwy.

Mae i'r addewid dair elfen: gwlad i grwydriaid, llu o ddisgynyddion, a pherthynas arbennig rhwng Duw a dynoliaeth trwy gyfrwng cenedl etholedig. Mae'n addewid syfrdanol i rywun nad oedd ganddo obaith am etifedd cyhyd ag y byddai'n ffyddlon i Sara. Mae'r tair elfen yn perthyn i'w gilydd; nid oes sylwedd i'r un ohonynt ar wahân i'r lleill. Pa fudd yw bendith Duw i unrhyw un os nad yw hefyd ar gyfer ei ddisgynyddion? Pa werth sydd i ddisgynyddion heb fod iddynt hefyd gartref? Pa ddiben sydd i genedl etholedig os nad yw dynoliaeth ar ei helw drwyddi? Yn Genesis 12–50, yr addewid am etifedd a ddaw gyntaf, a'r addewid am wlad yn dilyn. Yn Exodus a Lefiticus, y berthynas arbennig rhwng Duw a'i etholedigion sy'n cael sylw. Yn Numeri a Deuteronomium, y wlad sydd fwyaf amlwg. Mae'r addewid yn ei chrynswth yn rhedeg fel llinyn arian trwy'r Tora. Aiff amser maith heibio cyn cyflawni'r addewid. Trwy gydol Genesis mae'n ymddangos yn gyson, ond yn cilio'r un mor sydyn.

Cyflawniadau Abraham

Yn ogystal ag addo gwlad ac etifedd, mae Duw'n anrhydeddu Abraham trwy roi iddo statws arbennig a fydd ganddo am byth. Bydd yn dad i genedl enfawr. Bydd yn derbyn bendith. Daw ei enw'n gyfarwydd ar wefus dynoliaeth. Ei gyfeillion ef fydd cyfeillion Duw; ei elynion ef fydd gelynion Duw. Bydd yn gyfrwng bendith i bawb arall. Mae Pedr, yn ei araith yn y Deml yn union wedi'r Pentecost, a Paul yn ei lythyr at y Galatiaid, yn pwysleisio swydd gyfryngol Abraham fel un sy'n dod â bendith i eraill (Ac. 3:26; Gal. 3:8). Pa ryfedd bod ymateb Abraham i alwad Duw'n gadarnhaol? Ond achosodd y fath sylw arbennig gryn anhawster i esbonwyr Iddewig cynnar. Roedd i Dduw ddweud wrth rywun y byddai'n ei wneud yn gyndad i genedl rymus, a thrwyddi hi'n fendith i lawer o genhedloedd eraill, yn addewid eithaf syfrdanol. Ond pam Abraham? Hyd yma yn ei fywyd, beth a gyflawnodd ef i haeddu'r fath anrhydedd? Yn ôl a welai'r esbonwyr, dim byd o gwbl.

Gan nad oedd y cyflwyniad byr yn y bennod flaenorol yn datrys y dryswch, trowyd am help at destun yn Llyfr Josua sy'n cynnwys adlais amlwg o Genesis 12:1–3. Yn ei araith olaf i lwythau Israel, cyfeiriodd Josua at y cyfnod pan oedd Abraham yn dal i fyw ym Mesopotamia, ac at y gorchymyn a gafodd i ymfudo i wlad arall. 'Ers talwm yr oedd Tera, tad Abraham a Nachor eich hynafiaid, yn byw y tu hwnt i'r Ewffrates ac yn addoli duwiau estron. Ond fe gymerais eich tad Abraham o'r tu hwnt i'r Ewffrates a'i arwain trwy holl wlad Canaan, ac amlhau ei ddisgynyddion' (Jos. 24:2–3). Cyfeiriad yw'r 'duwiau estron' at dduwiau'r Swmeriaid. Y prif dduwiau yn ardal Ur oedd duw'r lleuad a'i wraig, sef Nannar a Ningal. Ystyr lythrennol yr enw Nannar yw 'y dyn yn y lleuad'. Y rhain oedd duwiau Tera.

Ar un wedd, mae'r testun hwn yn Josua'n dwysau'r dryswch. Er bod Abraham yn eilunaddolwr, cymerodd Duw ef a'i fawrygu a'i arwain ar ei daith, a sicrhau iddo ddisgynyddion. Ni welai'r esbonwyr Iddewig unrhyw gysylltiad rhesymegol rhwng addoli duwiau estron a chael lle arbennig yn arfaeth Duw. Prin y byddai teyrngarwch i dduwiau eraill yn ennill ffafr Duw Israel. Yn eu barn hwy, roedd bwlch amlwg yn adroddiad Josua rhwng dau gymal, y naill yn cyfeirio at gefndir paganaidd Abraham a'r llall yn dweud ei fod wedi ei ddewis gan Dduw. Roedd yr anghysondeb yn galw am eglurhad. Cafwyd goleuni ar y mater mewn un manylyn yn nhestun Josua a oedd wedi deffro chwilfrydedd yr esbonwyr Iddewig hyn. Er bod Tera, Nachor ac Abraham yn eilunaddolwyr, dewisodd Duw Abraham. Wrth ei enwi ef yn benodol, mae'n amlwg bod y ddau arall yn cael eu hanwybyddu'n fwriadol. Yr unig esboniad boddhaol dros ddewis Abraham oedd ei fod wedi troi ei gefn ar amldduwiaeth ei deulu, ac addoli'r unig wir Dduw. Er bod hyn yn golygu ychwanegu at y testun Beiblaidd, roedd y dehongliad yn cydweddu'n berffaith â'r darlun a geir o Abraham yn Genesis fel un sy'n ymddiried yn llwyr yn Nuw. O ganlyniad, datblygodd Abraham amryw o nodweddion yn y traddodiad Iddewig nad ydynt i'w cael yn yr Ysgrythur. Daw cyfle i roi mwy o sylw i hyn ymhellach ymlaen.

Cwestiynau i'w trafod

1. Pa mor greiddiol yw hanes galw Abraham fel rhagarweiniad i hanes y genedl etholedig?

2. Sut a pham y mae'r ddelwedd o Dduw yn y Beibl yn newid yn Genesis 12?

3. Dyheu am ddisgynyddion a gwlad iddynt fyw ynddi y mae Abraham a Sara. Beth ydym ni yn dyheu amdanynt?

5. Crwydro Canaan
Genesis 12:4–9

Roedd y fintai a aeth o Haran yn sylweddol, sy'n awgrymu esboniad eithaf hael o'r gorchymyn i adael pawb a phopeth ar ôl. Yn ogystal â'r 'holl feddiannau' a gasglodd, cafodd Abraham fynd â'r 'tylwyth' a gafodd yn Haran gydag ef (Gen. 12:5). Yr Hebraeg gwreiddiol am 'tylwyth' yw 'pob enaid a wnaethant' yn Haran. Yn ôl yr esbonwyr Iddewig cynnar yn y Midrash, mae'r cymal yn cyfeirio at waith cenhadol Abraham a Sara. Wedi cyrraedd y ddinas, bu'r ddau wrthi'n ddiwyd yn achub eneidiau trwy bregethu undduwiaeth, a daeth llawer i gredu yn y gwir Dduw. Hwy oedd cenhadon cyntaf Iddewiaeth; Sara yn cenhadu ymysg y merched ac Abraham ymysg y dynion. Dyna pam y mae Cenedl-ddynion sy'n dewis troi at Iddewiaeth yn cael eu cyfarch yn y gwasanaeth derbyn fel 'mab Abraham' neu 'ferch Sara'.

Os mai 'credinwyr' yw ystyr 'tylwyth', mae parodrwydd y rhai a ymunodd ag Abraham i adael Haran yn ddealladwy. Ond pam cynnwys Lot yn y fintai, y nai anystywallt a fyddai'n achosi'r fath drafferth i'w ewythr yn nes ymlaen? Un awgrym yw bod y patriarch yn awyddus i sicrhau y byddai ganddo etifedd, gan fod Sara'n ddi-blant. Awgrym arall, mwy tebygol efallai, yw bod yr awdur yn gwybod am y drwgdeimlad rhwng yr Israeliaid a'u perthnasau, sef y Moabiaid a'r Ammoniaid, disgynyddion Lot, a ddatblygodd genedlaethau'n ddiweddarach. Ymgais sydd yma i geisio esbonio'r berthynas; daw tarddiad yr anghydfod i'r golwg yn nes ymlaen.

Ufudd-dod dibetrus
Dechreuodd taith fawr Abraham wrth iddo ufuddhau i orchymyn Duw: 'Aeth Abraham fel y dywedodd yr ARGLWYDD wrtho' (12:4). Mae rhyw rym arbennig yn perthyn i'r frawddeg honno: dyn yn mynd heb ofyn yr un cwestiwn nac yngan gair o brotest. Mor wahanol oedd

ymateb Abraham i'r eiddo Moses a rhai o'r proffwydi i alwad Duw: apeliodd Moses yn daer ar i Dduw newid ei feddwl a pheidio â'i anfon at Pharo i ofyn iddo ryddhau'r Israeliaid o'u caethiwed (Ex. 3:7 – 4:17); ceisiodd Jeremeia berswadio Duw i'w ryddhau o'i alwad (Jer. 1:6). Ond ufuddhaodd Abraham heb feddwl ddwywaith.

Mae hanes yn tueddu i ddibrisio ufudd-dod. Yn llysoedd Nuremberg wedi'r Ail Ryfel Byd, unig amddiffyniad y Natsïaid dros lofruddio miliynau o Iddewon oedd ufudd-dod. Dadleuent nad oedd gan bobl dan orchymyn ddewis. Prin y gellir cyfiawnhau'r math hwnnw o ufudd-dod difeddwl. Ond yn y Beibl, ceir math arall o ufudd-dod. Nid oes gan yr iaith Hebraeg air i gyfieithu 'ufuddhau': yr ymadrodd agosaf ato yw 'clywed' neu 'gwrando ar lais'. Felly, pan ymfudodd Abraham o Haran, nid oes unrhyw awgrym o orfodaeth. Nid ufuddhau i orchymyn allanol a wna ond gwrando ar lais mewnol. Nid bod hyn yn gwneud yr ymadawiad ronyn yn haws. Ond ei ymateb hyderus a ffyddiog i'r llais a enillodd iddo le o fewn y tair crefydd. Mae Islam yn rhoi pwyslais arbennig ar ei ufudd-dod: 'Un sydd yn ymostwng, neu ufuddhau' i ewyllys Duw yw ystyr gwreiddiol y gair 'Moslem'. Y ffydd sy'n gysylltiedig ag ufudd-dod a gaiff sylw'r Iddew a'r Cristion.

Ond er ei barodrwydd i ufuddhau, ni fu erioed gam mwy anodd ei gymryd na cham cyntaf Abraham ar y ffordd i Ganaan. Dyma ddyn yn cefnu ar foethusrwydd a sicrwydd cartref cysurus er mwyn crwydro'r anialwch a byw mewn pabell. Beth, tybed, oedd ymateb Sara? Beth oedd cymdogion Abraham yn ei feddwl ohono? Debyg eu bod o'r farn ei fod allan o'i bwyll, a'u bod wedi ei annog i beidio â mynd. Roedd lleisiau Haran yn siŵr o fod yn lleisiau cryf ac uchel. Ond heb feddwl eilwaith, camodd Abraham yn gorfforol ac yn ysbrydol o un byd i fyd arall, o Fesopotamia i Ganaan, o ddiwylliant amldduwiol y Caldeaid i gymuned un-dduwiol yr Israeliaid. Er na welai'r dyfodol, llwyddodd i'w lunio wrth ufuddhau.

Nodweddion ffydd

'Y mae ffydd', meddai Iago yn ei lythyr, 'os nad oes ganddi weithredoedd, yn farw' (Iag. 2:17). Mae'r datganiad hwn yn ymddangos yn gwbl amlwg. Prin fod eisiau tair adnod ar ddeg (dyna faint y mae Iago yn eu neilltuo i'r pwnc), i'n hatgoffa fod cysylltiad annatod rhwng yr hyn yr ydym yn ei gredu a'r hyn yr ydym yn ei wneud. Ac nid Iago'n unig sy'n gwneud y pwynt hwn. Mae Iesu'n dweud rhywbeth digon tebyg pan ddywed mai wrth eu gweithredoedd y mae adnabod pobl. Ac mae hyd yn oed Paul, sy'n rhoi pwyslais mawr ar gyfiawnhad trwy ffydd, yn tanlinellu pwysigrwydd gweithredoedd trwy alw am well disgyblaeth wrth gyfarch yr eglwysi yn ei lythyrau. Wedi'r cwbl, pregeth yw pob gweithred yng ngolwg y byd, tystiolaeth weledol i'r hyn a gredir. Mae'r pwyslais hwn yn gwbl nodweddiadol o'r meddwl Hebreig. Nid natur ffydd sydd o ddiddordeb i'r Iddew, ond y canlyniadau. Mewn Iddewiaeth, yr ymarferol yn hytrach na'r damcaniaethol a gaiff y lle blaenaf.

Ym mhob cyfnod yn hanes yr Eglwys, gan gynnwys y presennol, mae angen pwysleisio'n daer ac yn fynych y ffaith bod ffydd heb weithredoedd yn farw. Tuedda llawer o bobl grefyddol i dybio mai ffydd ddiffuant ac argyhoeddiad diysgog yw prif nodwedd gwir gredinwyr. Iddynt hwy, yr hyn sy'n cyfrif yw credu mewn athrawiaeth gywir, mewn addoliad derbyniol, mewn person anffaeledig, mewn llyfr ysbrydoledig. Ac am eu bod yn cadw'n ddi-ildio at gywirdeb eu credo, gwae'r sawl sy'n anghytuno. Meddyliwch faint o waed a gollwyd dros y canrifoedd o achos argyhoeddiadau crefyddol. Pa syndod fod y byd yn cael anhawster i weld cysylltiad rhwng ffydd a gweithred?

Bu pwyslais Iago ar weithredoedd fel mynegiant o ffydd yn gwbl amserol ar hyd y canrifoedd. Nid dibrisio ffydd a wna, ond ein herio i ystyried dylanwad ffydd ar fywyd credinwyr. Beth sydd i'w ddisgwyl gan berson ffydd? Beth yw rhai o'r gweithredoedd sy'n nodweddu ffydd? Ateb Iago yw, gwrthod ffafrio'r cyfoethog a pheidio ag esgeuluso'r tlawd (1:27 – 2:17). Ei hoff esiampl o ffydd ar waith yw Abraham: 'Onid trwy ei weithredoedd y cyfiawnhawyd Abraham, ein tad, pan offrymodd ef Isaac, ei fab, ar yr allor? Y mae'n eglur iti mai cydweithio â'i weithredoedd yr oedd ei ffydd, ac mai trwy'r gweithredoedd y cafodd ei ffydd ei mynegi'n berffaith' (2:21–22). Yn stori Abraham, gwelwn sut mae gweithredoedd yn mynegi ffydd: mae ei ymateb i'r Duw anweledig, a'i barodrwydd i gredu'r addewidion, yn tynnu sylw at dair o nodweddion ffydd sy'n berthnasol i bob oes.

Yn gyntaf, mae ffydd yn *rhyddhau ynni.* Yn ddyn yn ei oed a'i amser, mae Abraham yn codi pac ac yn gadael Haran i fynd ar daith a fyddai'n siŵr o fod yn her iddo ef a'i fintai. Ond nid ef yw'r unig esiampl. Meddylier am Noa yn chwys diferol yn gweithio yn erbyn y cloc i adeiladu arch. Pam? Am ei fod yn ffyddiog y byddai Duw'n cadw ei addewid i'w achub ef a'i deulu rhag y Dilyw. Mae Actau'r Apostolion yn disgrifio gwaith cenhadol y Cristnogion cyntaf wedi i nerth yr Ysbryd Glân ddod arnynt. Ni chânt orffwys ar eu rhwyfau. Meddai Iesu wrthynt cyn ei esgyniad: 'Byddwch yn dystion i mi yn Jerwsalem, ac yn holl Jwdea a Samaria, a hyd eithaf y ddaear' (Ac. 1:8). Gan ufuddhau i'r gorchymyn, teithiant yn ddiflino i gyhoeddi'r newydd da. Pam? Am eu bod yn credu yn y Crist atgyfodedig. Yn ddeg ar hugain oed, aeth y diwinydd enwog Albert Schweitzer yn ôl i'r coleg i astudio meddygaeth am saith mlynedd cyn treulio gweddill ei oes mewn ysbyty yng nghanolbarth Affrica. Pam? Am fod ganddo hyder yn y Duw a'i galwodd i weini ar bobl yr ymylon.

Ceir pobl o'r fath ym mhob gwlad ac oes. Pa mor wahanol bynnag ydynt, mae ganddynt un peth yn gyffredin: mae eu ffydd yn rhyddhau ynni, yn eu symbylu i ymdrechu, yn eu gwthio i weithredu. Mae rhyw ddeinamig yn perthyn i ffydd sy'n gwneud pobl yn weithgar. Nid ffisig i'n tawelu ydi ffydd, nid pilsen i'n gyrru i gysgu, ond tonic i'n hysbrydoli ac i ddeffro'n brwdfrydedd. Does dim byd tebyg i ffydd i wneud diogyn yn weithiwr.

Yn ail, gall ffydd *achosi chwyldro* trwy droi bywyd wyneb i waered. Dyna a ddigwyddodd i Abraham wrth iddo adael Haran. Ond unwaith eto, nid ef yw'r unig esiampl. Cafodd Amos, amaethwr cyffredin, ei argyhoeddi fod Duw'n galw am gyfiawnder a barn mewn cymdeithas. Newidiodd ei argyhoeddiad gwrs ei fywyd, a'i wneud yn broffwyd blaenllaw a beiddgar; nid oedd byth yr un fath wedyn. Pan ddarllenwn gyntaf am Saul, y Pharisead pybyr, y mae'n erlid Cristnogion yn ddidrugaredd o ganlyniad i glywed gweddi Steffan. Ond wedi'r profiad rhyfeddol ac annisgwyl a gafodd ar y ffordd i Ddamascus, daeth i gredu'n ddiffuant iddo ddod wyneb yn wyneb â'r Crist dyrchafedig. Yn ei amddiffyniad gerbron Agripa, wrth sôn am ei dröedigaeth dywed iddo droi at Grist a chael ei benodi, yn y fan a'r lle, yn apostol i'r Cenhedloedd (Ac. 26:12-18). Sut bynnag yr eglurir y digwyddiad trawmatig, gwnaeth ddyn newydd o Paul. Dyna fan cychwyn ei genhadaeth a sail ei athrawiaeth.

Mae'n wir y gall ffydd droi bywyd wyneb i waered. Ond pan ddigwydd hynny, clywir yn aml leisiau Haran – lleisiau sy'n ymresymu'n gryf ac yn dreiddgar, lleisiau sy'n ceisio darbwyllo. Yn ei hunangofiant, mae Schweitzer yn sôn am adwaith ei gyfeillion i'w benderfyniad i adael ei swydd fel pennaeth coleg yn Strasbourg a mynd i Affrica. Dywedent ei fod yn gwastraffu'r talentau a roddwyd iddo. Pa ddyn yn ei iawn bwyll a fyddai'n gwneud y fath beth? Er mwyn gwrthsefyll lleisiau Haran roedd angen ffydd sy'n achosi chwyldro.

Ac yn drydydd, mae ffydd yn ein *cymell i fentro*. I ychwanegu at yr ing wrth ymadael â Haran, mae Abraham yn gorfod cychwyn allan heb syniad ble fydd pen y daith. Y 'wlad a ddangosaf iti' (Gen. 12:1) yw'r unig gyfarwyddyd a gaiff. Dychmygwch yr olygfa yn Haran, a'r ieuengaf yn y fintai'n gofyn, 'Yncl Abraham, i ble rydym yn mynd?' A'r hen frawd yn gorfod cyfaddef nad oes ganddo unrhyw syniad. Ar gyrion y diffeithwch, nid yw'r fath ateb yn debygol o feithrin hyder. Wrth gyfeirio at ffydd Abraham, dywed awdur y Llythyr ar yr Hebreaid: 'aeth allan heb wybod i ble'r oedd yn mynd' (Heb. 11:8): y ffaith fod ei gyndad ysbrydol wedi mentro i'r anhysbys a drawodd yr awdur hwn wrth ddarllen y stori. Iddo ef, antur yw ffydd.

Ond mae'n anodd credu nad oedd Abraham yn gwybod y ffordd i Ganaan. Wedi'r cwbl, roedd un o briffyrdd y Dwyrain Canol yn arwain o Haran i'r de trwy ddiffeithwch Syria i wlad yr addewid, ac yna i'r Aifft. Tybed mai at yr anhysbys mewn termau ysbrydol y mae awdur Hebreaid yn cyfeirio? Hynny yw, fod Abraham yn teimlo ei fod yn cael ei alw gan ryw rym annelwig ac anodd ei ddirnad a oedd yn gryfach nag ef ei hun. Mae'n bosibl ei fod yn gadael Haran nid yn unig heb wybod i ble'r oedd yn mynd ond hefyd pam yr oedd yn mynd o gwbl. Beth bynnag fo'r eglurhad, ufuddhaodd i'r alwad. Ei ffydd yn yr addewid a'i hysgogodd i fentro.

Ffydd ym mwriad Duw a symbylodd eraill i fentro hefyd. Er iddo wneud llu o esgusion, ufuddhaodd Moses i alwad Duw a mynd at Pharo i bledio am ryddid i'w bobl. Beth petai'r brenin mewn tymer ddrwg? Mae Paul yn cyfeirio at ei ddioddefiadau ef ei hun wrth genhadu o amgylch Môr y Canoldir: 'Tair gwaith fe'm curwyd â ffyn, unwaith fe'm llabyddiwyd, tair gwaith bûm mewn llongddrylliad, ac am ddiwrnod a noson bûm yn y môr … Bûm mewn llafur a lludded, yn fynych heb gwsg, mewn newyn a syched … yn oer ac yn noeth' (2 Cor. 11:25–27). Pam mentro i'r fath raddau? Am fod ganddo ffydd yn y Crist atgyfodedig. Bu'r un peth yn wir am genhadon a merthyron Cristnogol dros y canrifoedd. Menter go fawr oedd y genhadaeth o Gymru i Fadagascar ddwy ganrif yn ôl. Yn ystod yr ugeinfed ganrif, y ganrif fwyaf gwaedlyd yn hanes dynoliaeth, mentrodd miloedd o'n gyd-gristnogion sefyll yn wrol dros eu cred. Mae'r un peth yn digwydd heddiw yn y Dwyrain Canol a'r Dwyrain Pell. Ffydd ym mwriad Duw sy'n symbylu credinwyr i fentro galw am gymdeithas wedi ei sylfaenu nid ar raib ond ar ras, nid ar hunanoldeb ond ar hunanaberth.

Cysegrfeydd Canaan

Teithiodd Abraham i berfeddion gwlad Canaan cyn codi allor a gwersyllu am gyfnod yn y mynydd-dir wrth dderwen More, heb fod ymhell o Sichem (Nablus heddiw). Un o ddinasoedd pwysicaf y Canaaneaid oedd Sichem, a'r dderwen oedd un o'u cysegrfeydd. Roedd coed cysegredig, lle byddai'r dwyfol yn cysylltu â'r dynol, yn gyffredin yn yr hen Ddwyrain Canol. Gweler, er enghraifft, Josua 24:26 a Barnwyr 4:5; 6:11; 9:6 am arwyddocâd sanctaidd coeden arbennig i'r Israeliaid wedi iddynt feddiannu Canaan. Ystyr y gair Hebraeg *more* yw 'athro'. Yn y cyd-destun hwn, mae'n debyg ei fod yn cyfeirio at ddysgeidiaeth offeiriadol, neu at ddatganiad o ewyllys y duw gan swyddogion y cysegr.

Trwy siarad y cysylltodd Duw ag Abraham yn Haran. Ond wedi cyrraedd gwlad yr addewid, mae'r dull o gysylltu yn newid. Yma, wrth dderwen More, 'ymddangosodd' Duw iddo am y tro cyntaf. Beth bynnag y mae hyn yn ei olygu, mae'r addewid penagored am wlad a wnaed yn Genesis 12:1 yn cael ei ailadrodd, yn fwy pendant y tro hwn: 'I'th ddisgynyddion di y rhoddaf y wlad hon' (Gen.12:7). Mae'r wlad yr addawodd Duw ei dangos iddo bellach yn realiti. Ai dyma'r wobr am ei ufudd-dod? Ond er bod sôn am etifeddiaeth dragwyddol yn newydd da i grwydriaid digartref, sylwer ar eiriad yr addewid. A bod yn fanwl, gwlad i'w ddisgynyddion, nid i Abraham, fydd hon. Mae'n wir y bydd ganddo gartref heb orfod ymladd drosto, ond ni welodd ar y pryd gyflawniad yr addewid am fod y Canaaneaid yn byw yn y wlad (12:6). Pa ryfedd eu bod yno? Onid dyma eu cartref? Ond bydd gwlad sy'n perthyn i eraill yn peri problem i un sy'n disgwyl y bydd yn eiddo i'w etifeddion, os nad iddo ef ei hun.

Mae crybwyll y Canaaneaid yn y cyd-destun hwn yn cynyddu'r tensiwn yn fwriadol trwy gynnwys yn y stori elfennau gwleidyddol a diwinyddol sy'n perthyn i gyfnod diweddarach. Bydd yn rhaid i Josua, wedi iddo groesi'r Iorddonen, gyflawni hil-laddiad cyn y daw Canaan i ddwylo disgynyddion Abraham (Jos.10:40). A hyd yn oed wedyn, llygrir crefydd Israel gan ddefodau Canaaneaidd. Bydd y proffwydi'n barnu'r genedl am iddi gael ei hudo gan apêl crefydd byd natur, crefydd sy'n ymwneud â ffrwythlondeb y tir a'r ddiadell. Roedd y demtasiwn i fynychu cysegrfeydd paganaidd 'ar bob bryn uchel a than bob pren gwyrddlas' (Jer. 3:6) yn drech nag Israel. Roedd allorau'r Canaaneaid dan goed am fod eu glesni'n arwydd o ffrwythlondeb, ac ar y bryniau am fod yr addolwyr yn nes at y duwiau. Yn ôl Jeremeia, daeth brenhiniaeth Israel i ben am iddi buteinio gyda Baal, duw ffrwythlondeb Canaan.

Ni fu Abraham yn Sichem yn hir. Yn ôl arfer bugeiliaid crwydrol, aeth yn ei flaen er mwyn cael porfa newydd i'w anifeiliaid. Gwersyllodd yr ail waith tua ugain milltir i'r de o Sichem, rhwng Bethel ac Ai, dau gysegr Canaaneaidd arall, y naill yn weithredol a'r llall, hyd yn oed yn ei gyfnod ef, yn adfail. ('Y murddun' yw ystyr y gair Hebraeg *ha'ai.*) Yno cododd Abraham allor arall. Ei ddiben wrth godi allorau oedd sicrhau lle i'w Dduw ei hun ochr yn ochr â duwiau Canaan. Mewn cyfnod diweddarach, roedd Sichem a Bethel yn fannau cysegredig yn Israel. I Sichem y galwodd Josua'r deuddeg llwyth i adnewyddu'r cyfamod (Jos. 24). Ym Methel y cafodd Jacob freuddwyd a'i hargyhoeddodd mai 'dyma borth y nefoedd' (Gen. 28:17). Am eu bod yn gysegrfeydd mor bwysig yn hanes y genedl, mae'r awdur yn awyddus i'w holrhain i oes y patriarchiaid er mwyn rhoi pedigri hynafol a derbyniol iddynt. Trwy eu cysylltu ag Abraham, cânt eu 'bedyddio' fel petai.

Ni fu'r patriarch yn segur yn hir. Mewn dim o dro, roedd ar ei daith unwaith eto. Gadawodd Bethel a 'symud yn raddol tua'r Negef' (12:9), hynny yw i'r de.

Cwestiynau i'w trafod
1. Beth yw nodweddion y rhai hynny ym mhob crefydd sy'n 'gadarn yn y ffydd'?

2. Beth yw arwyddocâd cysegrfeydd Cristnogol, a'r diddordeb mewn pererindota sy'n gysylltiedig â hwy?

3. Pam oedd Sichem a Bethel yn gyrchfannau pererindod yn Israel gynnar?

6. Ffyddlondeb Duw

Genesis 12:10–20

Gwlad 'ffrwythlon ac eang, gwlad yn llifeirio o laeth a mêl' yw Canaan; caiff ei thrigolion 'fwyta heb brinder', ni fydd arnynt 'angen am ddim' (Ex. 3:8,17; Deut. 8:9). Felly y disgrifir Canaan sawl gwaith yn y Beibl. Ond nid dyna brofiad Abraham. A'r ymgartrefu yng Nghanaan ond megis dechrau, cyfyd bygythiad marwol i'r addewid am ddisgynyddion – newyn. Oherwydd yr argyfwng, ni chafodd Abraham gyfle i wneud dim mwy na cherdded trwy'r wlad a addawyd iddo.

Noddfa rhag newyn

Profodd Israel newyn fwy nag unwaith yn ei hanes cynnar (Gen. 26:1; 43:1; 47:4). Yn wyneb y fath drychineb, mae'n dda bod yr Aifft, basged bara'r Hen Ddwyrain Canol, nid yn unig yn agos ac yn ffrwythlon, ond hefyd yn hael. Ceir tystiolaeth archaeolegol o'r ail fileniwm (tua 1900– 1500 CC) bod yr Aifft yn barod i fwydo a rhoi lloches i ffoaduriaid, er ei bod yr un pryd yn gwarchod ei ffiniau'n ofalus rhag gelynion. Meddai swyddog yn un o'r caerau ar ffin ogleddol y wlad mewn llythyr at ei bennaeth, Ysgrifennydd y Trysorlys: 'Rydym wedi cwblhau'r dasg o ganiatáu i lwythau crwydrol Edom groesi'r ffin er mwyn iddynt barhau ar dir y byw a chadw eu hanifeiliaid rhag marw'. Ceir sylw tebyg mewn arysgrif o'r un cyfnod ar fedd cadfridog ym myddin Pharo: 'Cyrhaeddodd estroniaid o wledydd sy'n dioddef o newyn. Maent yn byw fel anifeiliaid yr anialwch heb wybod sut y medrant oroesi'.

Ceir awgrym yn Genesis 12:10 fod y newyn yn ddifrifol iawn. Nid oes gan y crwydriaid ddewis ond mynd i'r Aifft i chwilio am fwyd. Er mai bwriad Abraham yw byw yno dros dro yn hytrach nag ymgartrefu'n barhaol, gallwn fod yn sicr nad o'i wirfodd y gadawodd Cannan. Ond gan fod ei wraig, a Lot a'i deulu a llu o weision a morynion, heb sôn am yr anifeiliaid, yn dibynnu arno, pa ddewis sydd ganddo? Mae'r daith yn dechrau'n ddidramgwydd. Nid yw Abraham yn synhwyro y bydd yn wynebu unrhyw berygl wrth iddo groesi'r ffin am gyfnod. Ond ar gyrion yr Aifft, daw'n amlwg iddo nad angen bwyd yw ei unig broblem. Mae'n sylwi, nid am y tro cyntaf gobeithio, fod Sara, sydd erbyn hyn ymhell yn ei chwedegau, yn wraig brydferth. Anaml y mae'r Beibl yn disgrifio golwg person. Gallwn fentro fod bob amser ddiben arbennig pan roddir disgrifiad. Nid cymorth gweledol i fwydo dychymyg y darllenydd yw disgrifiadau o'r fath ond rhan greiddiol yng nghynllun y stori.

Gan fod ei wraig mor ddeniadol daw Abraham i'r casgliad y bydd yr Eifftiaid yn siŵr o'i chwenychu. Ac yntau'n ffoadur mewn gwlad estron, ni fydd ganddo obaith o'u gwrthsefyll er mwyn amddiffyn Sara rhag amarch. Yr unig ateb i'r cyfyng-gyngor yw ceisio'i pherswadio i ddweud celwydd: 'Dywed mai fy chwaer wyt' (12:13). Gan mai adroddiad ffeithiol yn unig sydd yma, heb unrhyw gyfeiriad at deimladau'r cymeriadau, ni wyddom beth oedd ymateb Sara i ddymuniad Abraham. Mae'n anodd credu iddi wneud yn ôl dymuniad ei gŵr o ddewis, ond rhaid cymryd yn ganiataol iddi gytuno neu iddi gael ei gorfodi i gytuno â'r cais.

Ar y cychwyn, yr hyn a ragwelodd Abraham sy'n digwydd, ond mae'r diweddglo'n dra gwahanol i'r disgwyl. Ar unwaith, mae'r Eifftiaid – y werin a'r tywysogion – yn sylwi mor brydferth yw Sara, ac yn prysuro i ddweud wrth y brenin fod chwaer ffoadur o Ganaan a ddaeth i'r Aifft i chwilio am fwyd yn werth ei gweld. Gan mai 'chwaer' y crwydryn ydoedd, nid ei wraig, mae Pharo'n cymryd meddiant ohoni. Ac am iddo gael ei blesio gydag ychwanegiad mor drawiadol i'w harîm, yn ôl arfer yr oes, mae'n ad-dalu ei 'brawd' gydag anrhegion sylweddol am iddo golli ei 'chwaer'.

Mae prydferthwch ei wraig yn fygythiad angheuol i Abraham, ond mae prydferthwch ei 'chwaer' yn ei wneud yn filiwnydd dros nos. Yn yr argyfwng, nid melltith ond bendith yw ei wraig ddi-blant iddo. Bu Pharo'n 'dda wrth Abraham er ei mwyn hi' (12:16). Roedd bod yn frawd-yng-nghyfraith i frenin yr Aifft yn fantais amlwg i grwydryn llwglyd. Ond daw'r 'bendithion' hyn yn sgil colledion: mae'r un yr addawodd Duw ei wneud yn genedl fawr trwy genhedlu etifedd wedi colli ei wraig; a'r un a gafodd addewid am wlad yn ffoadur. Defnyddir y rhwystredigaethau gan yr awdur i danlinellu ffydd Abraham yn yr addewidion.

O'r diwedd, mae Duw'n ymddangos. O hyn allan, ef fydd prif gymeriad y stori. Er mwyn profi ei fod yn rhan o'r byd a greodd, ac mai ef a neb arall sy'n rheoli'r sefyllfa, daw â'r stori i ben trwy achub Sara. Byddai diflaniad Sara i'r harîm yn bwrw amheuaeth ar ddilysrwydd yr addewid am etifedd a roddodd Duw i Abraham yn Haran. Gan fod rhaid i'r fam oroesi, trwy Sara ac nid trwy Abraham y mae Duw'n gweithredu i arbed dynoliaeth. Mae Duw'n achub Sara nid trwy gosbi Abraham am werthu ei wraig, ond trwy daro llys Pharo â haint. Mae'r brenin yn cysylltu'r salwch â'r ychwanegiad diweddaraf i'w harîm. Rhydd y bai am y trychineb nid ar Sara ond ar Abraham, am iddo ddweud celwydd. Serch hynny, nid yw'r brenin yn dial ar y troseddwr. Er bod ganddo achos teilwng, heb sôn am y grym a'r awdurdod, i'w ddienyddio, ni wna ddim ond galw Abraham i'r palas i roi esboniad. Y diwedd fu i'r teulu gael ei anfon o'r Aifft yn ddiseremoni, ond yn ddianaf.

Dyna'n fras gynnwys y stori. Ynddi, lloriwyd yr un a gyrhaeddodd binacl ffydd trwy ufuddhau heb brotest i'r gorchymyn i adael ei gartref a'i dylwyth yn Haran; bu ond y dim i'w briodas ddod i ben. Caiff un a glodforir am ei 'gyfiawnder' ei gywilyddio gan haelioni a goddefgarwch brenin paganaidd. Onid cywilydd am ei drosedd sy'n esbonio distawrwydd Abraham yn wyneb cerydd cyfiawn Pharo yn y cwestiwn triphlyg sy'n ei gyhuddo o gelwydd (12:18–19)? Y pwynt creiddiol yw bod tad y genedl yn ymddwyn yn warthus trwy ddweud anwiredd er mwyn achub ei groen ei hun. Mae ei hunanoldeb yn peryglu bywyd ei wraig. Pa ryfedd bod deall neges stori o'r fath yn her i esbonwyr? I lawer ohonynt, parhau'n ddirgelwch y mae diben yr awdur wrth ei hadrodd i genedlaethau diweddarach o Israeliaid. Rhoddwn sylw pellach iddi trwy ei hystyried o dri safbwynt gwahanol: llenyddol, moesol a diwinyddol.

Llên

Dau beth sy'n taro'r darllenydd ynglŷn â'r stori yw'r bylchau amlwg sydd ynddi, a'r broblem ddiwinyddol sy'n deillio ohoni. Mae gadael pynciau pwysig yn benagored yn codi cwestiynau ym meddwl y darllenydd. Sut gwyddai Pharo mai gwraig Abraham, nid ei chwaer, oedd Sara? Beth a'i harweiniodd i gysylltu presenoldeb Sara yn ei harîm â'r haint yn ei lys? Pam fod Pharo'n cael ei gosbi am fod Abraham yn dweud celwydd? Pam fod y llys cyfan yn dioddef oherwydd camwedd y brenin? A fu'r pla yn angheuol? Mae'r bylchau'n rhoi rhwydd hynt i atebion traddodiadol ddatblygu. Er nad yw'r testun Beiblaidd yn sôn am wellhad, yn ôl chwedloniaeth ddiweddarach yr oedd gan Abraham y gallu i iacháu: gweddïodd dros y brenin gan roi ei ddwylo ar ei ben, a diflannodd yr haint o'r llys. Cwestiwn arall sydd angen ei ateb yw: beth a ddigwyddodd i Sara wedi iddi gael ei dwyn i'r harîm? A gafodd ei hamharchu, ynteu a ddaeth Duw i'r adwy mewn pryd?

Mae'r cwestiwn olaf hwn yn greiddiol a phwysfawr i esbonwyr Iddewig, ac y mae iddo oblygiadau diwinyddol. Pe byddai Sara, o fewn yr harîm, yn cael cyfathrach rywiol â'r brenin, nid yn unig y byddai mam y genedl wedi godinebu ond byddai Duw wedi torri ei addewid y câi Abraham etifedd. Mae'n wir fod y testun yn dweud bod Pharo wedi ei chymryd i'w dŷ (12:15), ac yna 'ei chymryd yn wraig iddo' (12:19). Ond yn ôl llên ôl-Feiblaidd yr Iddewon, sy'n awyddus i amddiffyn anrhydedd Sara, nid yw hyn yn profi godineb: nid yw'n golygu mwy na'i bod yn dod yn un o ordderchwragedd y brenin trwy fynd i fyw gyda'r harîm. Cafodd ei hachub gan y pla a drawodd y llys brenhinol cyn i Pharo alw arni i ddod i'r palas, a chyn i ddim byd tyngedfennol ddigwydd iddi.

Rhaid i'r sawl sy'n darllen yr Ysgrythur yn unig, heb gymorth chwedloniaeth ddiweddarach, fyw gyda'r anawsterau a'r bylchau, oherwydd mae'n amlwg nad oeddent yn poeni'r awdur. Ar ôl i rym a gallu Duw ddod yn rhan o'r stori, nid yw'r manylion o bwys. Nid oes modd nac angen esbonio gweithgareddau'r Dwyfol. Y ffaith i Sara gael ei hachub sy'n diddori'r awdur, nid disgrifiad manwl o'r digwyddiad.

Nodwedd arall o'r stori sy'n hawlio sylw yw'r tebygrwydd rhyngddi a dwy stori arall. Un o dair stori yn Genesis yw hon am wraig yn mynd i drybini am honni bod yn chwaer i'w gŵr (12:1–10; 20:1–18; 26:1–11). Abraham a Sara yw'r cymeriadau yn y ddwy stori gyntaf, Isaac a Rebeca sydd yn y drydedd. Mae rhai'n dadlau bod y ffaith y ceir tair stori debyg yn awgrymu eu bod yn tarddu o'r un traddodiad llafar: tair fersiwn wahanol o thema gyffredin a geir yma. Bwriad yr awdur gwreiddiol oedd rhoi'r stori ar gof a chadw er mwyn gwyntyllu profiadau cyson pob crwydryn, sef chwilio am fwyd a diogelu dyfodol y llwyth. Yna mae golygydd y Tora yn ei defnyddio deirgwaith i dynnu sylw at ddigwyddiadau neu adegau o bwys yn hanes y patriarchiaid. Y tro cyntaf (Gen. 12), y diben yw dangos fod Duw am gadw ei addewid y bydd gan Abraham ddisgynyddion. Yr ail dro (Gen. 20), daw'r stori yn union cyn genedigaeth Isaac, sef y cam cyntaf yng nghyflawniad yr addewid. Y tro olaf (Gen. 26), mae'n gysylltiedig â genedigaeth Jacob, tad y deuddeg llwyth.

Mae ailadrodd y stori'n rhoi fframwaith i Lyfr Genesis yn ei ffurf orffenedig, yn ogystal â chadw'r darllenydd i ddyfalu beth a ddigwydd nesaf. Mae'r tebygrwydd rhwng y fersiynau'n amlwg, ond mae yna hefyd wahaniaethau sylweddol. Cawn gyfle i drin y gwahaniaethau rhwng y ddwy gyntaf, y rhai sydd o ddiddordeb i ni, pan ddeuwn i'r ugeinfed bennod lle mae Abraham yn chwarae'r un tric am yr ail dro.

Moesoldeb

Mae moeseg yr Hen Destament i'w ganfod yn bennaf yn y gorchmynion, yn enwedig y Deg Gorchymyn. Ond wrth ganolbwyntio'n unig ar Gyfraith Moses gwneir cam â'r ffordd y mae'r Ysgrythur yn ymdrin â phynciau moesol. Gwna'r awduron ddefnydd helaeth hefyd o stori fel cyfrwng i roi cyfarwyddyd i gredinwyr. Chwedlau a hanesion, nid cyfraith, yw cynnwys tua hanner yr Hen Destament. Mae pob stori'n delio, bron yn ddieithriad, â sefyllfa arbennig a pherson arbennig; ac felly mae stori'n fwy personol na gorchymyn. Er nad yw'r awdur yn llunio cyfreithiau sy'n mynegi'n glir y ffordd i fyw, gall gynnig arweiniad moesol i'r darllenydd trwy adrodd hanes unigolyn o fri. Nid defnyddio ffurf orchmynnol y ferf a wna stori, ond estyn gwahoddiad i ail-ddarllen neu ail-wrando, ac i fyfyrio ar y cynnwys cyn dod i benderfyniad. Defnyddiodd Iesu ddamhegion i'r un diben.

Sut mae'r ddamcaniaeth hon ynghylch natur a phwrpas storïau'r Hen Destament yn gweddu i'r testun sydd dan sylw gennym? Go brin y gellir cymeradwyo ymddygiad Abraham wrth groesi'r ffin i'r Aifft. Ni ellir ei ystyried yn batrwm o'r bywyd rhinweddol; nid dyma'r esiampl y dylai credinwyr ei hefelychu. Dim ond trwy bardduo cymeriad yr Eifftiaid, a'u cyhuddo o fethu â rheoli eu nwydau pan welant Sara, y gall Abraham gyfiawnhau gwerthu ei wraig er mwyn arbed ei fywyd ei hun. Wedi perswadio Sara i ddweud celwydd, mae'n barod i'w rhoi heibio a'i gadael yn nwylo Pharo. Gwelir ei gymhellion hunanol deirgwaith yn yr adroddiad yn Genesis: 'lladdant *fi,* a'th gadw di'n fyw ... fel y bydd yn dda *i mi* o'th herwydd ac yr arbedir *fy* mywyd o'th achos' (12:12–13).

Nid oes unrhyw awgrym iddo ystyried teimladau Sara na thrafod y mater gyda hi. Y bygythiad mwyaf i gyflawni'r addewid am ddisgynyddion yw hunanoldeb yr un a dderbyniodd yr addewid. Defnyddia'r awdur anlladrwydd honedig yr Eifftiaid i ganiatáu ymddygiad y prif gymeriad. Sut mae cloriannu'r fath ymddygiad o safbwynt moes? I lawer, mae moeseg arloeswr y ffydd yn bwnc dadleuol. Er nad yw'r awdur Beiblaidd yn mynegi barn, mae amryw yn methu â gweld unrhyw rinwedd yn y stori, ac yn barnu Abraham yn hallt am fod mor ddiegwyddor. Dywed un o esbonwyr Iddewig yr Oesoedd Canol yn blwmp ac yn blaen ei fod wedi pechu. Yn ein cyfnod ni, caiff unrhyw un, gwryw neu fenyw, sy'n ymddiddori mewn materion ffeministaidd drafferth gyda'r syniad fod y wraig yn gorfod peryglu ei hun er mwyn achub ei gŵr. Nid yw'r diben yn cyfiawnhau'r dull. Y geiriau arwyddocaol yw 'fel y bydd yn dda i mi o'th herwydd' (12:13), cymal sy'n mynegi hunanoldeb Abraham. Ei obaith yw, un ai y bydd yn arbed ei fywyd ei hun, neu y caiff gydnabyddiaeth hael gan yr Eifftiaid fel brawd Sara. Yn sicr, pan ddaw'r anrhegion, mae'n barod iawn i'w derbyn heb feddwl ddwywaith am ei wraig.

Pwnc arall sydd yr un mor ddadleuol yng ngolwg rhai esbonwyr yw moesoldeb Duw. Er mai Abraham a ddywedodd gelwydd a gwerthu ei wraig, Pharo sy'n cael y bai am yr hyn a ddigwyddodd. O ganlyniad, cosbir nid yn unig y brenin ond ei deulu cyfan. Ond wrth gyfeirio at y pla a drawodd y teulu brenhinol, rhag i'r darllenydd ddod i'r casgliad bod Duw'n cefnogi Abraham mae'r awdur yn ychwanegu 'o achos Sarai gwraig Abram' (12:17). Sefyllfa sigledig Sara, nid anniddigrwydd Abraham, sy'n annog Duw i weithredu.

Mae eraill yn llai beirniadol. Tybiant mai diben y stori yw clodfori craffter tad y genedl yn dyfeisio cynllun mor wych i arbed ei fywyd ei hun, a bywyd Sara. Rhoddir sylw i'r ffaith fod y bygythiad i Abraham yn sylweddol. Gyda newyn y tu cefn iddo a'r Aifft o'i flaen, mae ganddo le i ofni. Wrth ddisgrifio tynged Sara, mae'r testun yn tanlinellu maint y trybini y mae Abraham yn ei wynebu yn yr Aifft trwy enwi'r brenin deirgwaith: 'A gwelodd tywysogion *Pharo* hi a'i chanmol wrth *Pharo*, a chymerwyd y wraig i dŷ *Pharo*' (12:15). Pa obaith sydd gan fugail crwydrol yn erbyn grym mor anorchfygol a didostur? Yr unig ffordd i osgoi'r picil yw trwy dwyll. Yn ôl Claus Westermann yn ei esboniad ar Genesis: 'The ruse is the only weapon left for the powerless given over to the mighty'. Fel yn achos Abraham, trwy dwyll yr achubodd y bydwragedd feibion yr Hebreaid yng nghyfnod caethiwed yr Aifft rhag iddynt gael eu lladd ar orchymyn Pharo. Cafodd y ddwy fydwraig eu gwobrwyo a'u hanrhydeddu gan Dduw, er iddynt ddweud celwydd (Ex.1:15–21). Trwy gyfrwystra ei chwaer yr achubwyd bywyd Moses yn ei gawell ar lan yr afon (Ex. 2:1–9). Tric yw unig arf y diymgeledd.

Ffydd

Methiant i gredu y bydd Duw'n cadw ei addewid i'w fendithio ef a'i linach sy'n arwain Abraham i helynt. Diffyg ffydd sy'n peri iddo ofni, a hyn yn ei dro sy'n ei arwain i ddweud celwydd ac i ymddwyn yn warthus at ei wraig. Ond nid yw ffydd yn hawdd i'w meithrin. Mae hyd yn oed Abraham, a ystyrir yn batrwm o'r gwir grediniwr i Israel, yn gorfod ymdrechu i fod yn ffyddlon. Ar ei daith i'r Aifft mae ofn a hunanoldeb yn diffodd fflam y ffydd. Mae'r un a aeth yn ufudd a hyderus o Haran i wlad na wyddai ddim amdani'n colli golwg ar yr addewid. Er iddo wneud ewyllys Duw o wirfodd, a gadael bro ei febyd, ni wêl unrhyw arwydd fod yr hwn a'i galwodd yn ei fendithio a'i ddiogelu. Daw i'r casgliad nad oes ganddo ddewis ond delio â'r argyfwng yn ei ffordd ei hun.

Craidd yr argyfwng sy'n ei arwain i amau gair Duw yw dioddefaint y duwiol. Pam fod pethau drwg, megis newyn, yn digwydd i bobl dda? Mae'r traddodiad Cristnogol wedi gwyntyllu'r cwestiwn yn ddi-ben-draw. Cynsail pob trafodaeth yw'r gred fod cwrs y byd yn cael ei lywio gan Dduw hollalluog, hollwybodol a chariadlon. Sut all duw o'r fath wylio'r diniwed yn dioddef? Mae stori sy'n gosod Abraham mewn goleuni mor anffafriol yn tystio mai prif ddiddordeb yr awdur yw natur Duw, nid tynged dynoliaeth. Byddai'r stori'n ddigon cyffrous heb i Dduw ymyrryd. Ond ni fyddai'n gyflawn, oherwydd agenda diwinyddol sydd gan yr awdur. Er bod Abraham yn amau, ni ddiddymir yr addewid. Nid yw Duw'n troi cefn ar ei was. Mae'n parhau â'i fwriad, ac yn profi ei fod yn gymorth hawdd ei gael mewn cyfyngder. 'Er anwadalwch dyn, yr un yw Ef o hyd.' Dyna neges y stori i'r awdur a'i gyfoedion.

Cwestiynau i'w trafod

1. Mae'r Beibl yn addo llawer. Sut mae credinwyr yn ymdopi pan fo argyfwng yn tanseilio addewid?

2. Mae Abraham yn dweud celwydd er mwyn arbed ei fywyd. A oes amgylchiadau mewn bywyd pan fo'r diben yn cyfiawnhau'r dull?

3. Beth yw eich ymateb i ddioddefaint y diniwed?

7. Crwydriaid Cwerylgar
Genesis 13:1–18

Er iddo gythruddo Pharo, caiff Abraham adael yr Aifft nid yn unig yn ddianaf ond hefyd yn ddyn cyfoethog. Yn ychwanegol at yr anrhegion o anifeiliaid, gweision a morynion, mae ganddo swm sylweddol 'o arian ac aur' (Gen. 13:2). Mae'n dewis mynd yn ôl i Fethel, y cysegr y cododd ynddi allor ar ei daith gyntaf trwy Ganaan. Nid oes sôn am Lot yn yr Aifft, ond erbyn cyrraedd Bethel mae yntau yn y fintai unwaith eto, ac yn berchen ar ei stoc ei hun o 'ddefaid ac ychen a phebyll' (13:5). Diau fod pawb yn mwynhau manteision golud. Ond nid yw cyfoeth yn gyfystyr â hawddfyd: yn ogystal â bendithion a phosibiliadau, daw â phroblemau hefyd yn ei sgil. Wedi dychwelyd i Ganaan ac ail-sefydlu ym Methel, mae anrhegion Pharo yn achos cynnen deuluol sydd unwaith yn rhagor yn peryglu cyflawniad yr addewid. Ond y tro hwn, mae'r amgylchiadau'n dra gwahanol i'r rhai a nodwyd yn y bennod flaenorol.

Bugeiliaid cecrus
Ymddengys fod y newyn wedi cilio. Nid anffrwythlondeb y tir yw'r maen tramgwydd bellach ond niferoedd yr anifeiliaid, sydd wedi cynyddu'n sylweddol, diolch i Pharo. Er i'r teulu grwydro ymhell ers iddo adael Haran, nid nomadiaid yn nhraddodiad Bedawin y byd modern oedd Abraham a Lot, yn symud o le i le yn barhaus i chwilio am gynhaliaeth. Eu harfer hwy oedd aros mewn ardal arbennig am gyfnod hir cyn symud ymlaen, gan obeithio y byddai yno ddigon o adnoddau i'w cynnal. Roeddent wedi gwersyllu ar gyrion Bethel o'r blaen, ond y tro hwn cânt eu siomi. Nid oes yn y tir o amgylch y ddinas ddigon o ffynhonnau, na digon o borfa i'w cynnal i gyd. Am fod yr adnoddau'n rhy brin i ddiadelloedd mor fawr, mae parhad y teulu yn y fantol. Nid yw'n syndod i fugeiliaid Abraham a bugeiliaid Lot gweryla.

Mae'r ffrae yn esiampl berffaith o'r modd y mae hawliau pori bob amser yn gallu achosi anghydfod nid yn unig rhwng crwydriaid a'i gilydd, ond hefyd rhwng crwydriaid ac amaethwyr. Ni chawn fanylion y gynnen, sy'n eithriad mewn stori o'r fath, ond mae'r sefyllfa'n ddyrys a difrifol. Mae'r broblem yn dwysáu gan nad Abraham a'i deulu yw'r unig rai sy'n dibynnu ar y tir. Am yr eildro, cawn ein hatgoffa fod y Canaaneaid 'yn byw yn y wlad yr amser hwnnw'; a'r tro hwn, mae'r testun yn ychwanegu'r Peresiaid (13:7). Bydd Abraham a Lot yn hawlio tir sy'n perthyn i eraill.

Ar y cyfan, pobl drefol oedd y Canaaneaid, yn byw mewn dinasoedd caerog megis Sichem, Jericho ac Ai. Credir mai 'pentref' yw ystyr y gair *peres.* Pobl y wlad yn hytrach na'r dref oedd y Peresiaid. Diben cyfeirio'n benodol atynt ganrifoedd yn ddiweddarach, pan nad ydynt hwy na'r Canaaneaid yn achosi trafferth bellach, yw dangos pa mor fregus yw sefyllfa Abraham. Roedd y pentrefwyr eisoes yn amaethu'r tir ffrwythlon. Ac felly, nid oes i'r teulu obaith o ymsefydlu ym Methel, hyd yn oed am gyfnod byr. I fwydo'u hanifeiliaid, rhaid iddynt un ai deithio o un ardal i'r llall gan ddibynnu ar haelioni ac ewyllys da'r amaethwyr, neu grwydro'r bryniau.

Yr unig ffordd i ddatrys y broblem yn heddychol, a gwneud yn siŵr fod pawb yn cael chwarae teg, yw rhannu'r teulu'n ddau. Rhaid i Abraham a Lot gytuno i fynd ar wahân, oherwydd 'ni allai'r tir eu cynnal ill dau gyda'i gilydd' (13:6). Dyna ddigwyddodd i Jacob ac Esau dan amgylchiadau tebyg, er nad oes hanes cweryl yn eu hachos hwy: 'Cymerodd Esau ei wragedd, ei feibion a'i ferched, a phob aelod o'i deulu, ei wartheg a'i holl anifeiliaid ... ac aeth draw i wlad Seir oddi wrth ei frawd Jacob. Yr oedd eu cyfoeth mor fawr fel na allent gyd-fyw, ac ni allai'r wlad lle'r oeddent yn byw eu cynnal o achos eu hanifeiliaid' (Gen. 36:6–7). Dim ond fel uned fechan y gallai unrhyw dylwyth sicrhau digon o gynhaliaeth i oroesi.

Haelioni Abraham

Mae'r ffrae rhwng y bugeiliaid yn golygu ffrae rhwng perthnasau, ac mae hyn yn poeni Abraham. Er mwyn osgoi rhwyg deuluol, cymer y cam cyntaf i ddatrys y broblem trwy arwain Lot i ben mynydd uchel a'i annog i edrych o'i gwmpas. Gan fod ymwahanu'n anorfod, mae Abraham yn dweud wrth Lot ddewis y rhan o'r wlad y bydd yn chwilio ynddi am borfa. O Bethel, gellir gweld ymhell: i'r gogledd dros y mynydd-dir llwm i Sichem, i'r de dros anialwch Jwda i Hebron, i'r gorllewin dros yr arfordir i Jopa, ac i'r dwyrain dros ddyffryn yr Iorddonen i fynyddoedd Gilead. Ystyriodd Lot pa ran fyddai'r mwyaf buddiol iddo. Pan welodd y porfeydd gwelltog rhyngddo a Gilead, penderfynodd ar unwaith pa ffordd i fynd. Fel y tuedda'r mwyafrif ohonom ei wneud, gadawodd i'w lygaid reoli ei ddewis. Manteisiodd yn ddibetrus ar haelioni ei ewythr a dewis y rhan fwyaf ffrwythlon, sef dyffryn yr Iorddonen.

Er tybio iddo ddarganfod Gardd Eden ym mhorfa fras y gwastadedd, cael ei gyfareddu gan y dinasoedd a wnaeth Lot. Dewisodd wersyllu heb fod ymhell o Sodom, ar lan y Môr Marw. Yn nhreigliad amser, mae'n sylweddoli ei fod wedi gwneud camgymeriad go fawr. Mewn un adnod, cawn ragflas o'r hyn sydd am ddigwydd yn nes ymlaen i'w ddinas fabwysiedig. Mae Sodom yn ddinas ffyniannus, ond disgrifir ei thrigolion fel gwŷr drygionus (13:13). Yn hanes hir cenedl Israel, mae drygioni'n realiti cyson sy'n bygwth ei pharhad fel cenedl etholedig Duw. Nid amherthnasol yn y cyd-destun yw'r ffaith mai 'coelcerth' yw ystyr y gair *sedôm.*

Mae'r gwrthgyferbyniad rhwng Abraham a Lot yn fwriadol. Mae hunanoldeb y naill yn ei arwain i drybini, ond caiff haelioni'r llall ei wobrwyo. Fel penteulu, nid oedd rhaid i Abraham roi dewis i'w nai; ei gyfrifoldeb dros ei deulu sy'n ei ysgogi i wneud hynny. Yn yr achos hwn, mae'n ymddwyn yn wahanol iawn i'r hyn a welsom yn y bennod flaenorol. Yn yr Aifft, roedd ei hunanoldeb a'i ddiffyg ffydd yn addewid Duw wedi creu ofn, ac wedi arwain yn y pendraw at ddioddefaint y dieuog. Yma ym Methel, ac yntau wedi adennill ei ffydd am iddo gael ei arbed rhag llid Pharo, mae'n gymeriad gwahanol. Ar waetha'r posibilrwydd y bydd rhaid iddo fodloni ar erwau cras y canoldir am gynhaliaeth i'w ddiadelloedd, mae ei ffydd yn ei gymell i fentro rhoi'r dewis i Lot. Nid yw'n pryderu am yfory. Ei ffydd sy'n ei herio i roi'r dewis i Lot. Ffynhonnell bywyd i'r ddau deulu yw ei garedigrwydd; cyfrwng bendith i bawb yw ei ddyhead i gymodi.

Mae'r gwahaniaeth yn y ddau bortread o'r patriarch yn amlwg. Ond nid yw'r awdur yn gwneud unrhyw ymdrech i'w harmoneiddio; saif y ddau ochr yn ochr. Adlewyrchu realiti bywyd a wna'r darlun cyntaf trwy danlinellu'r her i gredinwyr pan fo argyfwng yn bygwth yr addewid, a Duw fel pe bai ddim yn malio. Nid ymgais i wyngalchu cymeriad Abraham trwy ganmol ei haelioni a gwobrwyo ei agwedd gymodol yw'r ail ddarlun. Yn ei garedigrwydd at Lot yr hyn a geir yw enghraifft o'r rhinweddau y dylai ei ddisgynyddion eu hefelychu; y mae ei ymddygiad yn dystiolaeth o'r ffaith fod y dull cymodol a di-drais o ddatrys anghydfod yn gweithio. Yn Abraham, ceir rhagflaenydd o 'gynghorwr rhyfeddol' a 'thywysog heddychlon' y proffwyd Eseia (Eseia 9:6). Ond er bod esiampl y patriarch o bwys, mae ffyddlondeb Duw'n bwysicach. Y pwynt creiddiol yn y ddwy stori yw bod Duw'n ymyrryd yn y digwyddiadau ac yn cadw'i addewid i'w etholedigion.

Adnewyddu'r addewid

Gwlad yw un o themâu canolog yr Hen Destament. Rhydd yr awduron gryn bwys ar sicrhau cartref i'r genedl, sy'n dangos fod yna ochr faterol yn ogystal ag ysbrydol i'r Beibl. Pe byddem yn dileu pob cyfeiriad at y wlad o'r llyfrau hanesyddol (Genesis – Ail Lyfr y Cronicl), ychydig fyddai ar ôl. Yr hyn sy'n cydio'r llyfrau hyn wrth ei gilydd yw hanes y genedl mewn perthynas â llain o dir ag iddo statws arbennig. Mae ei ffrwythlondeb yn rhagori hyd yn oed ar ffrwythlondeb yr Aifft. Tra bo'r Aifft yn dibynnu ar ddygyfor y Neil, ac ar lwyddiant yr amaethwr i ddyfrhau ei thir, mae Canaan yn wlad 'ac ynddi ffrydiau dŵr, ffynhonnau, a chronfeydd yn tarddu yn y dyffrynnoedd ac ar y mynyddoedd', heb sôn am gael cyflenwad cyson o law (Deut. 8:7; 11:11–14). Yn ôl y proffwyd

Eseciel, gosododd Duw Jerwsalem 'yng nghanol y cenhedloedd, gyda gwledydd o'i hamgylch' (Esec. 5:5–6). Arwydd o ffafriaeth yw hyn sy'n sicrhau lle neilltuol yn arfaeth Duw, nid yn unig i'r brifddinas, ond hefyd i'r wlad gyfan a'i thrigolion. Mae'r traddodiad Iddewig yn disgrifio Jerwsalem fel botwm bol y byd.

O ystyried arwyddocâd y wlad i'r Israeliaid, nid syndod bod yr addewid amdani'n cael ei fynegi droeon. Yn union wedi i'r teulu ymwahanu, caiff yr addewid ei adrodd am y drydedd waith, ond y tro hwn gyda llawer mwy o sylwedd iddo. Sicrhawyd Abraham eisoes y byddai ei ddisgynyddion yn byw yn y wlad (Gen. 12:7). Yn awr, caiff yntau hefyd ei gynnwys yn yr addewid. Yr hyn a gaiff sylw yw maint y wlad ei hun, a pha ran ohoni ddaw yn eiddo iddo. Caiff orchymyn i 'edrych tua'r gogledd a'r de a'r dwyrain a'r gorllewin'. O dderbyn ei fod yn sefyll lle safodd Lot, mae'n gweld yr un olygfa ag a welodd hwnnw. Mae Duw'n addo rhoi iddo ef a'i ddisgynyddion 'yr holl dir' y mae 'yn ei weld', ac felly daw Abraham yn berchen ar y wlad fawr, yn cynnwys gwastadedd yr Iorddonen a ddewisodd Lot (13:14–15). Gan fod tiriogaeth Lot yn rhan o wlad yr addewid, ni fydd ef a'i deulu byth allan o gyrraedd Duw – mantais fawr iddo ymhellach ymlaen. Elfen arall yn y cyfeiriad at y wlad yw'r pwyslais ar natur oesol yr addewid. Daw Canaan yn eiddo i'r patriarch a'i 'ddisgynyddion hyd byth' (13:15).

Y gorchymyn i godi golwg
Yn ôl rhai awdurdodau, mae'n eithaf posibl fod y gorchymyn i edrych i bob cyfeiriad yn adlewyrchu un o arferion cyfreithiol yr Hen Ddwyrain Canol. Pan fo gwerthwr yn gwahodd prynwr i 'godi ei olygon ac edrych' ar adeilad neu ddarn o dir, caiff y prynwr feddiant o'r hyn sydd ar werth trwy wneud dim mwy na hynny. Defod neu seremoni yn gysylltiedig â throsglwyddo eiddo yw'r gwahoddiad i edrych a gweld. Er nad yw'r eiddo'n newid dwylo'n swyddogol heb weithred ychwanegol, cyfrifir y ddefod yn rhan gydnabyddedig o'r gwerthiant.

Mae hanes Moses yn enghraifft dda o weithredu'r ddefod hon. Er iddo erfyn ar Dduw am gael mynd i Ganaan a'i meddiannu, bu raid i'r un a arweiniodd yr Israeliaid trwy bob math o beryglon er mwyn chwilio am wlad yr addewid fodloni ar ei gweld o bell (Deut. 3:23–29). Yn ôl un traddodiad Iddewig, ni chafodd ei ddymuniad am iddo ef ac Aaron, a'r genedl gyfan, fod yn anffyddlon a gwrthryfelgar yn ystod taith yr anialwch (Num. 27:14; Deut. 32:51). Ond mae traddodiad arall yn anfodlon gyda'r esboniad hwn am ei fod, yn eu barn hwy, yn gwneud cam â Moses ac yn gwadu trugaredd Duw: ar waethaf y grwgnach a'r gwrthryfel ar y ffordd o'r Aifft, ni fyddai Duw erioed wedi gwrthod gwobrwyo ei was. Felly, er iddo farw cyn i Israel groesi'r Iorddonen, yn ôl traddodiad amgenach fe gafodd Moses feddiant o'r wlad am iddo'i *gweld* o ben mynydd Nebo (Deut. 34:1–5).

Mae'r awdur yn crybwyll y ddefod hon yn achos Lot ac Abraham. Diben dweud fod y ddau wedi codi eu golwg ac edrych o'u cwmpas yw cadarnhau bod Canaan yn eiddo i Israel mor bell yn ôl â chyfnod yr hynafiaid. Er mai crwydriaid ynddi fu'r patriarchiaid ar hyd eu hoes, roedd yr addewid a wnaeth Duw i Abraham yn cynnwys defod gyfreithiol. Roedd gan yr Israeliaid feddiant cyfreithlon o Ganaan ganrifoedd cyn i Josua ei choncro a dosbarthu'r tir rhwng y deuddeg llwyth. Tybed mai'r un syniad sydd y tu cefn i'r stori am y diafol yn arwain Iesu i ben tŵr uchaf y deml er mwyn dangos iddo 'holl deyrnasoedd y byd' a chynnig eu rhoi iddo: 'Os addoli di fi, dy eiddo di fydd y cyfan' a wêl dy lygaid (Mt. 4:8–9: Lc.4:5–7).

Cartref parhaol

Nid yw Abraham yn dilyn y gorchymyn i dramwyo'r wlad gyfan. Mae'n bodloni ar deithio o Fethel i Hebron, taith oddeutu trigain milltir. Wedi symud o un pen i'r wlad i'r llall, a gwersylla yn Sichem a Bethel, mae'n cyrraedd ei gartref parhaol o'r diwedd. Gan nad yw'n bwriadu disodli neb er mwyn cael lle i wersylla, mae'n amlwg nad yw'n credu y byddai cyd-fyw gyda'r brodorion yn creu unrhyw anhawster. Gellir cymryd yn ganiataol iddo gael croeso gan ei fod yn treulio gweddill ei oes yn

Hebron; ac yno y cleddir ef a Sara, Isaac a Rebeca, Jacob a Lea. Mae ei agwedd yn ein hatgoffa o'r Seioniaid cynnar yn dod i Balestina tua chanrif a hanner yn ôl i osgoi erledigaeth yn Ewrop. Gobaith Theodore Herzl, arloeswr y mudiad, oedd y gallai Iddewon ac Arabiaid gydfyw'n heddychol a chreu partneriaeth a fyddai o fudd i bawb.

Mae'r awdur yn crybwyll Hebron yn fwriadol wrth gloi'r hanes am y byddai enw ac arwyddocâd y ddinas yn eglur i'w ddarllenwyr. Gwyddant mai yno y cafodd Dafydd ei eneinio'n frenin, yn gyntaf ar Jwda, ac yna ar Israel gyfan. Bu'n teyrnasu o Hebron am saith mlynedd, cyn symud ei lys i Jerwsalem (2 Sam. 2:4; 5:3–5). Rhydd y cyswllt ag Abraham statws arbennig i'r ddinas. I fynegi ei ddiolchgarwch i Dduw am ei arwain yno, mae'r patriarch yn codi allor wrth dderw Mamre, heb fod ymhell o'r dref. Dyma'r drydedd allor iddo ei chodi: y gyntaf yn y gogledd yn Sichem, yr ail yn y canolbarth ym Methel, a'r olaf yn y de yn Hebron. Mae'r dinasoedd yn cynrychioli'r wlad gyfan, a'r allorau'n dangos y gellir addoli'r Arglwydd, Duw Israel, ym mhob rhan ohoni.

Cwestiynau i'w trafod
1. Clywir sôn beunydd am yr ymgyrch i wneud un o wledydd blaenllaw'r byd yn 'fawr unwaith eto'. Beth sydd yn gwneud unrhyw wlad yn 'fawr'?

2. Sut mae Duw'n ymyrryd ym mywyd ei greadigaeth?

3. Prinder porfa sy'n peri anghydfod ym Methel. Ym mha ffyrdd y mae prinder yn achosi cynnen yng nghwrs y byd heddiw?

8. Buddugoliaeth Abraham
Genesis 14:1–24

Heb amheuaeth, hon yw pennod fwyaf dadleuol ac enigmatig Llyfr Genesis. Dyna farn pob esboniad cyfoes, ac nid oes angen darllen ond ychydig adnodau i ategu'r disgrifiad. Cyn ceisio dirnad diben, ystyr a pherthnasedd y stori, rhoddwn sylw byr i'r anawsterau a nodir gan feirniaid Beiblaidd.

Yn gyntaf, mae'r *cynnwys yn unigryw*. 'Byd ynddo'i hun' yw un disgrifiad o'r stori, am nad yw adrodd am faterion rhyngwladol y tu hwnt i ffiniau Canaan yn nodweddiadol o hanesion y patriarchiaid. Cnewyllyn pob stori arall am Abraham yw bywyd y llwyth a'r teulu. Ar wahân i fynd i'r Aifft i chwilio am fwyd, ac anfon ei was i Aram-naharaim i gael gwraig i Iaaac, nid oes ganddo unrhyw gysylltiad â'r gwledydd o'i gwmpas. Ond yma, am y tro cyntaf a'r olaf, caiff ei osod ar lwyfan byd-eang. Sylwer hefyd fod y portread o Abraham yn y bennod hon yn wahanol iawn i'r un a geir yn yr hanesion eraill. Yma yn unig y mae'n ymddangos fel arweinydd milwrol. A dim ond yma y caiff ei ddisgrifio fel 'yr Hebread'. Pwynt perthnasol arall yw mai Duw sy'n gweithredu'n bennaf yn yr holl storïau heblaw hon; ond yma, nid yw'n cymryd unrhyw ran yn y digwyddiadau.

Yn ail, mae'r *manylion disgrifiadol yn amwys*. Er bod archaeolegwyr yn honni iddynt ddarganfod tystiolaeth berthnasol sy'n taflu goleuni ar gefndir y bennod, mae'r cyfeiriadau penodol ynddi at frenhinoedd a gwledydd cyfagos yn eithriadol o niwlog. Efallai fod yna gnewyllyn hanesyddol i'r deuddeg adnod gyntaf, sy'n coffáu ymosodiad ar ddyffryn yr Iorddonen gan elyn o'r dwyrain yn y gorffennol pell. Ond yn ôl mwyafrif helaeth yr esbonwyr, mae'r adroddiad yn gwbl ddi-fudd fel cofnod ffeithiol. Yn eu barn hwy, ffrwyth dychymyg yw'r cwbl.

Yn olaf, mae'r *patrwm llenyddol yn broblematig*. O ran arddull, mae'r hanesyn yn eithriad yn y cyd-destun. Nid oes unrhyw debygrwydd rhyngddo a'r storïau eraill am y patriarchiaid. Nid stori ar ffurf chwedl, gyda'r bwriad o ddifyrru, ydyw, ond cronicl moel yn llawn ffeithiau. Nid oes unrhyw gysylltiad chwaith o safbwynt pwnc a thestun rhwng y bennod hon a'r penodau o'i chwmpas. Ni fyddai ei dileu yn amharu dim ar y gwaith gorffenedig gan fod y cynnwys yn gwbl amherthnasol i'r brif stori. Mae'r cyfeiriad at Melchisedec yn amharu ar rediad y stori, sy'n awgrymu iddo gael ei ychwanegu gan awdur diweddarach. Serch hynny, mae'n bosibl rhannu'r bennod yn dair uned annibynnol er mwyn ceisio'i hesbonio.

Brenhinoedd rhyfelgar

Mae'n debyg na fyddai enwau'r brenhinoedd a'r gwledydd a welir yn adnodau agoriadol Genesis 14, ar wahân i Sinar sy'n enw arall ar Babilon (Gen. 11:2; Dan. 1:2), yn golygu dim mwy i'r Israeliaid nag i ninnau. Nid oes gofnod, ac eithrio'r hyn a geir yn y Beibl, am bedwar brenin nerthol yn teyrnasu'r un pryd â'i gilydd yn y Dwyrain Canol ac yn ymuno i ymosod ar wlad Canaan yng nghyffiniau'r Môr Marw. Ond yn ôl y stori, roedd trigolion de-ddwyrain Canaan wedi gwrthryfela yn erbyn un o'r pedwar, sef Cedorlaomer brenin Elam. Wedi bod yn weision iddo am ddeuddeng mlynedd, roeddent yn mynnu rhyddid. Arweinwyr y gwrthryfel oedd 'brenhinoedd' pum dinas o amgylch y môr. Yn y cyd-destun hwn, mae'n debyg nad yw 'brenin' yn golygu dim mwy na maer neu gadeirydd y cyngor.

Pa obaith oedd gan bump o frenhinoedd bychain yn erbyn pedwar brenin mawr ar faes y gad? Ni pharhaodd y frwydr yn hir. Ffodd tri o'r brenhinoedd bychain i'r mynydd a syrthiodd y ddau arall, brenhinoedd Sodom a Gomorra, i byllau pyg: pyllau o fitwmen neu asffalt a ddefnyddid i wneud brics. Cyn ffoi tua'r gogledd, cipiodd y buddugwyr holl eiddo dinasoedd y gwastadedd, gan gynnwys Sodom. Mae'n berthnasol crybwyll Sodom gan mai yno y gwersyllai Lot. Roedd golud a ffyniant y bywyd dinesig wedi hudo'r crwydryn i godi ei babell ger y ddinas. Ac yntau'n garcharor yn nwylo'r pedwar brenin, roedd ganddo ddigon o gyfle i ddifaru ei ddewis.

O safbwynt llenyddol, helynt Lot yw'r ddolen gyswllt rhwng stori Abraham a hen chwedl annibynnol am bedwar brenin rheibus nad oes ynddi unrhyw gyfeiriad at y patriarch. Yma disgrifir Abraham fel 'yr Hebread'(14:13). Gwreiddyn y gair yw'r ferf *'abar,* sy'n golygu 'crwydro' neu 'croesi', yn yr ystyr o groesi afon neu ddarn o dir. Hynny yw, nid cyfeiriad at hil sydd yma ond at ddosbarth israddol o bobl sy'n byw ar gyrion pentref neu ddinas – crwydriaid, pobl yr ymylon, a'u presenoldeb yn ddraenen yn ystlys y trigolion. Mae'n bosibl yr ystyrid yr Hebread Abraham a'i deulu'n fygythiad i gymdeithas amaethyddol, sefydlog Canaan. Ond bygythiad neu beidio, llwyddodd Abraham i gydfyw'n heddychlon â'i gymdogion yn Hebron. Gwnaeth gytundeb â thri ohonynt i helpu ei gilydd mewn unrhyw argyfwng. A dyna a ddigwyddodd yn achos Lot.

Er i'r ewythr a'r nai fynd ar wahân er mwyn osgoi ffrae deuluol oherwydd prinder porfa, mae gwaed yn dewach na dŵr. Disgrifir Lot fel 'brawd', sy'n golygu ei fod yn dal i gael ei ystyried yn aelod o'r teulu estynedig (14:14). Ni all Abraham anwybyddu'r ffaith iddo gael ei gaethgludo. Mae diogelwch ei deulu'n cyfiawnhau mynd i ryfel. Wedi casglu criw o ddynion cryfion, mae'n ymlid y gelyn liw nos, yr holl ffordd o Hebron i'r gogledd o Ddamascus, gan ei drechu yn Hoba. Mae'r elfen wyrthiol yn amlwg: tri chant a deunaw o wŷr arfog dan arweiniad bugail crwydrol, wedi taith o dros ddau gan milltir, yn gorchfygu byddinoedd pedwar brenin! Daw Abraham adref yn fuddugol wedi achub Lot a'r carcharorion eraill ac adfer yr holl eiddo a gipiwyd. Serch hynny, mae ganddo broblem i'w datrys: beth i'w wneud â'r ysbail? Mae'r ateb yn yr adnodau canlynol, sef 17 a 21–24.

Wedi i Abraham ddychwelyd i Hebron, daw Bera, brenin Sodom, i'w gyfarfod mewn dyffryn heb fod ymhell o Jerwsalem. Ymddengys iddo ddod allan o'r pwll pyg yn ddianaf. Cymer Bera'n ganiataol fod gan y buddugwr hawl i'r ysbail o'r frwydr, ond mae'n gofyn am gael ei bobl yn ôl; mae ei ddeiliaid yn bwysicach iddo na'i eiddo. O gofio bod y Beibl yn tueddu i bardduo Sodom trwy ddefnyddio enw'r ddinas fel enghraifft o ddrygioni ac anfoesoldeb, mae'r portread a geir yma o'i brenin yn ffafriol. Ond mae Abraham yn gwrthod cymryd 'nac edau na charrai esgid' o'r eiddo, sef y pethau lleiaf y gall feddwl amdanynt. Caiff ei dri chyfaill gymryd eu cyfran, ond yr unig beth y mae ef yn ei hawlio yw'r hyn sy'n angenrheidiol i ddiwallu anghenion ei filwyr (14:23–24). Ar y Duw sy'n 'berchen nef a daear', nid ar ddyn, y mae ef yn dibynnu am ei olud. Nid yw Abraham am roi cyfle i frenin paganaidd ddweud ei fod wedi ei gyfoethogi ef.

Parchu Melchisedec

O ystyried patrwm llenyddol y bennod, mae'n amlwg fod adnodau 18–20 yn torri ar rediad y stori. Byddai'r testun yn fwy llyfn a thaclus pe bai adnod 21 yn dilyn adnod 17 yn ddi-fwlch. Y farn gyffredinol yw mai ychwanegiad diweddarach at y stori wreiddiol sydd yma. Cyn ystyried pwrpas yr awdur dros gynnwys y digwyddiad hwn yn y bennod, taflwn gipolwg ar y manylion. Cymerir yn ganiataol gan fwyafrif yr esbonwyr Iddewig a Christnogol mai ffurf gryno o 'Jerwsalem' yw 'Salem'. Daw ei brenin, Melchisedec, â bwyd a gwin i Abraham a oedd ar ei ffordd adref o'r frwydr. Mae cynnig gwin, yn hytrach na dŵr, i'r buddugwr yn awgrymu gwledd. Bwriad y brenin yw llongyfarch yr arwr a dathlu ei fuddugoliaeth. Mae Melchisedec yn gymeriad enigmatig. Nid oes iddo linach na disgynyddion. Ni cheir cyfeiriad at ei eni na'i farw. Er mai ystyr ei enw yw 'brenin cyfiawnder', y mae'n offeiriad yn ogystal â brenin. Yn yr hen fyd, nid oedd dim eithriadol yn y ffaith bod brenin yn cyflawni dyletswyddau offeiriad. Mae hwn yn bendithio'r patriarch yn rhinwedd ei swydd offeiriadol ac yn enw ei dduw ei hun, 'y Duw Goruchaf', sef prif dduw'r Canaaneaid. Arwyddocâd y fendith yw bod gan Melchisedec awdurdod dros Abraham.

Wrth ddiolch i'r 'Duw Goruchaf, perchen nef a daear' am yr oruchafiaeth (14:19), mae un nad yw'n perthyn i'r genedl etholedig yn cysylltu Crëwr y byd â gweithred achubol. Y gred yn Nuw fel Gwaredwr neu Iachawdwr yw un o brif nodweddion crefydd Israel wedi'r Ecsodus. Er nad oedd Abraham wedi galw ar Dduw am gymorth cyn ymateb i'r argyfwng, fe ŵyr Melchisedec na fyddai wedi ennill y dydd heb gymorth dwyfol. Trwy roi degwm o'i eiddo i un sy'n frenin ac offeiriad, mae Abraham yn mynegi diolch iddo am ei garedigrwydd. Mae hefyd yn cydnabod cymorth duw Melchisedec yn y frwydr, duw y mae ef yn ei adnabod fel Arglwydd Dduw Israel.

I esbonio'r stori, trown at yr unig gyfeiriad arall at Melchisedec yn yr Hen Destament, sef Salm 110. (Anwybyddwn y defnydd a wneir ohono yn Hebreaid 5 gan ein bod o'r farn mai cysylltiad llac iawn sydd rhwng y llythyr a'r adnodau perthnasol yn Genesis.) Yn Llyfr y Salmau, ceir sawl casgliad o gerddi. Un ohonynt yw'r 'salmau brenhinol', cyfansoddiadau arbennig a ddefnyddid mewn seremoni gorseddu brenin newydd, neu yn ystod gŵyl flynyddol i ddathlu'r gorseddiad. Yr enghraifft orau o salm frenhinol yw Salm 110, lle mae Duw'n bendithio'r brenin Dafydd ac yn dweud wrtho: 'Yr wyt yn offeiriad am byth yn ôl urdd Melchisedec' (Sal. 110:4). Cyfunir dwy swydd ym mherson yr arweinydd; swydd offeiriadol a swydd frenhinol. Golyga hyn mai'r brenin yw'r prif gyfryngwr rhwng Duw a dynoliaeth yn Israel gynnar am fod ganddo'r hawl i nesáu at Dduw ar ran ei bobl. Melchisedec, brenin-offeiriad Jerwsalem yn y gorffennol pell pan oedd y ddinas yn nwylo'r Canaaneaid, yw'r patrwm ar gyfer y cyfuniad.

Credir bod Dafydd, wrth ddewis Jerwsalem yn brifddinas ac yn gartref parhaol i arch y cyfamod, wedi mabwysiadu'r traddodiad hwn a chyfuno'r ddwy swydd yn ei berson ef ei hun. Ac felly, yn y brenhinoedd o linach Dafydd y deuai'r orsedd a'r allor ynghyd dan lw digyfnewid Duw. Y mae'r Salmydd eisiau i'r brenin a gyferchir ganddo wybod ei fod yn sefyll yn olyniaeth y brenhinoedd-offeiriaid a fu'n teyrnasu yn Jerwsalem am ganrifoedd.

Pynciau dadleuol

Perthyn y stori am Abraham yn cyfarfod â brenin Salem i gyfnod diweddarach nag oes yr hynafiaid yn hanes Israel. Ym marn y mwyafrif o ysgolheigion beirniadol, mae'n perthyn i gyfnod y brenin Dafydd, sef canol y ddegfed ganrif. Yn y cyd-destun presennol, caiff ei defnyddio gan yr awdur i wyntyllu dau bwnc dadleuol a oedd yn achosi anghydfod ym mlynyddoedd cynnar y frenhiniaeth.

Yn gyntaf, *y degwm.* Wedi cyfnod y Barnwyr, nid oedd yr Israeliaid yn unfryd ynglŷn â chael brenin. Samuel oedd llefarydd yr wrthblaid. Rhybuddiodd ef y bobl y byddai brenin 'yn degymu'ch ŷd a'ch gwinllannoedd ... Fe ddegyma'ch defaid, a byddwch chwithau'n gaethweision iddo' (1 Sam. 8:15–17). Ond gwrthododd y bobl ei gyngor. Felly, wedi eneinio Saul, roedd rhaid argyhoeddi'r genedl fod talu degwm yn dderbyniol, p'run ai i frenin ar ei orsedd neu i offeiriad yn ei gysegr. Pa well ffordd o gyfreithloni'r arferiad nac adrodd hanes cyndad y genedl yn talu degwm, hyd yn oed i un o frenhinoedd-offeiriaid Canaan. Os oedd Abraham yn barod i ddangos parch at Melchisedec fel brenin ac offeiriad, a chydnabod ei flaenoriaeth trwy ddegymu, nid oedd gan genedlaethau diweddarach o Israeliaid unrhyw reswm dros beidio â thalu degwm i eneiniog Duw, sy'n 'offeiriad am byth yn ôl urdd Melchisedec'.

Yn ail, *statws Jerwsalem.* Pan ddaeth Dafydd yn frenin ar farwolaeth Saul, ei dasg gyntaf oedd uno'r llwythau. I wneud hynny, roedd angen canolfan. Rhag achosi rhagor o gynnen rhwng y deuddeg llwyth, dewisodd Dafydd sefydlu ei bencadlys a rhoi cartref i arch y cyfamod mewn lle nad oedd yn nhiriogaeth yr un ohonynt. Ei ddewis oedd dinas a berthynai i'r Jebusiaid, sef Jerwsalem. Ond methodd llawer o'i ddeiliaid â dygymod â'r ffaith fod gorsedd brenin Israel, a chanolfan grefyddol y genedl, mewn dinas baganaidd. Roedd yn ofynnol i rywun gadarnhau fod dewis Dafydd yn dderbyniol i Dduw. Unwaith eto, daeth y diwinydd i'r adwy trwy ddisgrifio'r berthynas agos rhwng Abraham a Melchisedec. Mewn stori sy'n llawn o frenhinoedd, dim ond i frenin Jerwsalem y mae Abraham yn ymostwng.

Perthnasedd pennod ddyrys

Caiff y bennod ei chynnwys yn y Tora gyda'r bwriad o gyflwyno Abraham fel arwr i genedlaethau i ddod trwy ei fawrygu a phwysleisio'i rinweddau. Yn y disgrifiad byw o'r ymgyrch yn erbyn y brenhinoedd, mae ei orchestion yn profi y gall cwmni bychan orchfygu byddin nerthol. Er i Melchisedec gydnabod grym y dwyfol yn y frwydr, nid yw'r stori fel y cyfryw yn cynnwys unrhyw gyfeiriad at gymorth Duw. Ei ddoethineb yn ffurfio cynghrair gyda'i gymdogion, ei ddewrder yn wynebu pedwar brenin, a'i allu cynhennid fel milwr sy'n rhoi'r fuddugoliaeth i Abraham. Gobaith yr awdur yw y bydd gwrhydri cyndad y genedl yn ysbrydoliaeth iddi mewn cyfnodau cythryblus pan fo morâl yn isel.

Elfen bwysig arall yn y stori yw'r modd y mae'r awdur yn datblygu'r addewid o fendith a roddodd Duw i Abraham wrth ei alw: 'Bendithiaf di; mawrygaf dy enw a byddi'n fendith ... ac ynot ti bendithir holl dylwythau'r ddaear' (Gen. 12:2–3). Trwy fendithio Abraham mae Melchisedec nid yn unig yn dangos parch ato, ond hefyd yn gwneud yr hyn a addawodd Duw a fyddai'n digwydd. Caiff rhan olaf yr addewid ei wireddu gan weithred arwrol Abraham. Trwy achub y wlad rhag ysbeilwyr, mae cyndad yr Israeliaid yn bendithio eraill; gweithred sy'n cyflawni'r addewid y byddai'r genedl etholedig yn fendith i'r byd cyfan.

Er mai fel milwr y caiff Abraham ei ddarlunio, mae ei agwedd at yr ysbail yn dadlennu ochr arall i'w gymeriad. Yn ôl arfer yr oes, y gorchfygwr oedd â'r hawl i eiddo a gipiwyd mewn rhyfel. Ond yn yr achos hwn, mae Abraham yn cydnabod fod yr ysbail yn perthyn i drigolion y gwastadedd, ac yn gwrthod cynnig brenin Sodom. Byddai cymryd meddiant o eiddo eraill yn tanseilio ei weithred achubol. Mae gwroldeb, ffydd, haelioni a moesoldeb Abraham yn her i gredinwyr. Yn ei sylwadau ar y bennod, mae Luther yn ei ganmol am ei rinweddau, ac yn galw ar Gristnogion i ddilyn ei esiampl: 'Ar wahân i'r proffwydi a'r apostolion, beth yw'r saint o'u cymharu ag Abraham?'

Cwestiynau i'w trafod

1. A ddylid cymeradwyo'r arfer o ddegymu i gefnogi eglwysi ac elusennau?

2. Pa gyfiawnhad sydd dros fynd i ryfel?

3. Pa nodweddion yng nghymeriad Abraham sy'n dod i'r amlwg yn y bennod hon?

9. Y Cyfamod
Genesis 15:1–21

Mae pob esboniad yn rhoi sylw i arwyddocâd diwinyddol y bennod hon. Ynddi, mae Duw unwaith eto'n addo i Abraham ddisgynyddion ynghyd â gwlad i fyw ynddi. Y tro hwn, gwna gyfamod i gadarnhau'r addewid, ac y mae Abraham o ganlyniad yn ymddiried ynddo. Rhennir y bennod, sy'n cynnwys deialog rhwng Duw ac Abraham, yn ddwy adran: adnodau 1–6, a 7–21. Pwnc yr adran gyntaf yw'r addewid am etifedd, pwnc yr ail yw'r addewid am wlad. Yr un patrwm llenyddol sydd i'r ddwy ran: amheuaeth ac anniddigrwydd yn dilyn cyfarchiad ac addewid cyn i Dduw ailgyflwyno a helaethu'r addewidion.

Addewid am etifedd

Mae'r adnod gyntaf yn disgrifio dull Duw o gyfarch Abraham: 'Daeth gair yr ARGLWYDD at Abram mewn gweledigaeth'. Fformiwla agoriadol sy'n perthyn i broffwydoliaeth yw hon. Trwy weledigaeth y cafodd Eseia, Jeremeia, Eseciel, Amos ac eraill eu galw i broffwydo. Ym mhob achos, diben y weledigaeth yw cyfreithloni gweithredoedd a geiriau'r proffwyd trwy roi iddo'r awdurdod angenrheidiol i lefaru ar ran Duw, yn enwedig pan fo'i bregethu'n annerbyniol i gymdeithas. Mae awdur Genesis yn defnyddio'r un fformiwla i danlinellu statws arbennig Abraham ac i gyfleu'r berthynas agos rhyngddo a Duw. Ar wahân i Abraham, yr unig un arall a gaiff weledigaeth yn y Tora yw'r proffwyd paganaidd Balaam (Num. 24:4,16). Er bod ochr dywyll i gymeriad Balaam, caiff ei goffáu a'i anrhydeddu am iddo ufuddhau i Dduw Israel. Yn lle melltithio'r genedl ar ei ffordd i Ganaan, fel y gorchmynnodd brenin Moab iddo'i wneud, fe'i bendithiodd a darogan dyfodol disglair iddi: 'Daw seren allan o Jacob, a chyfyd teyrnwialen o Israel' (Num. 24:17).

Calon yr addewid i Abraham yw datganiad gobeithiol gan Dduw. Wedi erfyn arno i beidio ag ofni, dywed Duw y bydd iddo'n darian i'w amddiffyn, cyn addo ei anrhegu: 'myfi yw dy darian; bydd dy wobr yn fawr iawn' (Gen. 15:1). Rhodd, sylwer, neu wobr, yn hytrach na *quid pro quo,* yw ail ran yr addewid. Ond beth a wnaeth Abraham i haeddu anrheg? Mae'r esbonwyr Iddewig yn awgrymu iddo gael ei wobrwyo ar sail yr haelioni a ddangosodd trwy adael i Lot ddewis pa ffordd i fynd, a thrwy wrthod hawlio ysbail brenin Sodom.

Er bod natur y rhodd yn annelwig, cymer Abraham yn ganiataol mai addo etifedd a wna Duw wrth sôn am 'wobr'. Ond i'r patriarch oedrannus, geiriau gwag yw'r rhain: mae wedi clywed hyn o'r blaen. Gan nad oes eto olwg am blentyn, nid yw'n credu y caiff yr addewid am ddisgynyddion ei gyflawni. Gan fod y dyfodol mor dywyll ac ansicr, mynega ei siom a'i anfodlonrwydd trwy ymateb i Dduw yn ddi-flewyn ar dafod: 'Edrych, nid wyt wedi rhoi epil i mi' (15:3). Wedi aros yn amyneddgar am flynyddoedd, nid oes ganddo na gwlad nac etifedd, ar wahân i gaethwas o Ddamascus. Ond nid cwyn y diamynedd yn unig sydd yma: daw'r amheuaeth a welwyd eisoes yn achos y newyn a'r daith i'r Aifft i'r amlwg unwaith eto.

Ym mhrofiad llawer un, mae baich treialon bywyd yn teimlo'n drymach pan fo rhywun wrtho'i hunan, yn enwedig yn nhrymder nos, neu yn oriau mân y bore. Dyna'n sicr brofiad Abraham. Gan na all gysgu, mae'n codi i weddïo. Caiff y weddi ei hateb. Ni all Duw wadu na chyflawnwyd yr addewid, ond y mae'n ailadrodd yr hyn a ddywedodd o'r blaen, gan fynd ymhellach y tro hwn. Er mwyn rhoi tawelwch meddwl i Abraham, mae'n cadarnhau ei addewid am epil trwy orchymyn iddo godi o'i wely, mynd allan o'i babell ac edrych ar y sêr. Arwydd yw'r wybren serennog y bydd ganddo lu o ddisgynyddion. Ond mae hefyd yn enghraifft o rym creadigol Duw; gall yr un sy'n creu'r sêr greu etifedd. Unig ddyletswydd Abraham yw credu, a dyna a wna.

Cyfiawnhad trwy ffydd

Mae Abraham yn sefyll y tu allan i'w babell yn syllu ar y sêr, a rhydd awdur y bennod olwg i'r darllenydd ar ymateb y patriarch i'r addewid:

'Credodd Abram yn yr ARGLWYDD, a chyfrifodd yntau hyn yn gyfiawnder iddo' (15:6). Mae'r toriad bwriadol ar rediad y stori'n cynnwys sylw personol yr awdur. Dyma ddisgrifiad Walter Brueggemann o arwyddocâd diwinyddol yr adnod: 'A revolutionary moment in the history of faith ... No other Old Testament text has exercised such a compelling influence on the New Testament.' Cyfeirio a wna at y defnydd helaeth a wna Paul ac Iago o'r adnod hon, a'r lle amlwg a roddwyd iddi yn niwinyddiaeth y diwygwyr Protestannaidd.

Ond ar waethaf dylanwad yr adnod ar Brotestaniaeth, mae'r ail gymal, 'a chyfrifodd yntau hyn yn gyfiawnder iddo', wedi bod, ac i raddau'n dal i fod yn destun trafodaeth. Er bod yr ystyr yn ymddangos yn eglur yn y cyfieithiad Cymraeg, mae'r Hebraeg gwreiddiol yn amwys. Nid yw'n gwbl glir pwy sy'n cyfrif pwy yn gyfiawn. Pwy yw goddrych y ferf 'cyfrifodd', Duw ynteu Abraham? Yn ôl rhai esbonwyr Iddewig, Abraham yw'r goddrych. Hynny yw, *Abraham* sy'n cyfrif *Duw* yn gyfiawn am iddo fod yn rasol a maddeugar i un a oedd yn amau ei air. Mynegi ei ddiolch i Dduw a wna'r patriarch am iddo, trwy ei ras wneud credu ac ymddiried ynddo'n bosibl.

Ond nid dyma'r dehongliad Cristnogol. Yr eglurhad traddodiadol yw mai *Duw* sy'n cyfarch a chanmol *Abraham* trwy gyfrif ei ffydd yn gyfiawnder. Mae'r ffaith ei fod yn barod i gredu'r addewid y tro hwn yn bluen yn ei gap; caiff ei gyfiawnhau yng ngolwg Duw trwy ffydd. Fel hyn y dealla Paul y cymal. Wrth ddyfynnu'r adnod yn ei lythyrau, fe'i defnyddia i ganmol ffydd Abraham: 'Beth y mae'r Ysgrythur yn ei ddweud? "Credodd Abraham yn Nuw, ac fe'i cyfrifwyd iddo yn gyfiawnder"' (Rhuf. 4:3. Gw. hefyd Gal. 3:6). O'i gyfieithu felly, mae ystyr y cymal yn gwbl ddiamwys, ac fe'i derbyniwyd gan yr Eglwys fel y dehongliad swyddogol o un o destunau sylfaenol y grefydd Gristnogol. Ond y cyfieithiad Groeg o'r Tora, a gwblhawyd tua 250 CC, yn hytrach na'r testun Hebraeg, a ddyfynnir gan Paul yn Rhufeiniaid a Galatiaid. Wrth reswm, y testun Hebraeg gwreiddiol yw sail eglurhad yr Iddewon mai *Abraham* sy'n cyfarch *Duw*.

Gwyddai John Calfin am y dehongliad Iddewig. Yn ei esboniad ar Genesis, mae'n tynnu sylw ato er mwyn ei wrthod yn bendant. Meddai, 'Mae'r Iddewon yn llygru'r testun. Er nad yw Moses yn enwi Duw'n benodol, mae mynegiant cynefin yr Ysgrythur yn dileu unrhyw amwyster.' Ymddengys fod Calfin yn credu ei fod yn fwy hyddysg na'r rabiniaid yn null cynefin neu arferol y Beibl Hebraeg o fynegi ystyr. Ond ni fu pob ysgolhaig Cristnogol mor negyddol â Calfin. Er bod y dehongliad Iddewig yn gwbl groes i'r esboniad traddodiadol, cafodd sylw mewn cylchgronau diwinyddol mor ddiweddar â chwarter olaf yr ugeinfed ganrif, sy'n awgrymu ei fod yn haeddu o leiaf rywfaint o sylw. Rhan o'r ddadl o blaid esboniad yr Iddewon yw ei fod yn gweddu i'r arddull Hebreig sy'n hoffi cydbwysedd neu gyfochredd rhwng dau gymal yn yr un adnod. Mae'r ddau'n mynegi'r un ystyr, ond mewn geiriau gwahanol. Enghraifft dda o'r patrwm llenyddol hwn yw adnodau agoriadol Salm 114:

'Pan ddaeth Israel allan o'r Aifft, tŷ Jacob o blith pobl estron eu hiaith, daeth Jwda yn gysegr iddo, ac Israel yn arglwyddiaeth iddo. Edrychodd y môr a chilio, a throdd yr Iorddonen yn ei hôl. Neidiodd y mynyddoedd fel hyrddod, a'r bryniau fel ŵyn'.

O gymhwyso'r patrwm hwn i'r adnod dan sylw, gellir dadlau mai Abraham yw goddrych y ferf yn y ddau gymal, ac mai Abraham felly sy'n cyfrif Duw yn gyfiawn am mai ef sy'n credu ynddo.

Pwynt perthnasol arall yn y drafodaeth yw agwedd awduron Beiblaidd o gyfnodau diweddarach tuag at Abraham. Nid yw proffwydi'r wythfed a'r seithfed ganrif CC, megis Amos, Hosea, Micha ac Eseia 1–39, fyth yn troi ato fel esiampl o gyfiawnder, ffydd a buchedd foesol i'r genedl ei efelychu. Nid ydynt hwy'n dangos unrhyw ddiddordeb yn y cyfamod nac yn yr addewidion am blant a gwlad; pynciau a gaiff gymaint o sylw yn Genesis. Dwy adnod yn unig yn y llyfrau proffwydol cynnar sy'n cyfeirio at Abraham: Eseia 29:22 a Micha 7:20. Mae'n bosibl mai ychwanegiadau diweddarach yw'r testunau hyn at y llyfrau gwreiddiol.

Ond o'u darllen yn eu cyd-destun presennol, mae'r ddwy adnod yn tystio mai diben yr awduron wrth grybwyll enw Abraham yw cydnabod y bendithion a gafodd gan Dduw graslon. Hynny yw, natur Duw yw'r pwnc creiddiol, nid cymeriad y patriarch. O ddwyn hanes Abraham i gof, ar dosturi Duw a'i deyrngarwch y mae Micha'n canolbwyntio. Gweithred achubol Duw a gaiff sylw Eseia wrth iddo gyfeirio at yr Arglwydd fel 'y Duw a waredodd Abraham'. Defnyddir stori Abraham gan y ddau broffwyd i sicrhau eu cyfoedion y gallant hwythau alw'n hyderus ar y Duw cyfiawn hwn a fu'n gymorth hawdd ei gael i'w cyndadau.

Ond dychwelwn yn awr at y dehongliad a dderbyniwyd gan yr Eglwys, mai Abraham a gyfrifir yn gyfiawn am iddo gredu yn yr Arglwydd. Os dyma'r esboniad cywir, rhaid cofio nad credu pethau *am Dduw* yw ystyr 'credu' yn y cyd-destun hwn: ymddiried *yn Nuw* a wna Abraham. At ei barodrwydd i'w roi ei hun yng ngofal Duw, beth bynnag fo'r amgylchiadau, y cyfeiria'r gair 'credu'. Wrth i'r Iddew ystyried natur ffydd, perthynas ac ymlyniad sydd mewn golwg ganddo. Ar ymddiried mewn person y mae'r pwyslais yn hytrach na derbyn datganiadau athrawiaethol.

Addewid am wlad

Wedi cadarnhau'r addewid am etifedd, mae Duw'n ailadrodd yr addewid am wlad. Ond unwaith eto, mae Abraham yn amau: 'Sut y caf wybod yr etifeddaf hi?' (15:8). Nid her ac amheuaeth yw'r ymateb disgwyliedig oddi wrth ddyn sydd newydd wneud cyffes o ffydd a fyddai'n gwneud y fath argraff ar bobl fel Paul a Luther mewn canrifoedd diweddarach. Ond tybed mai mynegi ei anallu i ymdopi ag addewid mor benagored a wna Abraham, yn hytrach na herio Duw a'i gyhuddo o ddiffyg pendantrwydd. Ei ddiffygion ei hun, nid diffygion Duw, sy'n ei arwain i ofyn am arwydd. Beth bynnag yw'r dehongliad cywir, mae Abraham yn disgwyl ateb.

Yn lle dwrdio'r un sy'n meiddio cwestiynu ei fwriadau, mae Duw'n ateb trwy orchymyn Abraham i chwilio am nifer o anifeiliaid – heffer, gafr, hwrdd, turtur, colomen – a'u hollti'n ddau, ar wahân i'r adar. Ni roddir esboniad terfynol dros y dewis o anifeiliaid, ond gellir cymryd yn ganiataol fod gan bob anifail arwyddocâd seremonïol a fyddai'n gyfarwydd i Abraham. Yn ôl archaeolegwyr, yr hyn a geir yma yw disgrifiad o'r dull traddodiadol o gadarnhau cyfamod neu gytundeb rhwng dau berson ym Mesopotamia'r ail fileniwm CC. Wedi hollti'r anifeiliaid, byddai'r cyfamodwyr yn cerdded rhwng y ddau hanner fel arwydd o'r ffaith mai'r un peth yn union a ddigwyddai iddynt hwy pe baent yn torri'r cyfamod. Ceir adroddiad am seremoni debyg yn Jeremeia 34:18.

Nid oes gyfeiriad at Abraham yn cerdded rhwng y darnau: Duw yn unig sy'n gwneud hynny. (Dylid darllen adnodau 17–19 yn union ar ôl adnod 11.) Dyna ystyr symbolaeth y 'ffwrn yn mygu a ffagl fflamllyd yn symud rhwng y darnau' (15:17). Mewn modd dramatig, mae Duw'n ymateb i gwestiwn Abraham trwy ymrwymo i gadw ei air a chyflawni ei addewid. Daw'r adroddiad i'w uchafbwynt yn adnod 18. Yma, mae Duw'n ategu'r seremoni trwy ddatgan yn eglur ei fod yn gwneud cyfamod ag Abraham i gadw ei addewid. Cyfamod unochrog, diamod yw hwn; cyfamod gwahanol iawn i'r un a wneid ganrifoedd yn ddiweddarach ar Sinai, a fyddai'n ddibynnol ar gadw'r gorchmynion. Y cwbl sydd raid i Abraham ei wneud yw ymddiried yn Nuw.

Yn adnodau 12–16, mae'r awdur yn ceisio ateb cwestiynau llosg a fyddai'n siŵr o fod ar wefusau ei gyfoedion: 'Pam y fath oedi cyn i ddisgynyddion Abraham feddiannu'r wlad? Beth sydd i gyfrif am y bwlch rhwng yr addewid a'i gyflawniad?' Mae'n ateb trwy ddefnyddio hanes er mwyn proffwydo fod y dyfodol yn nwylo Duw, ar waethaf yr oedi. Ond mae'r dyfodol ymhell o fod yn obeithiol. Dim ond wedi canrifoedd o ddioddef cystudd fel caethion yn yr Aifft, ac wedi iddynt goncro'r Amoriaid, trigolion cynnar Canaan, y bydd plant Abraham yn meddiannu gwlad yr addewid. Yr unig nodyn gobeithiol yw y bydd Duw'n barnu'r Eifftiaid ac yn sicrhau y caiff Abraham 'farw mewn tangnefedd' (15:14–15). Gan fod y neges mor bwysig, mae'r modd o'i throsglwyddo'n arbennig. Mewn coma neu drwmgwsg y caiff Abraham ei argyhoeddi.

Mae'r Beibl yn cysylltu trwmgwsg â datguddiad neu weithred ddwyfol. Ac yntau'n cysgu'n drwm, collodd Adda un o'i asennau er mwyn creu Efa (Gen. 2:21–22). Yn nhrymder nos, mewn trwmgwsg a dychryn a chryndod y cafodd Job weledigaeth a chlywed llais Duw (Job 4:12–16).

Yn ddiwinyddol, mae'r cysylltiad rhwng bendith a melltith yn gwestiwn dyrys. Pam fod y genedl etholedig, dewis Duw o'r holl genhedloedd, yn cael ei dedfrydu i ddioddef pedair canrif o gystudd a gorthrymder, a hynny cyn iddi ddod i fodolaeth? Pa fath o Dduw sy'n trefnu ymlaen llaw i'w bobl gael eu herlid? I lawer o Gristnogion, yr ateb yw pechod gwreiddiol; rydym yn dal i dalu am yr hyn a ddigwyddodd 'draw yn Eden drist'. Nid yw Islam yn gorfod ystyried y cwestiwn gan fod y bennod yn y Cwrân sy'n adrodd hanes bywyd Abraham yn hepgor stori'r freuddwyd. Ond mae'r Iddewon yn ymwybodol iawn o'r broblem. Bu dadlau brwd ymysg y rabiniaid am ganrifoedd ynglŷn ag ystyr geiriau Duw, er na lwyddwyd i ddod i unrhyw gasgliad terfynol.

Arwyddocâd y cyfamod

Mae statws Abraham yn cynyddu'n sylweddol yn ystod y bennod. Mae'r ffaith iddo gael ei gyfarch trwy weledigaeth yn awgrymu bod iddo swydd broffwydol; mae'n deilwng o fod yn llefarydd ar ran Duw. Caiff ei sicrhau ddwywaith o gyflawniad yr addewid am wlad a disgynyddion. Caiff ei anrhegu gan Dduw, ar gyfrif ei haelioni mae'n debyg. Gwneir cyfamod neu gytundeb diamod rhyngddo a Duw. Fe'i cyfrifir yn gyfiawn oherwydd ei ffydd. Mewn gair, mae'n amlwg fod gan Abraham berthynas arbennig â Duw. Mae'n esiampl ddelfrydol i Iddew, Cristion a Moslem. Mewn un ystyr, mae Abraham ar ben ei ddigon. Ond ei ddyhead dyfnaf yw cael yr etifedd a addawyd iddo. Caiff yr addewid am ddisgynyddion ei ddatgan yn fwy pendant a grymus fel y mae'r stori'n datblygu. Byddant fel 'llwch y ddaear' ac fel 'sêr' y nefoedd (Gen.13:16; 15:5). Ond ar waethaf y pwyslais cynyddol ar gyflawniad yr addewid, ni wêl Abraham unrhyw arwydd fod hyn am ddigwydd. Ei ymateb i'r oedi yw mynegi amheuaeth. Gellir dadlau fod hyn yn cadarnhau ei apêl i'w ddisgynyddion trwy ei wneud yn fwy dynol.

Sylwer fod y disgrifiad o'r wlad yn cynyddu fel y mae'r hanes yn mynd rhagddo: 'I'th ddisgynyddion di y rhoddaf y wlad hon' (12:7). 'Yr holl dir yr wyt yn ei weld, fe'i rhoddaf i ti ac i'th ddisgynyddion hyd byth' (Gen. 13:15). 'I'th ddisgynyddion di y rhoddaf y wlad hon, o afon yr Aifft hyd yr afon fawr, afon Ewffrates. Dyma wlad y Ceneaid ... a'r Jebusiaid' (15:18–21). Diben y manylion daearyddol yw tanlinellu'r neges ddiwinyddol. Trwy dderbyn rhodd rasol Duw daw crwydryn digartref yn dirfeddiannwr, er na wnaeth ddim i haeddu'r fath fraint. Mae'r wlad yn etifeddiaeth dragwyddol i ddisgynyddion Abraham. Yn ôl y cyfeiriadau daearyddol, byddant yn meddiannu gwlad eang a fyddai'n ymestyn o afon yr Aifft (nid y Neil) yn y de hyd at afon Ewffrates yn y gogledd-ddwyrain. Dyma dir gorau'r Dwyrain Canol, sef rhan helaeth o'r cilgant ffrwythlon. Caiff y ffiniau eu cadarnhau mewn sawl testun arall; er enghraifft, Deuteronomium 11:24, Josua 1:4 a 1 Brenhinoedd 4:21. Tybed ydyw maint teyrnas Israel, wedi i Dafydd a Solomon ehangu ei therfynau, wedi dylanwadu ar awdur Genesis? A yw'r disgrifiad o'r wlad a ddaw yn eiddo i Abraham a'i ddisgynyddion yn enghraifft arall o hanes dan rith proffwydoliaeth?

Gan fod i Wlad yr Addewid ffiniau naturiol a goruwchnaturiol mae'r manylion daearyddol a geir yn Genesis 15:18 o bwys mawr i rai. Ehangodd Gwladwriaeth Israel ei therfynau'n sylweddol yn 1967 trwy gipio Llain Gasa, bryniau'r Golan, a llawer o dir i'r gorllewin o afon Iorddonen. I rai Iddewon Uniongred, testun gorfoledd yw hyn am fod meddiant o'r tiroedd yn gwireddu'r Ysgrythur. Daw cyflawniad yr addewid am wlad sy'n ymestyn o afon yr Aifft i'r Ewffrates gymaint â hynny'n nes. Hon yw'r adnod a ddyfynnir amlaf gan y rhai sy'n ceisio cyfreithloni sefydlu pentrefi Iddewig mewn ardaloedd Arabaidd. Cânt eu cefnogi gan lythrenolwyr Cristnogol sy'n credu fod dychweliad yr Iddew i'r wlad a addawodd Duw i'w cyndadau'n dyngedfennol am mai dyma un o'r arwyddion fod ailddyfodiad Crist yn agos. Nid oes angen llawer o grebwyll i werthfawrogi cymaint o ddeinameit gwleidyddol sydd yn Genesis 15:18 o'i dehongli fel hyn.

Cwestiynau i'w trafod

1. I lawer o bobl, ystyr ffydd yw credu fod athrawiaethau megis yr Ymgnawdoliad a'r Drindod yn wir. Beth arall all ffydd ei olygu?

2. I ba raddau y gellir defnyddio'r Beibl i ddatrys problemau gwleidyddol?

3. Pa mor bwysig yw symbolaeth mewn crefydd?

10. Y Forwyn Fach
Genesis 16:1–6

Disgrifir stori Hagar fel drama mewn dwy act, y gyntaf yn Genesis 16 a'r ail yn Genesis 21:8–21, gyda saib sylweddol o bedair pennod rhyngddynt. Mae'r act gyntaf yn anghyflawn heb yr ail. Wrth ystyried y stori, sylwn ar y tensiwn rhwng yr addewid am blant a wnaed i'r penteulu ac anallu ei wraig i feichiogi. Dylai ein hastudiaeth ein helpu i ddeall hanesion y patriarchiaid trwy danlinellu'r canlynol: gallu'r awdur i hoelio sylw'r darllenydd trwy barhau'r elfen o ansicrwydd; bodolaeth dau fersiwn tebyg o'r un stori'n tarddu o wahanol ffynonellau; a bod gwreiddiau rhai o gyfreithiau ac arferion cymdeithasol Israel yn perthyn i'r Hen Ddwyrain Canol yn gyffredinol. Yn y bennod hon, yr ydym yn ymdrin â golygfa gyntaf act gyntaf y ddrama.

Amlwreiciaeth
Gwelsom eisoes fod tyndra dramatig a bwriadol yn britho stori Abraham. Caiff yr addewid am wlad ei danseilio gan newyn sy'n gorfodi'r crwydriaid i godi pac a mynd i'r Aifft. Er bod Duw wedi addo disgynyddion dirifedi, mae'r patriarch yn dal yn ddietifedd am fod ei wraig yn ddi-blant. Mae'r tyndra rhwng addewid am blant ac anobaith yr amhlantadwy'n ymddangos fwyaf eglur rhwng penodau 15 ac 16. Gwnaed yr addewid yn gwbl glir a chadarn dair gwaith hyd yma (Gen.12:3; 13:16; 15:4). Ond ar waetha'r holl addo, mae pennod 16 yn agor gyda'r datganiad moel: 'Nid oedd plant gan Sarai gwraig Abram'. Erbyn hyn, bu'r ddau yn y wlad am ddeng mlynedd, ac mae amser yn gwibio heibio. Fydd yna fyth etifedd? Oes unrhyw obaith am weld dyfodol i'r teulu? Sut ellir ennyn ffydd mewn Duw sydd, er iddo addo disgynyddion, yn ymddangos mor ymarhous a difater?

Trwy ddweud fod Sara'n ddi-blant mae'r awdur yn awgrymu fod Duw'n rhwystro ei gynllun ei hun. Mae'r gofid a'r gwewyr emosiynol yn amlwg yng ngeiriau Sara wrth iddi gyhuddo Duw o'i rhwystro i ddwyn plant. Serch hynny, gwelwn ar unwaith pa ffordd mae'r gwynt yn chwythu gan fod cymal nesaf yr adnod gyntaf yn cynnwys manylyn diddorol: 'ond yr oedd ganddi forwyn o Eifftes, o'r enw Hagar' (16:1). Ni chawn wybod mwy na hyn am Hagar a'i thras. Efallai mai un o'r morynion a gafodd Abraham yn dâl gan Pharo wedi i hwnnw gymryd Sara i'w harîm ydoedd. Wrth gyplysu'r ddau gymal o fewn yr un adnod ar ddechrau'r stori, mae'r awdur yn tynnu sylw at Hagar, ac yn dangos y bydd iddi ran allweddol yn yr hanes.

Wedi aros deng mlynedd i feichiogi, mae amynedd Sara wedi edwino'n llwyr. Mae'n dyheu nid yn unig am blant ond hefyd am yr anrhydedd a'r parch sydd i'r fam o fewn y gymdeithas. Nid yw'n fodlon aros ymhellach. Mae'n penderfynu goresgyn ei hanffrwythlondeb trwy gymryd y mater i'w dwylo'i hun a rhoi ei morwyn i Abraham er mwyn cael plentyn: 'Dos at fy morwyn, efallai y caf blant ohoni hi' (16:2). Er mai caethferch oedd Hagar, cafodd ei dewis gan Sara i oresgyn ei phroblem am fod perthynas arbennig rhwng y ddwy. Y gair Hebraeg a ddefnyddir i ddisgrifio Hagar yw *shiphcha*, sef caethferch gyda statws arbennig. Dyma forwyn bersonol gwraig y tŷ, ac un na fyddai byth yn cael ei defnyddio fel gordderchwraig gan y gŵr. Awgryma'r disgrifiad hyder ac ymddiriedaeth ar ran y feistres, ac ufudd-dod a chyfrifoldeb ar ran y forwyn. Caiff Hagar ei 'rhoi'n wraig i'w gŵr Abram' gan Sara (16:3).

Nid yw'r ffaith fod Abraham wedi cymryd ail wraig yn achosi unrhyw anhawster yng nghrefydd Islam. Yn y traddodiad Islamaidd, lle mae amlwreiciaeth yn gyfreithlon, darlunnir bywyd priodasol Abraham a Sara yn fywyd o heddwch a chytgord, hyd yn oed wedi dyfodiad Hagar. Dyletswydd y patriarch oedd cael etifedd. Felly, os oedd ei wraig yn ddi-blant, roedd ganddo berffaith hawl i gael cyfathrach â menyw arall. Ond mae diwylliant y Gorllewin, dan ddylanwad Cristnogaeth, yn methu â dygymod â'r arferiad. Gwrthwynebiad yr Eglwys i amlwreiciaeth oedd un rheswm pam fod cenhadu wedi bod mor anodd mewn rhai gwledydd. Wedi dod i ddarllen yr Hen Destament drosto'i hun, gallai'r Affricanwr ei ddyfynnu er mwyn dangos fod bywyd teuluol y patriarchiaid yn ategu arferion priodasol ei lwyth. Nid heb drafferth y llwyddodd cenhadon Ewropeaidd i'w gyfeirio at neges dra gwahanol yn llythyrau Paul. Mor ddiweddar â 1917, esgymunodd yr Eglwys Fethodistaidd dri deg a saith o'i gweinidogion yn Nigeria am amlwreiciaeth.

Patrwm byw'r patriarchiaid a ysgogodd Joseph Smith, sylfaenydd y Mormoniaid, hefyd i ddatgan fod gan amlwreiciaeth rôl arbennig yn y bywyd rhinweddol. Roedd yn gyfreithlon, os nad yn ofynnol, i ddyn gael mwy nag un wraig, am mai dyna a orchmynnodd Duw i Abraham. Rhoddodd Smith ganiatâd i bob dyn ymhlith ei ddilynwyr gael hynny o wragedd a fynnai. Er i'w wraig gyntaf a'i gyfeillion agos geisio'i ddarbwyllo, dywedir iddo briodi o leiaf dri deg o ferched, llawer ohonynt yn eu harddegau cynnar. Er bod yr Eglwys bellach yn gwahardd yr arferiad, mae cangen fechan o Formoniaid yn dal i arddel syniadau Smith. Dysgant mai dim ond trwy gael o leiaf dair gwraig y gall dyn gyrraedd y nefoedd. Iddynt hwy, arwydd o'i hymgysegriad i Dduw, a'i dealltwriaeth o'i fwriad ar gyfer ei greadigaeth, oedd parodrwydd Sara i roi ei morwyn i'w gŵr. Dylai pob gwraig gyntaf ddilyn esiampl Sara a bod yn barod i groesawu ail wraig i'r cartref; a dylai pob dyn fod yn debyg i Abraham trwy dderbyn y cyfrifoldeb o gynnal llawer o wragedd.

Y fam fenthyg

Dychmygwch y rhyddhad i Abraham pan awgrymodd Sara ffordd i oresgyn ei hanffrwythlondeb. Nid oedd angen dweud ddwywaith wrtho i gymryd ail wraig. Mae'n ufuddhau i orchymyn Sara heb yngan gair o brotest. Er llawenydd i bawb, ac efallai er mawr syndod iddo'i hun, caiff lwyddiant ysgubol gyda Hagar. Cofier ei fod newydd gael ei ben blwydd yn wyth deg pump. Ond cyn gynted ag y mae Hagar yn feichiog, mae ei ffrwythlondeb yn ei chymell i ymffrostio a difrïo Sara. Mae'r forwyn yn talu'r pwyth yn ôl i'w meistres am iddi ei gorfodi i orwedd gydag Abraham.

Er mai Sara, fel y mae hi ei hun yn cyfaddef, a gymerodd y cam cyntaf trwy roi'r gaethferch i'w gŵr, Abraham a gaiff y bai ganddi am agwedd haerllug Hagar: 'Bydded fy ngham arnat ti!' (16:5). Caiff Abraham ei gyhuddo un ai o ddiffyg teyrngarwch i'w wraig gyntaf neu o fod mor hoff o'i wraig newydd nes iddo fethu â ffrwyno'i theimladau. Ac mae'n amlwg fod Sara'n disgwyl i Dduw ei chefnogi trwy farnu rhyngddynt. Ond er iddi bwyso arno, gwrthod cymryd cyfrifoldeb a wna Abraham. Gan mai ei morwyn bersonol yw Hagar, problem Sara yw hon. Cyn gynted ag y bo'r gaethferch yn ôl dan ei gofal, mae Sara'n troi'n gas. I osgoi digofaint ei meistres, mae'r ferch fach feichiog yn gwneud yr hyn a wnaeth llawer o gaethion dros y canrifoedd – ffoi o'r tŷ a diflannu i'r diffeithwch.

Mae'r gwrthgyferbyniad rhwng y forwyn a'i pherchnogion yn drawiadol. Wedi dychwelyd o'r Aifft mae Abraham yn gyfoethog a grymus. Mae'n berchen 'defaid, ychen, asynnod, gweision, morynion, asennod a chamelod' (12:16). Ond mae Hagar yn gwbl ddi-rym a heb geiniog i'w henw; nid yw ond caethferch sy'n bodoli er hwylustod i'w pherchnogion. Mae Abraham yn dad i genedl etholedig, cenedl sy'n ystyried ei hun yn bobl ddewisedig Duw. Ond dieithryn yw Hagar, yr Eifftes; nid yw'n cyfrif dim o'i chymharu â'r etholedigion. Caiff Abraham glod am droi oddi wrth amldduwiaeth at undduwiaeth. Ond mae Hagar yn addoli duwiau paganaidd yr Aifft. Mae'r stori'n pwysleisio safle ymylol ac israddol y forwyn yn y teulu. Ar waethaf ei swydd arbennig fel *shiphcha* i Sara, nid oes gan Hagar unrhyw reolaeth dros ei thynged. Nid oes neb yn gofyn iddi hi a yw'n fodlon cyd-fynd â bwriad Sara. Nid oes angen gofyn iddi; wedi'r cwbl, ni all wrthod am mai caethferch yw hi. Nid oes ganddi ddewis.

Mae rhai esbonwyr yn barod iawn i weld bai ar Abraham a Sara. Mae'r ffaith fod Abraham yn cytuno â chynllun Sara i reoli'r sefyllfa ei hunan yn tystio i ddiffyg ffydd y ddau ohonynt yn yr addewid. Cânt eu barnu'n hallt hefyd am anwybyddu teimladau Hagar, a defnyddio'r ferch fach i'w dibenion hunanol eu hunain. Daw Abraham dan lach am greulondeb.

Ac yntau'n ymwybodol o'r anghydfod ar ei aelwyd, sut allai roi rhwydd hynt i Sara drin Hagar fel y mynnai heb brotestio?

Ond mae eraill yn ceisio gweld y sefyllfa yn y goleuni gorau posibl. Un ddadl yw mai bwriad Sara oedd hyrwyddo cynllun Duw ar gyfer ei bobl. A bwrw bod Abraham wedi dweud wrthi am yr addewidion a wnaeth Duw iddo, gwyddai fod geni etifedd yn holl bwysig i'w gŵr. Gan na fedrai wneud hynny ei hun, rhoddodd ei morwyn iddo. Cymhelliad cwbl anhunanol oedd wrth wraidd cynllun Sara. Ond gellir dadlau i'r gwrthwyneb. Wrth fynegi'r gobaith y caiff 'blant ohoni hi' (16:2), bwriad Sara yw defnyddio Hagar i gael plentyn iddi hi ei hun. Byddai hyn yn ei gwneud yn fam i ddisgynyddion mor niferus â sêr y nefoedd a llwch y ddaear, ac yn sicrhau ei statws fel matriarch tŷ Abraham. Ei hunanoldeb sy'n ei hannog i weithredu.

Dadl arall o blaid Sara yw ei bod yn dilyn arferion yr oes. Roedd ei gweithred, fel y gwelwn yn nes ymlaen, yn ddull cwbl gyfreithlon o ddatrys ei phroblem, ac yn nodweddiadol o ddiwylliant y cyfnod. Dyna'n union a wnaeth matriarchiaid eraill di-blant yn hanes cynnar Israel. Pan aeth Lea, gwraig gyntaf Jacob, yn rhy hen i eni plant, 'cymerodd ei morwyn [*shiphcha* yn yr Hebraeg] Silpa a'i rhoi'n wraig i Jacob' (Gen. 30:9). Digwyddodd yr un peth gyda'i ail wraig, Rachel. Pan sylweddolodd hithau nad oedd yn gallu beichiogi, meddai wrth ei gŵr: 'Dyma fy morwyn Bilha; dos i gael cyfathrach â hi er mwyn iddi ddwyn plant ar fy ngliniau, ac i minnau gael teulu ohoni' (Gen. 30:3). Trwy esgor wrth eistedd ar liniau gwraig y tŷ, roedd y fam fenthyg yn cydnabod mai eiddo ei meistres oedd y plentyn.

Beth bynnag a feddyliwn o Sara, mae'r tensiwn yn y stori'n amlwg. Wedi hir ymaros, mae'r addewid am epil ar fin cael ei gyflawni. Ond mae'r cymeriad allweddol nid yn unig yn gaethferch, ond hefyd yn Eifftes. Dieithryn o'r Aifft fydd mam y plentyn. Sut, tybed, oedd y gwrandawyr cynnar, disgynyddion y rhai a fu'n gaethweision i Pharo am bedwar can mlynedd, yn ymdopi â'r ffaith fod Duw'n defnyddio Eifftes i gadarnhau ei gyfamod ag Abraham? Ond nid dyna'r unig broblem. Mae'r un sy'n llythrennol yn cario'r addewid wedi mynd ar goll yn y gwyll; nid oes ond un dynged yn ei haros.

Fel hyn, gydag anghydfod yn y teulu sy'n creu rhwystr pellach i gyflawni'r cyfamod, y daw golygfa gyntaf stori Hagar i ben. Fe ddylem fod ar bigau'r drain. Ond cyn symud ymlaen i'r ail olygfa, rhown sylw byr i gyfraniad yr archaeolegwyr a fu'n cloddio yn y Dwyrain Canol ar ddechrau'r ugeinfed ganrif i'n dealltwriaeth o gefndir cyfreithiol a diwylliannol y stori.

Cyfraniad archaeoleg

Fel y gwelsom, rhoddodd Sara ei morwyn bersonol yn wraig i'w gŵr (16:3). Hynny yw, nid gordderchwraig o ddewis Abraham fydd mam y plentyn, ond mam fenthyg a ddewiswyd gan Sara. Mae archaeoleg wedi ein goleuo ynghylch swydd a statws mam fenthyg yn niwylliant y cyfnod trwy bwysleisio'r gwahaniaeth, yn achos cwpwl di-blant, rhwng merch a ddewiswyd gan y wraig a gordderchwraig o ddewis y gŵr. Y ffynhonnell fwyaf ffrwythlon yw casgliadau o ddeddfau'n dyddio o tua 2100 i 1200 CC. Yr enwocaf ohonynt yw casgliad un o frenhinoedd Babilon o'r enw Hammurapi. Ef oedd yn gyfrifol am roi Babilon ar y map yn ystod y ddeunawfed ganrif CC. Ehangodd derfynau'r deyrnas; cododd gestyll i'w hamddiffyn; adeiladodd demlau i blesio'r duwiau; a gwnaeth welliannau sylweddol i'r system ddyfrhau a etifeddodd oddi wrth y Swmeriaid. Ond ei gymwynas fwyaf oedd creu casgliad o gyfreithiau, a'u cyhoeddi ar garreg wyth troedfedd o uchder sydd wedi goroesi hyd heddiw. Fe'i darganfuwyd yn 1902 gan Ffrancwr a oedd yn cloddio yn ninas Susan; dyna sut y daeth yn eiddo'r Louvre ym Mharis.

Cyfreithiau Hammurapi yw'r enghraifft orau sydd gennym o'r cyfnod cynnar o ymgais brenin i gael trefn ar ei frenhiniaeth trwy ddeddfu barn a chyfiawnder. Pwysigrwydd y casgliad yw ei fod yn rhoi darlun eithaf llawn i ni o fywyd ym Mabilon yn ystod y cyfnod 1800–1500 CC am ei fod mor faith a chynhwysfawr, ac am iddo gael dylanwad trwm ar y Dwyrain Canol yn gyffredinol. Yr hyn sydd o ddiddordeb i ni yn y cyd-destun hwn yw'r sylw a roddir ynddo i faterion teuluol megis priodas, ysgariad a mabwysiad. Mae dwy o'r cyfreithiau'n berthnasol i brofiad Hagar.

Yn ôl Hammurapi, petai menyw'n rhoi ei morwyn i'w gŵr yn wraig i godi teulu, am ei bod hi ei hun yn amhlantadwy neu'n rhy hen i feichiogi, ni fyddai gan ei gŵr hawl i wrthod ei dymuniad a chael gordderchwraig o'i ddewis ei hun. Roedd diben deublyg i gyfraith o'r fath. Yn gyntaf, *amddiffyn statws y wraig* fel arglwyddes yr aelwyd. Am ei bod hi, o'i gwirfodd, yn dewis un o'i morynion ei hun i achub y sefyllfa, mae ganddi'r hawl i barhau fel meistres y teulu, er bod gan ei gŵr wraig arall. Yn ail, amddiffyn y teulu rhag y *posibilrwydd o etifeddiaeth ranedig*. Byddai plant caethferch o ddewis y wraig yn cael eu cyfrif fel plant y wraig, ond byddai plant gordderchwraig o ddewis y gŵr yn gallu mynnu rhan yn yr etifeddiaeth.

Mae'r casgliad yn cynnwys cyfraith arall sy'n taflu goleuni ar stori Hagar. Petai'r forwyn, wedi iddi ddod yn wraig, yn dechrau sarhau ei meistres, roedd gan wraig y tŷ hawl, heb ymgynghori â'i gŵr, i droi'r cloc yn ôl a dychwelyd y gaethferch i'w statws gwreiddiol. Ond nid yn Mesopotamia yn unig y cafwyd problemau wrth i forwyn fynd yn uwch na'i stad. Mae geiriau Agur yn Llyfr y Diarhebion yn awgrymu fod yr un peth yn digwydd yn Israel: 'Y mae tri pheth sy'n cynhyrfu'r ddaear, pedwar na all hi eu dioddef: gwas pan ddaw'n frenin, ffŵl pan gaiff ormod o fwyd, dynes atgas yn cael gŵr, a morwyn yn disodli ei meistres' (Diarh. 30:21–23).

Mae bodolaeth y deddfau hyn, sydd lawer yn hŷn na'r Beibl, yn taflu goleuni ar arferion cymdeithasol cyfnod cynnar yr Hen Destament, ac yn tystio nad yw'r Beibl yn unigryw. Mae'r awduron yn defnyddio ac yn addasu llenyddiaeth berthnasol o'r cefndir hanesyddol wrth adrodd hanes y genedl. Rhaid ystyried y cyd-destun wrth ddarllen yr Ysgrythur. Yn ôl safonau'r oes, nid yw profiad Hagar yn anarferol. Mae Sara'n ymdopi â'i phroblem mewn dull derbyniol a chyfreithlon. Gellir hyd yn oed amddiffyn agwedd ddi-asgwrn-cefn Abraham o wneud dim i arbed Hagar trwy ddangos ei fod yn dilyn arfer a chyfraith y cyfnod. Ond o safbwynt diwinyddol, mae'n amlwg fod Abraham a Sara wedi peidio â chredu yn yr addewid. Nid ydynt yn fodlon aros i Dduw weithredu. Fel yn achos y newyn yn Genesis 12:10–20, penderfynant ddatrys y broblem yn eu ffordd eu hunain. Yn ei esboniad ar y testun, mae John Calfin yn disgrifio'u ffydd yn 'ddiffygiol'.

Cwestiynau i'w trafod

1. Pa mor berthnasol yw darganfyddiadau'r archaeolegwyr i'n dealltwriaeth o'r Hen Destament?

2. I ba raddau y dylai credinwyr ddilyn esiampl y cyndadau cynnar?

3. Pa un o'r tri chymeriad yn y stori hon sy'n ennill eich cydymdeimlad?

11. Y Cyfarchiad
Genesis 16:7–16

Pan ddarganfu Abraham a Sara fod Hagar wedi ffoi, diau iddynt gymryd yn ganiataol na fyddent yn ei gweld fyth eto. Pa obaith oedd gan grwydryn, heb gwmni na fawr o fwyd a diod, i oroesi yn yr anialwch? Os na fyddai anifail rheibus yn ei lladd, byddai gwres y dydd a'r sychder yn sicr o wneud hynny. Ond roedd Duw wedi ei dewis i chwarae rhan allweddol yn ei fwriad ar gyfer dynoliaeth; ac yma yn yr anialwch, daw'r bwriad hwnnw i'r amlwg. Caiff y gaethferch o'r Aifft yr un profiad ag eraill a glywodd lais yr Arglwydd mewn anialdir cyn cychwyn ar eu cenhadaeth: Moses ac Elias yng nghyffiniau Horeb, mynydd Duw; Iesu yn niffeithwch Jwdea; Paul yn anialwch Arabia; Anthony, sylfaenydd y bywyd mynachaidd, yn yr Aifft. Daw Duw at y ferch fach yn rhith angel.

Neges yr angel

O Hebron, mae Hagar yn mynd i'r de i gyfeiriad Sur (16:7), siwrnai faith iddi ar ei phen ei hun. Byddai'r darllenwyr gwreiddiol yn gyfarwydd â'r enw Sur. I anialwch Sur yr arweiniodd Moses yr Israeliaid i ddiogelwch wedi iddynt groesi'r Môr Coch ar ôl ffoi o'r Aifft. Yno, wedi clywed am eu cystudd yr achubodd Duw ei bobl rhag marw o syched trwy droi dŵr chwerw ffynnon Mara'n ddŵr melys (Ex. 15:22–25). Y Negef, sef y diffeithwch i'r de ddwyrain o Lain Gasa, yw'r enw arno heddiw. Gair Hebraeg am 'wal' neu 'ragfur' yw *sur*. Os mai cyfeiriad sydd yma at y caerau ar ffin ddwyreiniol yr Aifft a oedd yn amddiffyn y wlad rhag ei gelynion, yr awgrym yw bod Hagar yn ceisio dychwelyd i fro ei mebyd. Oherwydd ei chefndir, mae esbonwyr sy'n cysylltu caethwasanaeth â hil yn honni mai merch groenddu oedd hi, yn cael ei cham-drin gan ei pherchnogion gwyn.

Trwy lwc daw'r ffoadur ar draws ffynnon. Mae gan ffynnon a phydew le arbennig yn y Beibl. Codi dŵr o bydew yr oedd Rebeca pan ddaeth gwas Abraham o Ganaan i Aram i chwilio am wraig i Isaac (Gen. 24:11–61). Wrth bydew yng ngwlad Midian y cyfarfu Moses â Seffora (Ex. 2:15–21). 'Y gŵr wrth ffynnon Jacob' yw'r prif gymeriad yn stori'r wraig o Samaria (In. 4:1–42); a defnyddia Ioan y ddeialog rhwng Iesu a'r wraig i gyflwyno gwirioneddau diwinyddol.

Mae'r ffaith bod Hagar yn dod o hyd i ffynnon mor sydyn a didrafferth yn arwydd i'r darllenydd ei bod yn berson breintiedig a fyddai'n chwarae rhan allweddol yn y stori. A hithau'n eistedd wrth y ffynnon, daw 'angel yr ARGLWYDD o hyd' iddi (16:7). Yn y traddodiad Iddewig, negeswyr neu gynrychiolwyr Duw oedd yr angylion. Nid bodau annibynnol mohonynt, ond estyniad o'r duwdod. Eu swydd oedd bod yn gyswllt rhwng Duw a dynoliaeth. Sylwer fod yr angel yn ei chyfarch wrth ei henw. Nid yw Abraham a Sara byth yn gwneud hynny; iddynt hwy 'y forwyn' neu'r 'gaethferch' yw hi, termau sy'n mynegi eu sarhad. Ond mae Duw'n ei pharchu ac yn ei chydnabod fel unigolyn. Mae'r angel am wybod ei hanes: 'O ble y daethost, ac i ble'r wyt yn mynd?' (16:8). Beth yw dy darddiad, a beth fydd dy dynged? Dau gwestiwn sydd wedi blino ffyddloniaid byth ers hynny. Ysgrifennodd yr arlunydd enwog Paul Gaugin y geiriau hyn ar gongl darlun yr oedd yn ei ystyried fel ei gampwaith. Myfyrdod yw'r darlun ar enedigaeth, bywyd a marwolaeth yng ngoleuni mytholeg Polynesia lle'r oedd yn byw ar y pryd. Fe'i cwblhaodd yn ystod argyfwng personol yn ei fywyd wedi clywed am farwolaeth ei ferch.

Yn union fel gwleidydd yn cael ei gyfweld ar y cyfryngau, ateb anuniongyrchol y mae Hagar yn ei roi i'r angel, a hynny i'r cwestiwn cyntaf yn unig. Nid yw'n ystyried yr ail gwestiwn o gwbl. Efallai nad yw hi'n gwybod i ble mae'n mynd, a'i bod o'r herwydd yn dilyn cyngor Solomon, sydd yn draddodiadol yn cael ei gydnabod yn awdur Llyfr y Diarhebion: 'Paid ag ymffrostio ynglŷn ag yfory, oherwydd ni wyddost beth a ddigwydd mewn diwrnod' (Diarh. 27:1). Neu efallai ei bod yn anfodlon cyfaddef ei bod yn anelu am yr Aifft, gwlad sy'n gyfystyr â gormes a thrallod i bob Israeliad. Ond os yw ateb yr ail gwestiwn y tu hwnt iddi, tybia fod ganddi ateb derbyniol i'r cwestiwn cyntaf. Mae'n cyfaddef ei bod wedi dianc rhag ei pherchnogion. Sut y gallai neb ei beio am ffoi oddi wrth y rhai a oedd yn ei cham-drin?

Mae ymateb yr angel yn annisgwyl. Ymddengys fod Duw, trwy ei negesydd, ar ochr y gormeswr: 'Dychwel at dy feistres, ac ymostwng iddi' (Gen. 16:9) yw ei orchymyn. Nid mynd adref a mynnu mwy o barch, ac nid brwydro yn erbyn yr un a fu mor greulon wrthi yw dyletswydd Hagar, ond mynd ac 'ymostwng' iddi. Mae'r broblem foesol yn amlwg. Pa Dduw fyddai'n gorchymyn y fath beth? Er mwyn amddiffyn Duw, mae esbonwyr yn tynnu sylw at yr addewid o ddisgynyddion yn yr adnodau sy'n dilyn (16:10–12). Nid anfon Hagar yn ôl i gael ei cham-drin yw bwriad Duw. Ei ewyllys yw ei harbed rhag niwed, a'r unig ffordd i hyn ddigwydd yw iddi fynd adref. Serch hynny, cyn iddi ennill ei rhyddid a chael llu o ddisgynyddion, rhaid i'r gaethferch fach 'ymostwng' i'w meistres. Dyna brofiad yr Israeliaid yn yr Aifft: canrifoedd o gaethwasanaeth dan Pharo, a chyni yn yr anialwch cyn cyrraedd gwlad yr addewid. Pam fod Duw'n mynnu fod gwewyr yn rhagflaenu gwobr? Gwahoddiad sydd yma gan yr awdur i'r darllenydd ymgodymu unwaith eto â phroblem dioddefaint.

Caiff llawer o ddarllenwyr, yn enwedig disgynyddion y rhai a gaethgludwyd o Affrica i America ac India'r Gorllewin, gryn anhawster gyda'r gorchymyn hwn. Sut all Duw, a gaiff ei ddatguddio yn y Beibl fel un sydd ar ochr y gwan a'r diymgeledd, wrthod cymorth i Hagar yn ei thrybini? A yw Duw, sy'n gorfodi caethferch i fynd yn ôl at ei pherchnogion i ddioddef rhagor o greulondeb, yn deilwng o'n haddoliad? Pam nad yw'r Duw a arweiniodd y genedl o gaethiwed yr Aifft yn barod i sicrhau rhyddid i gaethferch feichiog, ac yntau, yn ôl yr angel, wedi clywed am ei chystudd (16:11)? Dyma yn sicr broblem i rai, er nad i bawb. Roedd agwedd y caeth feistri gwyn, llai na dwy ganrif yn ôl, yn dra gwahanol. Yn eu barn hwy, roedd yr angel yn llygad ei le. 'Dychwel ... ac ymostwng' oedd yr union beth y byddent hwy yn disgwyl i Dduw ei ddweud wrth gaethwas neu gaethferch ar ffo.

Nodyn gobeithiol

Ar waethaf ei siomiant, nid yw Hagar yn troi yn ei hôl heb obaith. Rhoddir i'r ffoadur addewid sy'n gwneud 'dychwelyd ac ymostwng' yn werth chweil. Trwy gyfrwng ei angel, mae Duw'n rhagfynegi genedigaeth bachgen, ac yn darogan y bydd y gaethferch yn codi teulu ohoni ei hun: 'Amlhaf dy ddisgynyddion yn ddirfawr, a byddant yn rhy luosog i'w rhifo' (16:10). Petasai Duw heb ymyrryd, a Hagar wedi dal i deithio, nes un ai farw yn yr anialwch neu gyrraedd yr Aifft, ni fyddai sôn amdani byth wedyn. Ni fuasai ei phrofiad yn ddim mwy na throednodyn i'r stori. Ond mae disgrifiad yr angel o'i phlant fel ei 'ddisgynyddion' yn sicrhau iddi le ar lwyfan hanes. Fel gwraig Abraham, bydd iddi ran allweddol yn yr addewid am epil a wnaeth Duw i'w gŵr: 'Gwnaf dy had fel llwch y ddaear' (Gen. 13:16). Hi yw'r unig ferch yn y Beibl i gael addewid personol o ddisgynyddion. Caiff ei hadnabod bellach nid yn unig fel gwraig Abraham, ond hefyd fel matriarch, mam i bobloedd 'rhy luosog i'w rhifo'. Bydd ganddi ei llinach ei hun: hi fydd mam yr Arabiaid. Ond nid arwyddocâd Hagar yn unig y mae'r addewid am ddisgynyddion yn ei bwysleisio. Bwriad yr awdur yw dangos fod Abraham yn dad i lawer o bobloedd, yn ogystal ag Israel. Cadarnheir hyn yn y bennod nesaf.

Yn ogystal â darogan geni mab i Hagar, mae'r angel yn ei enwi hefyd. Ond y cyntaf i wybod yr enw yw'r gaethferch, nid y patriarch. Ystyr 'Ismael' yw 'y mae Duw yn clywed' neu 'y mae Duw yn sylwi'. Er na alwodd Hagar ar Dduw, mae'r awdur am i ni wybod fod Duw'n ymwybodol o'i thrallod. Nid gofid Sara, yr un ddi-blant, sy'n cael sylw Duw, ond helbul Hagar yn wynebu peryglon y daith trwy'r anialwch. Ond er i Ismael gael ei achub rhag marwolaeth, nid yw'r disgrifiad o'i gymeriad yn hawdd i'w ddeall. Gellid tybio mai sarhad sydd yn y disgrifiad ohono fel 'asyn gwyllt o ddyn' (16:12). Defnyddir yr un ymadrodd yn y Beibl mewn modd negyddol i gollfarnu Israel am ei hystyfnigrwydd a'i hanffyddlondeb i Dduw. Wrth gondemnio'r genedl am wadu'r Arglwydd ac addoli Baal, mae Jeremeia'n ei chymharu ag 'asen wyllt, a'i chynefin yn yr anialwch, yn ei blys yn ffroeni'r gwynt. Pwy a atal ei nwyd?' (Jer. 2:24. Gweler hefyd Hos. 8:9).

Yr un mor arwyddocaol yw'r disgrifiad o'r plentyn hwn fel un 'a'i law yn erbyn pawb, a llaw pawb yn ei erbyn ef, un yn byw'n groes i'w holl gymrodyr' (Gen. 16:12). Bydd yn barod i afael yn ei gleddyf i amddiffyn ei annibyniaeth rhag gelynion, ond yn methu â chydfyw ag aelodau o lwyth arall, er iddynt fod o'r un cig a gwaed ag yntau. Mewn cyfnod diweddarach, wedi iddynt ymgartrefu yng Nghanaan, fel hyn yn union yr oedd yr Israeliaid yn ystyried eu cefndryd pell, y Bedawin, a oedd yn crwydro'r anialwch ar ffiniau'r wlad, ac yn aflonyddu arnynt o dro i dro. Mae esbonwyr Iddewig dros y canrifoedd wedi dyfynnu'r adnod hon i esbonio atgasedd yr Iddew tuag at y Moslem.

Ond gellir cynnig dehongliad gwahanol a mwy cadarnhaol o'r disgrifiad o Ismael, a fyddai'n destun gorfoledd i'w fam. Anifail cydnerth, ystyfnig, heini ac eofn yw'r asyn sy'n crwydro'r anialdir, symbol perffaith o benrhyddid. Gall y gymhariaeth hefyd ddynodi un sy'n oroeswr wrth natur. Er mor arw ei gynefin, bydd Ismael yn medru ymdopi â phob argyfwng. Cyw o frîd fydd hwn, mab ei fam mewn mwy nag un ystyr. Yn y traddodiad Islamaidd, nid oes unrhyw awgrym fod Ismael yn berson ymladdgar ac ymosodol. Caiff ei ddisgrifio fel un geirwir, dibynnol, a ffyddlon i Dduw.

Mae cyfarchiad yr angel yn dilyn dull cydnabyddedig a ddefnyddir yn y Beibl i broffwydo genedigaeth un a fyddai ryw ddydd yn arwr neu frenin. Mae'r patrwm llenyddol yn galluogi'r awdur i roi cig a gwaed i'r cyfarchiad. Wedi cyfarch y fam neu'r tad a darogan genedigaeth mab, enwir y plentyn a rhoddir braslun o'i natur a'i dynged. Mae cyfarchiad yr angel i Hagar yn debyg i enghreifftiau eraill o safbwynt dull, cynnwys a geiriad. Er enghraifft, yn achos Samson (Barn. 13:3–5), Solomon (1 Cron. 22:9–10), Immanuel (Es. 7:14–16), Joseia (1 Bren. 13:2), caiff genedigaeth a chyflawniadau pob un eu darogan. Yr elfen gyson ym mhob adroddiad yw cyhoeddi genedigaeth mab. Yn wreiddiol, mae'n debyg mai cenadwri i wraig ddi-blant oedd y neges oherwydd, ym mhob achlysur, cyhoeddi newydd da a digwyddiad o bwys a fydd yn drobwynt bywyd a wna'r angel.

Mae awduron y Testament Newydd yn dilyn yr un patrwm. Yn ôl Mathew, mewn breuddwyd y daw'r addewid am fab i Joseff; ond yn ôl Luc, trwy ymweliad angel y cyflwynir yr addewid i Mair. Gwreiddyn yr 'Ave Maria' yw'r disgrifiad o ddigwyddiadau tebyg yn hanes Israel ganrifoedd yn gynharach. Mae'r tebygrwydd rhwng yr addewid i Mair yn Luc 1:28–32 a'r addewid i Hagar yn drawiadol: cyfarchiad gan angel, cyhoeddi beichiogrwydd a geni mab, enwi'r mab ac esbonio ystyr yr enw, disgrifio natur a dyfodol y plentyn. Enghraifft brin o batrwm llenyddol yn dal ei dir am dros fil o flynyddoedd, ac yn cael ei ddefnyddio i gyhoeddi iachawdwriaeth.

Enwi Duw

Ond pwy yw'r Duw sy'n cyfarch Hagar wrth y ffynnon? Cawn wybod gan Hagar ei hun. Wedi i'r angel orffen gwneud addewidion a dweud enw ei phlentyn wrthi, mae'r gaethferch yn yngan ei geiriau cyntaf yn y stori: 'Tydi yw El-roi' (Gen. 16:13). Mae'n gwneud yr hyn na wnaeth neb o'r blaen, ac na wnaiff neb fyth eto, sef creu enw i Dduw. Dyna pam y caiff ei hadnabod fel diwinydd cyntaf y Beibl. Ond mae ystyr yr enw wedi creu trafferth i esbonwyr. Gwyddom mai duw o ryw fath yw '*El*', a gellir cyfieithu '*roi*' fel 'gweld'. Serch hynny, pan gysylltir y ddau air mae'r ystyr yn amwys. 'Y Duw sy'n gweld' yw'r cyfieithiad llythrennol. Gall hyn olygu 'y Duw sy'n fy ngweld i', yn yr ystyr o sylwi ar fy nghystudd.

Ni ddychmygodd Hagar am funud y byddai'n darganfod Duw yn y diffeithwch. Ond dyna a ddigwyddodd, am fod Duw wedi ei ddarganfod hi. Duw sy'n gwrando a chlywed a gweld yw Duw Hagar, yn yr ystyr ei fod yn cymryd sylw o dreialon y diamddiffyn. Duw ydyw sy'n gallu ac yn dymuno creu perthynas rhyngddo ef ei hun a'i greadigaeth. Duw ydyw sy'n gofalu am bobl yr ymylon. Er mai rhedeg i ffwrdd a wna Hagar, mae Duw'n cymryd y cam cyntaf trwy ddod i chwilio amdani a'i chyfarch, a'i chysuro. Pa ryfedd ei bod yn ei enwi fel yr un sy'n gweld ac yn gofalu. Mae ei phrofiad o Dduw wrth y ffynnon yn wahanol iawn i'r un a gafodd ohono ar aelwyd Abraham a Sara.

Mae'r cysylltiad rhwng Duw Hagar a dynoliaeth yn ei osod ar wahân i'r duwiau paganaidd sy'n destun sarhad i'r Salmydd. Meddai, wrth gyfeirio at eu delwau: 'Y mae ganddynt enau nad ydynt yn siarad, a llygaid nad ydynt yn gweld; y mae ganddynt glustiau nad ydynt yn clywed ... y mae ganddynt ddwylo nad ydynt yn teimlo, a thraed nad ydynt yn cerdded; ac ni ddaw swn o'u gyddfau' (Sal. 115:5–7). Ceir yr un disgrifiad bron air am air yn Salm 135:15–17. Duwiau yw'r rhain na allant ymateb i anghenion eu haddolwyr. Nid felly Duw Hagar.

Ceisia'r awdur esbonio'r enw El-roi trwy ddweud mai'r tarddiad yw syndod Hagar am iddi oroesi wedi gweld Duw: '"A wyf yn wir wedi gweld Duw, a byw ar ôl ei weld?"' (Gen. 16:13). Ond mae'r cysylltiad rhwng yr enw a'r eglurhad ymhell o fod yn glir. Ar wahân i'r ffaith fod testun Hebraeg yr esboniad yn aneglur, nid oes dim yn yr adnodau blaenorol i awgrymu fod Hagar wedi gweld Duw. Yr unig wybodaeth sicr sydd gennym yw bod angel yr Arglwydd wedi siarad â hi. Ond mae'r honiad iddi weld Duw, a byw i ddweud yr hanes, yn sicrhau iddi le arbennig yn nhraddodiad crefyddol Israel. Yn hyn o beth, mae'r gaethferch yn rhagori ar Moses. Pan ddeisyfodd Moses ar i Dduw ddangos iddo'i ogoniant, yn rhannol y caniatawyd y cais. Câi adnabod Dduw trwy ei ddaioni, ei drugaredd a'i dosturi; ond ni châi weld ei wyneb, 'oherwydd ni chaiff neb fy ngweld a byw' (Ex. 33:20). Dim ond ei gefn a welodd Moses.

Ar y cyfan, clywed, nid gweld, sy'n arwain at brofiad ysbrydol yn yr Hen Destament. Dyna pam y mae awduron y Testament Newydd yn osgoi sôn am weld Duw. Dywed Ioan yn blaen yn un o'i lythyrau: 'Nid oes neb wedi gweld Duw erioed' (1 In. 4:12). Ond beth am Hagar? Fe welodd hi Dduw, a byw. Cyrhaeddodd adref yn ddiogel. Esgorodd ar fab i Abraham. Ond nid dyma ddiwedd ei stori. Fel y gwelwn, mae gan y Beibl fwy i'w ddweud amdani hi ac Ismael yn nes ymlaen.

Cwestiynau i'w trafod

1. Mewn cyfnod y gwelir ynddo fwy o ffoaduriaid nag erioed, beth yw eich agwedd at y rhai yn ein byd sy'n ffoi rhag creulondeb a gorthrwm, ond yn cael eu gorfodi i 'ddychwelyd ac ymostwng'?

2. A ydych yn credu mewn angylion?

3. 'Gwelodd' Hagar y Duw a oedd yn 'llefaru' wrthi. Pa eiriau sy'n addas i ddisgrifio profiad ysbrydol heddiw?

12. Cadarnhau'r Cyfamod

Genesis 17:1–27

Aeth tair blynedd ar ddeg heibio er pan ufuddhaodd Hagar i orchymyn yr angel a dychwelyd at ei pherchnogion. Gan nad yw'r awdur yn rhoi unrhyw sylw i'r cyfnod hwnnw, cymerwn yn ganiatol bod y feistres a'r forwyn wedi cymodi, a bod heddwch yn teyrnasu ar yr aelwyd. Gellir tybio hefyd bod Abraham yn fodlon ei fyd wedi geni Ismael am ei fod dan yr argraff mai ef oedd yr etifedd a addawodd Duw iddo. Yma, mae'r stori'n ailgydio yn hanes y teulu trwy roi fersiwn arall o'r cyfamod, un sy'n deillio o ffynhonnell wahanol i'r fersiwn blaenorol ym mhennod 15. Yr hyn a gawn yw datblygiad pellach o'r traddodiad hynafol am y cytundeb rhwng cyndad y genedl a Duw. Y bennod hon yw sail y gred mai enwaediad yw defod hynaf Iddewiaeth.

Natur y Cyfamod

Mae'r bennod yn agor gyda Duw yn ailadrodd ei fwriad i wneud cyfamod ag Abraham. Ond cyn datgelu telerau'r cyfamod, geilw arno i wneud dau beth: 'Rhodia ger fy mron a bydd berffaith' (Gen. 17:1). 'Rhodio' neu 'gerdded' yw cyfieithiad llythrennol y gair Hebraeg *halach*, ond yn y cyd-destun hwn yr ystyr yw 'byw' neu 'dreulio bywyd'. Yr un ymadrodd a ddefnyddir i fawrygu Enoch a Noa am eu duwioldeb trwy ddweud bod y ddau wedi 'rhodio' gyda Duw (Gen. 5:21; 6:9). Mae Duw'n galw ar Abraham i dreulio'i fywyd yn ei ŵydd. Bydd Duw yn ei warchod a'i wylio, a'i amddiffyn rhag niwed; ond bydd hefyd yn sylwi ar ei ffordd o fyw.

Mae cymal cyntaf y gorchymyn ar yr un pryd yn galondid ac yn her; ond mae'r ail ran yn swnio'n hollol afresymol. Yn ogystal â bod yn ymwybodol o bresenoldeb Duw bob amser, rhaid i Abraham fod yn 'berffaith'. Dyma'r gair a ddefnyddir i ddisgrifio Noa hefyd (Gen. 6:9). Ond unwaith eto, mae talu sylw i'r Hebraeg yn help. Ystyr gwreiddiol y gair *tamim* yw 'cyfan' neu 'llwyr', yn hytrach na 'perffaith'. Nid yw

Duw'n disgwyl i Abraham fod yn gwbl bur a dibechod. Ond os ydyw i elwa o'r cyfamod, rhaid i'w fywyd fod yn 'gyfan', yn yr ystyr o fod yn fywyd o ymddiriedaeth yn yr addewidion ac o ufudd-dod i'r ewyllys ddwyfol. Dim ond trwy ymgysegriad llwyr a diamod y daw'r cyfamod i olygu rhywbeth iddo.

Mae Duw'n cyflwyno'r cyfamod trwy ailadrodd yr addewidion yr oedd eisoes wedi eu rhoi i Abraham, sef disgynyddion a gwlad (17:2, 8). Yr addewid am nifer fawr o ddisgynyddion sydd i gyfrif am newid ei enw o Abram, sef 'tad dyrchafedig', i Abraham, 'tad tyrfa'. Cofier fod arwyddocâd arbennig i enwau yn yr hen fyd. Yn y meddwl Hebreig, roedd enw'n dadlennu cymeriad trwy ddisgrifio natur neu bersonoliaeth yr unigolyn. Gwelir hyn yn yr hanesion sy'n sôn am newid enw i gydymffurfio ag amgylchiadau newydd. Er enghraifft, caiff Jacob yr enw 'Israel', am 'iddo ymdrechu â Duw a dynion', a gorchfygu (Gen. 32:28). Yn ystod y reslo ym Mhenuel ar y ffordd yn ôl i Ganaan, rhoddodd ei enw gwreiddiol i'w ymosodwr, a thrwy hynny ddadlennu ei natur fel un cyfrwys a dichellgar; dyna ystyr yr enw 'Jacob'. Ond os yw am gamu i'r dyfodol yn hyderus i gyfarfod â'r efaill a dwyllodd, rhaid iddo gydnabod camwri'r gorffennol. A dyna sy'n digwydd. Israel, yr ymdrechwr buddugol, nid Jacob y twyllwr ystrywgar, sy'n croesi'r afon i gymodi ag Esau.

Ond er bod y testun yn ategu, i raddau, yr hyn a ddywedwyd eisoes yn Genesis 15, mae'r awdur yma yn rhoi ei stamp ei hun ar y cynnwys trwy hepgor rhai manylion ac ychwanegu eraill. Nid yw'n disgrifio seremoni'r cyfamodi, sef torri anifeiliaid yn eu hanner, a cherdded rhwng y darnau fel arwydd o ffyddlondeb i'r telerau. Ni cheir cyfeiriad at Dduw'n gwneud hyn, hyd yn oed trwy ddefnyddio symbolau megis ffwrn a ffagl. Efallai fod disgrifio'r Duw hollalluog a throsgynnol mewn termau dynol yn groes i'r graen i'r awdur. Yr unig wybodaeth a gawn yw bod Duw wedi ymddangos i Abraham, ac 'wedi iddo orffen llefaru' wedi mynd oddi wrtho (17:1,22).

Ond ceir ychwanegiadau sylweddol at yr addewidion a wnaed am etifedd a gwlad. Y tro hwn, mae Duw'n addo y bydd hwn yn 'gyfamod tragwyddol'. Hynny yw, caiff ei wneud nid ag Abraham yn unig ond â'i ddisgynyddion hefyd. Mae'r addewid 'byddaf yn Dduw i chwi' yn cadarnhau'r berthynas arbennig rhwng Duw a'r genedl, ac yn rhagdybio y 'byddwch chwi yn bobl i mi'.

I gloi'r adroddiad, ceir disgrifiad manylach o'r wlad y bydd yr Israeliaid yn byw ynddi. Rhyw ddiwrnod bydd 'holl wlad Canaan yn etifeddiaeth dragwyddol' iddynt (17:8). Caiff arwyddocâd meddiannu'r wlad ei danlinellu gan y Salmydd. Wrth edrych yn ôl a gweld llaw Duw yn hanes cynnar ei genedl, meddai: 'Rhoes iddynt diroedd y cenhedloedd, a chymerasant feddiant o ffrwyth llafur pobloedd, er mwyn iddynt gadw ei ddeddfau, ac ufuddhau i'w gyfreithiau' (Sal. 105:44–45). Er mwyn iddynt gael lle diogel i fyw yn ôl gofynion Cyfraith Moses y rhoddodd Duw'r wlad i'r Israeliaid. Gorchwyl penodol Israel oedd ffurfio cymdeithas gyfiawn a dyngarol, cymdeithas heb dlodi na rhyfel na thwyll, a thrwy ei hesiampl roi arweiniad i'r cenhedloedd o'i chwmpas. Er mwyn sylfaenu cymdeithas o'r fath, roedd Duw'n rhwym o weld bod y genedl yn cael pob cyfle i gyflawni dibenion ei bodolaeth. I'r diben hwn y rhoddwyd iddi wlad.

Meddai Martin Buber, un o brif ladmeryddion Iddewiaeth yr ugeinfed ganrif, 'What is decisive for us is not the promise of the land, but the demand whose fulfilment is bound up with the land ... Judaism is a way of life that cannot be realised by individuals in the sphere of their private existence, but only by a nation in the establishment of its society.' Dim ond yng ngwlad yr addewid y gellir sefydlu'r gymdeithas ddelfrydol sy'n seiliedig ar Gyfraith Moses. Hyd heddiw, cred un garfan o Iddewon Uniongred nad oes modd ufuddhau'n llawn i ofynion y Gyfraith ond trwy fyw yn Israel. Dim ond yn y wlad a neilltuodd Duw i'r pwrpas y gellir bod yn Iddew cyflawn. Dyna pam fod meddiant o'r wlad yn greiddiol i'r grefydd.

Arwydd y Cyfamod

Fel y gwelwn yn nes ymlaen, daeth enwaediad yn ddefod bwysig iawn yn ddiweddarach yn hanes Israel, ac y mae'r awdur o'r herwydd yn teimlo rheidrwydd i gynnwys cyndad y genedl ymysg yn enwaededig. Er mwyn dangos ei fod yn barod i dderbyn y cyfamod, a'i gadw, rhaid i Abraham enwaedu arno'i hun a'i fab a'i weision. Mae'n bosibl torri'r cyfamod trwy beidio ag enwaedu. Dyna pam y mae rhai esbonwyr yn ystyried hwn yn gyfamod amodol. Ond i eraill, cyfamod diamodol ydyw. Hynny yw, arwydd yn unig yw enwaediad, nid amod. Yn union fel y mae enfys yn arwydd yn yr awyr i atgoffa Duw o'r cyfamod a wnaeth â Noa wedi'r Dilyw (Gen. 9:12–17), mae enwaediad yn atgoffa'r patriarch a'i ddisgynyddion o'r berthynas barhaol rhyngddynt a Duw (17:11).

Yn adran olaf y bennod (17:23–27), rhoddir pwyslais ar ufudd-dod Abraham. Fel y mae ailadrodd y cymal 'y diwrnod hwnnw' ddwywaith mewn pedair adnod yn tystio (17:23,26), mae'r patriarch yn ymateb i'r gorchymyn yn ddiymdroi. Tystiolaeth bellach i'w ufudd-dod yw'r defnydd cyson o eiriau megis 'pawb', 'pob', 'holl'. Diben yr awdur wrth ailadrodd y cymalau, a chynnwys geiriau sy'n mynegi cyfanrwydd, yw tanlinellu ymrwymiad a ffyddlondeb Abraham. Trwy enwaedu ei weision, a hyd yn oed pob 'dieithryn a brynwyd ag arian' (17:23, 27), mae'n dangos ei fod am i'w dylwyth cyfan dderbyn yr un bendithion ag yntau. Arwydd digamsyniol o'i agwedd gynhwysol at eraill o safbwynt crefydd a chred yw ei barodrwydd i enwaedu pawb, beth bynnag fo'u tras.

Gan fod y ddefod wedi ei gorchymyn i Abraham, a'i fod yntau wedi enwaedu Ismael yn ddiymdroi, mae Moslemiaid hefyd yn enwaedu eu plant. Er nad yw'r Cwrân yn gorchymyn yr arferiad, mae'r traddodiad Islamaidd (yr Hadith) yn ei gynnwys. Tybir fod Mohamed wedi hepgor unrhyw gyfeiriad at enwaedu yn y Cwrân am fod y llwythau Arabaidd yn ei gyfnod ef yn gwneud hynny eisoes; nid oedd angen gorchymyn y ddefod.

Ymateb Abraham

Mae'r addewid am ddisgynyddion dirifedi i'r patriarch yn colli ei rym wrth i ni ddarllen trwy Genesis. Serch hynny, er bod gan Abraham fab erbyn hyn, caiff yr addewid ei roi unwaith eto, a'r tro hwn yn fwy penodol. Bydd Sara ei hun yn esgor ar fab: 'Bendithiaf hi, a bydd yn fam i genhedloedd, a daw brenhinoedd pobloedd ohoni' (17:16). Hyn sydd i gyfrif am newid enw'r fam o Sarai i Sara. Er nad yw'r testun yn esbonio'r newid, ystyr y ffurf 'Sara' yw 'tywysoges', a thybir mai gwreiddyn yr enw Sarai yw gair yn golygu 'sarhad, dirmyg'. Gan y bydd y di-blant yn gallu beichiogi, ni fydd byth eto'n gyff gwawd i'w morwyn. Cymysgedd o ymddiriedaeth ac amheuaeth yw ymateb Abraham. Roedd wedi derbyn sawl gwaith yr addewid y câi etifedd, heb brotestio o gwbl bod y fath syniad yn gwbl hurt o ystyried ei oed. Ond pan glywodd fod Sara am eni mab, er iddo ddangos y parch dyladwy i Dduw trwy ymgrymu, 'chwarddodd ynddo'i hun' (17:17). Efallai mai datgan ei lawenydd yr oedd wrth glywed am enedigaeth wyrthiol. Ond mae'r ffaith iddo chwerthin 'ynddo'i hun' yn awgrymu amheuaeth. Mae meddwl am Sara'n feichiog yn llythrennol yn chwerthinllyd. Wedi aros am flynyddoedd am gyflawni'r addewid, daw i'r penderfyniad fod gair Duw yn ddiwerth.

Er iddo gael clod am ufuddhau trwy adael ei dylwyth a'i deulu yn Haran, mae amheuaeth yn drech nag Abraham erbyn hyn. Mae'n awyddus i gredu y caiff ddisgynyddion; ond mae realiti'r sefyllfa'n milwrio yn erbyn ffydd. Ei ymateb i'r addewid yw: 'Ie, ond ... Ie, ond rwyf yn hen iawn. Ie, ond mae fy ngwraig yn ddi-blant.' Mae Duw'n gofyn iddo ddychmygu sefyllfa hollol newydd. Ond ni all wneud hynny. Nid yw'n credu mwyach yn yr addewidion. Mae'n gwrthod derbyn y gall Duw greu'r posibl allan o'r amhosibl.

Gan nad oes golwg am blentyn arall, y ffordd allan o'r dryswch yw bodloni ar gael Ismael fel ei unig etifedd. Wedi'r cwbl, mae hwnnw'n bod eisoes, a bellach yn ei arddegau cynnar. Mae apêl Abraham ar i Dduw ofalu am ei gyntaf-anedig yn cyfleu ei ddiffyg cred yn yr addewid y bydd Sara'n geni plentyn, ac yn dod 'yn fam i genhedloedd' (17:16). Gwell ganddo ddibynnu ar ei ymdrechion ei hun i gael etifedd na dal i ddisgwyl am gyflawniad yr addewid a roddodd Duw iddo fwy nag unwaith. Ond caiff ateb digon swta i'w weddi: trwy'r mab a enir i Sara, ac a enwir gan Dduw, y bydd y cyfamod yn parhau. Cyn iddo gael ei eni, gŵyr y darllenydd y bydd gan y plentyn hwn ran hanfodol yn y stori gan fod urddas arbennig yn perthyn i'r sawl sy'n cael enw gan Dduw.

Mae ymddygiad Abraham yn ein hatgoffa nad hawdd yw ennyn ffydd. Geilw ffydd am wytnwch sydd yn aml yn mynd yn groes i'r graen, ac am gred mewn addewid sy'n ymddangos yn gwbl ddi-sail, mewn posibiliadau sydd tu hwnt i bob disgwyl. Gall 'Ie, ond ...' wneud i ni ymddangos yn rhesymol a doeth yn wyneb yr amhosibl. A fedrwn ddychmygu Ewrop heb daflegrau rhyng-gyfandirol? Medrwn, ond mae gwledydd eraill yn bygwth. A fedrwn ddychmygu byd yn cynnwys digon o fwyd i bawb? Medrwn, ond mae ein safon byw'n milwrio yn erbyn rhannu ein golud â phobl yr ymylon. Fel yn achos Abraham, yn aml iawn yr 'ond' sy'n ennill ac yn ein gyrru i ddigalondid, blinder a sinigiaeth.

Er mai Isaac, ac nid Ismael, oedd gan Dduw mewn golwg pan ddywedodd wrth Abraham mai o'i gnawd ei hun y deuai ei etifedd (Gen.15:4), ni chaiff mab Hagar ei anghofio. Mae'n derbyn bendith ac yn cael addewid y 'bydd yn dad i ddeuddeg tywysog' (17:20), nifer sy'n cyfateb i ddeuddeg llwyth Israel. Yn ogystal â gwarchod ei genedl etholedig, mae Duw'n gofalu hefyd am y rhai sydd y tu allan i deulu'r ffydd. Cawn gyfle i dalu mwy o sylw i Ismael fel cymeriad, ac i ystyried arwyddocâd yr addewid a gafodd, pan ddeuwn at y rhestr lawn o'i ddisgynyddion yn Genesis 25:12–16.

Cwestiynau i'w trafod

1. Defod greiddiol Iddewiaeth yw enwaediad. Pa mor bwysig yw seremonïau a defodau crefyddol ym mywyd y Cristion?

2. 'Byddwch chwi'n berffaith, fel y mae eich Tad nefol yn berffaith' (Mat. 5:48). Beth yw'r perffeithrwydd y mae Duw'n ei geisio ym mywyd Abraham ac y mae Iesu'n ei geisio ym mywyd y Cristion?

3. I'r Iddew, beth yw arwyddocâd yr addewid am wlad a wnaeth Duw i ddisgynyddion Abraham?

13. Ymwelwyr annisgwyl
Genesis 18:1–33

Y cyflwyniad i brif neges y bennod hon yw darlun cynhwysfawr o fywyd syml teulu o grwydriaid: coeden, pabell, gwres y dydd, ymwelwyr annisgwyl, aelwyd groesawgar hen ŵr a hen wraig. Mae'r disgrifiad byw yn yr adnodau agoriadol yn hoelio sylw'r darllenydd cyn cyrraedd diben y stori, sef adrodd am Dduw mewn rhith dynol yn cadarnhau geni plentyn i Abraham a Sara. Fersiwn wahanol a geir yma o'r addewid am ddisgynyddion a gafwyd eisoes yn Genesis 17:1–6, ac o'r dull a ddewisodd Duw i roi'r addewid.

Gan mai chwedl, yn hytrach nag arddull fwy ffurfiol y bennod flaenorol a ddefnyddia'r awdur i ddweud yr hanes, tybir mai un o chwedlau adnabyddus yr hen fyd yw ffynhonnell y stori. Dywed Homer yn *Yr Odyseia* bod y duwiau yng ngwisg dynion yn ymweld yn gyson â'r ddaear i gloriannu dynoliaeth, er mwyn gwobrwyo neu gosbi yn ôl y gofyn. Ceir adlais o hyn yn y Testament Newydd. Pan ddaeth Paul a Barnabas i Lystra ar eu taith genhadol gyntaf, ac iachau dyn cloff o'i enedigaeth, ymateb y trigolion i'r wyrth oedd gweiddi 'yn iaith Lycaonia: "Y duwiau a ddaeth i lawr atom ar lun dynion"; a galwasant Barnabas yn Zeus, a Paul yn Hermes' (Ac. 14:11–12). O ran y cyd-destun presennol, yr enghraifft orau yw chwedl Roegaidd am dri duw, Sews, Poseidon a Hermes, mewn rhith dynion, yn galw heibio i dyddynwr di-blant. Fel arwydd o'u gwerthfawrogiad am y croeso a gawsant, rhoddodd y duwiau i'r tyddynwr a'i wraig y mab y buont yn dyheu cymaint amdano, sef Orion. Mae Ofydd, y bardd Rhufeinig, yn adrodd yr un stori am y duwiau Iau, Neifion a Mercher.

Diben gwreiddiol yr hen chwedl boblogaidd hon oedd tanlinellu pwysigrwydd lletygarwch trwy roi enghraifft o'r wobr sy'n aros y sawl sy'n croesawu duwiau'n ddiarwybod. Mae'n wir fod chwedlau Groeg a

Rhufain yn perthyn i gyfnod diweddarach na hanesion y patriarchiaid. Ond ceir tystiolaeth bod stori debyg iawn i hon ym Mesopotamia hefyd yn ystod hanner olaf y trydydd mileniwm. Os cywir y ddamcaniaeth mai dyna sydd y tu cefn i'r stori Feiblaidd, mae'r awdur yn Iddeweiddio hen chwedl baganaidd, gan ei haddasu i'w fwriad o ddangos mai 'mewn dirgel ffyrdd mae'r uchel Iôr yn dwyn ei waith i ben'.

Croesawu dieithriaid

Pennawd i'r stori, nid rhan ohoni, yw'r adnod gyntaf. Mae'r awdur am i'r darllenydd wybod mai Arglwydd Dduw Israel yw'r prif gymeriad yn yr olygfa sy'n dilyn. Ond gan nad yw Duw'n gwneud na dweud dim er mwyn ei ddatguddio'i hun, ni fydd Abraham yn sylweddoli hyn am beth amser. Iddo ef, mae'r stori'n dechrau ac yntau'n cael cyntun yn nrws ei babell wrth dderwen Mamre, heb fod ymhell o Hebron. Yn ôl y rabiniaid, roedd arno angen gorffwys er mwyn dod ato'i hun wedi'r enwaedu. Yn sydyn, mae tri dyn yn ymddangos o unman ac yn sefyll o'i flaen. Yn niwylliant y cyfnod, roedd sefyll o flaen pabell yn gyfystyr â rhoi cnoc ar y drws i ofyn cymwynas. Mae'r cyfeiriad at wres y dydd yn awgrymu bod yr ymweliad yn annisgwyl, oherwydd go brin y byddai neb yn teithio a'r haul yn ei anterth, os na fyddai'r daith yn gwbl angenrheidiol. Rhedodd Abraham i gyfarch y tri trwy 'ymgrymu i'r llawr' o'u blaen. Er nad yw'n eu hadnabod, gwell ganddo gymryd yn ganiataol eu bod yn haeddu'r fath barch na chael ei farnu am beidio ag estyn y croeso dyladwy i bobl o bwys.

Ar ôl eu cyfarch, mae'n cynnig golchi eu traed llychlyd ac yn eu hannog i orffwys yng nghysgod y goeden i aros iddo ddod 'â thamaid o fara' i'w cynnal (Gen. 18:5). Yr awgrym yw ei fod yn tybio y byddant wedyn yn parhau ar eu taith. Ond mae'r pryd o fwyd, pan ddaw, yn fwy swmpus o gryn dipyn na'r cynnig gwreiddiol. Mae Sara, ar orchymyn ei gŵr, yn brysio i wneud pentwr o deisennau. (Y pwysau cyfwerth heddiw i 'dri mesur' o flawd yw 22 litr!) Ond er iddynt gael eu gwneud allan o'r blawd gorau, nid oes sôn am y teisennau wedyn. Cyfraniad personol

Abraham yn unig, sef llo 'tyner a da', caws a llaeth, sy'n cael sylw pan fo'r pryd yn barod (18:8).

Er bod ardal Hebron yn enwog am ei gwinllannoedd, sylwer mai llaeth yn hytrach na gwin a gynigir i'r ymwelwyr. Wrth grybwyll diod y crwydryn yn hytrach na diod yr amaethwr, tybed a yw'r awdur yn ymwybodol o ganlyniadau camddefnyddio gwin, ac yn anfodlon dweud fod Duw wedi cyfranogi ohono. Efallai fod helynt Noa, wedi iddo ddechrau amaethu a phlannu gwinllan, yn meddwi wedi yfed ei chynnyrch, yn fyw yn ei gof (Gen. 9:20–27). Ond i genhedlaeth ddiweddarach o Iddewon, roedd y llaeth yn broblem.

Yng Nghyfraith Moses, mae'r gorchymyn, 'Paid â berwi myn yn llaeth ei fam', yn orchymyn o bwys. Caiff ei ailadrodd deirgwaith yn y Tora (Ex. 23:19; 34:26; Deut. 14:21). Gwaharddiad yw hwn, meddai'r esbonwyr Iddewig, rhag bwyta cig a llaeth yn ystod yr un pryd bwyd. Mae peidio â chymysgu'r ddau yn dal i fod yn elfen greiddiol yn rheolau bwyd yr Iddew. Felly, roedd rhaid i'r rabiniaid cynnar oresgyn yr anhawster bod yr angylion, a hyd yn oed Duw ei hun, yn torri'r Gyfraith. Gwnaethant hynny mewn dwy ffordd.

Yn gyntaf, trwy honni mai *tamaid i aros pryd,* math o *hors d'oeuvre,* oedd y caws a'r llaeth, nid rhan o'r pryd ei hun. Yn ail, trwy dybio mai *cymryd arnynt* eu bod yn bwyta a wnaeth yr ymwelwyr er mwyn plesio Abraham, gan na fyddai angen bwyd ar angylion. Dyma'r unig gyfeiriad yn yr Hen Destament at angel yn bwyta.

Creodd yr ymweliad gryn gynnwrf a chyffro ar yr aelwyd. Ond diben y disgrifiad manwl o'r croeso yw cyfoethogi statws a chymeriad Abraham. Tystia gormodedd bwriadol y wledd yn ddigamsyniol i'w olud. Er iddo barhau yn ddigartref, mae'n amlwg iddo lwyddo i ddod ymlaen yn y byd gan ei fod yn gallu cynnig pryd o fwyd mor swmpus i ddieithriaid. Haedda ganmoliaeth am ei ddycnwch yn gwneud pob ymdrech i ofalu am ei deulu.

Ond mae'r stori hefyd yn cydnabod ei haelioni a'i garedigrwydd. Mae'r awdur yn awyddus i ddangos fod cyndad y genedl yn meddu un o brif rinweddau'r crwydryn, sef lletygarwch. Roedd hawl pob teithiwr i gael llety, a dyletswydd y penteulu i'w groesawu, yn elfen greiddiol yn niwylliant y Dwyrain Canol er cyn cof. Mae'r fath haelioni'n nodweddu'r Bedawin, sef y llwythau Arabaidd sy'n crwydro'r diffeithwch, hyd heddiw. Mewn anialwch, gall cynnig llety olygu'r gwahaniaeth rhwng byw a marw.

Rhoddir pwyslais mawr ar letygarwch mewn Iddewiaeth hefyd, a defnyddir Abraham fel patrwm i'r ffyddloniaid ei efelychu. Yn ogystal â bod yn dŷ gweddi ac ysgol, roedd pob synagog yn yr Oesoedd Canol yn cynnig llety i deithwyr, ac yn paratoi bwyd i'r newynog. Y pwyslais Iddewig, mae'n debyg, sydd wrth wraidd apêl awdur y Llythyr at yr Hebreaid at ei ddarllenwyr i beidio ag anwybyddu lletygarwch, 'oherwydd trwyddo y mae rhai, heb wybod hynny, wedi rhoi llety i angylion' (Heb. 13:2). Cyfeiriad uniongyrchol yw hwn at y croeso a gafodd y tri dieithryn o dan dderwen Mamre. Pe bai unrhyw un yn dymuno cynnig gwobr am letygarwch, fe ddylai Abraham fod ar y rhestr fer.

Addewid am etifedd – eto

Ar sail y pennawd a roddodd yr awdur i'r stori yn yr adnod gyntaf, mae'r darllenydd yn gwybod o'r dechrau mai bodau dwyfol yw'r ymwelwyr, un ai tri angel neu Dduw a dau angel. Ond mae eu hunaniaeth yn ddirgelwch i Abraham. Dim ond trwy sgwrsio â hwy wrth iddynt fwyta y gwawriodd arno ei fod yn ddiarwybod wedi croesawu Duw i'w babell. Am ganrifoedd, dysgodd yr Eglwys mai rhagfynegiad o athrawiaeth y Drindod oedd y stori: un Duw mewn tri pherson. Fe'i defnyddiwyd yn gyson ganddi i gondemnio'r Iddewon am wrthod cydnabod fod un o wirioneddau mawr Cristnogaeth i'w gael yn eu Hysgrythur hwy eu hunain: y fath ystyfnigrwydd a dallineb bwriadol oedd i gyfrif am i Dduw droi cefn arnynt. Dyna pam y cawsant eu dedfrydu i grwydro'r ddaear yn ddigartref wedi cwymp Jerwsalem yn 70 OC. Dyma wraidd y syniad o'r 'Iddew Crwydrol'. Ond bellach, y ddamcaniaeth sy'n apelio at y mwyafrif o ysgolheigion yw mai addasiad sydd yma o hen stori baganaidd am y duwiau'n ymweld â dynoliaeth, yn hytrach na chyfeiriad at y Drindod. Yn ei sylwadau ar y bennod, mae Martin Luther yn tynnu sylw at bwysigrwydd sgwrsio wrth y bwrdd bwyd. Rhydd esiampl yr ymwelwyr dwyfol gyfle iddo wneud yr hyn a roddodd foddhad mawr iddo am flynyddoedd, sef gwyntyllu ffaeleddau'r Eglwys Babyddol a'r bywyd mynachaidd. Yn ei Reol Buchedd ar gyfer mynachlogydd, gorchmynnodd Bened Sant, arloeswr mynachaeth y Gorllewin, 'dawelwch llwyr', dim hyd yn oed sisial, yn ystod prydau bwyd. Ond ym marn Luther, a fu'n fynach ei hun am ugain mlynedd, nid oes a wnelo bwyta mewn distawrwydd ddim â byw'n rhinweddol. 'I ffwrdd â chwi, y mynaich ffôl, tawedog sy'n tybio fod addoliad a sancteiddrwydd yn golygu distawrwydd [wrth y bwrdd bwyd]!' Nid oes ganddo ddim i'w ddweud bellach wrth ei ffordd flaenorol o fyw. Ni all feddwl am yr un arfer doniolach na gwrthod sgwrsio wrth fwyta, cyn belled â bo'r hyn sy'n cael ei ddweud 'bob amser yn rasol, wedi ei flasu â halen', fel y mae Paul yn annog y Colosiaid (Col. 4:6). Cyfiawnha Luther ei safbwynt trwy ddyfynnu dihareb boblogaidd: *sermones condimenta ciborum*, 'sgwrs sy'n rhoi blas ar fwyd'.

Mae'n siŵr i'r sgwrs rhwng Abraham a'i westeion dros ginio roi blas ar y bwyd; ond yn y sgwrs hefyd y mae calon y bennod. Wedi iddynt ofyn am Sara, mae un ohonynt yn addo dychwelyd ymhen blwyddyn i sicrhau y caiff Abraham etifedd ganddi. 'Un ohonynt' sydd yn yr Hebraeg; ond rhaid cymryd yn ganiataol mai Duw sy'n siarad, un ai fel un o'r tri neu ar wahân iddynt, a dyna sydd yn y BCND: 'Yna dywedodd yr ARGLWYDD ...' (Gen. 18:10). Ond sut y gwyddai'r ymwelwyr enw ei wraig, a'r ffaith ei bod yn ddi-blant? Gŵyr y darllenydd yr ateb, ond nid yw'r cwestiwn yn croesi meddwl Abraham. Nid yw'n dyfalu chwaith pam eu bod yn holi amdani.

Yn ôl arfer merched, mae Sara'n cadw o'r golwg yn y babell pan fo dieithriaid o gwmpas. Ond mae'n clustfeinio ar y sgwrs ac yn clywed yr addewid. Mae'n amlwg oddi wrth ei hymateb nad oedd ei gŵr wedi rhannu'r newydd da a gafodd gan Dduw amdani yn y bennod flaenorol. Am na wyddai y byddai'n beichiogi ac yn dod 'yn fam i genhedloedd' (17:16), 'chwarddodd Sara ynddi ei hun' (18:12). Efallai mai llawenydd sydd yn y chwerthiniad. Ond mae'n fwy tebygol mai mynegiant ydyw o chwerwedd neu sarhad, fel yn achos Abraham (17:17), ond llai cableddus. Un peth oedd credu'n gyffredinol ym modolaeth Duw, peth arall oedd credu y gallai wneud gwyrthiau.

Pan fo Duw am wybod pam y chwarddodd Sara, mae Abraham yn fud. Ymateb Duw i'r mudandod yw cadarnhau ei addewid trwy roi dyddiad penodol i enedigaeth y plentyn, ac yna gofyn cwestiwn agored ond allweddol sy'n anwybyddu amheuaeth Sara: 'A oes dim yn rhy anodd i'r ARGLWYDD?' (18:14). Dyma'r cwestiwn sylfaenol sy'n wynebu'r genedl yn ystod y Gaethglud ym Mabilon yn y chweched ganrif. A yw Israel, mewn cyfnod tywyll yn ei hanes, yn credu ai peidio yng ngallu Duw i achub? Fel y gwelwn, cyfraniad mwyaf proffwydi'r Gaethglud yw rhoi gobaith a hyder i'r caethgludion trwy eu sicrhau y byddant yn goroesi'r profiad ac yn dychwelyd i Jwda. Gwnânt hynny trwy alw i gof gyflawniad yr addewid a wnaed i Abraham. Mae'r argyfwng yn rhoi cyfle i Dduw weithredu er mwyn achub y sefyllfa, fel y gwnaeth yn achos Sara.

Eiriol dros Sodom

Yn unol ag arfer y nomad, mae Abraham yn hebrwng y dynion (dau ynteu dri?) ar ddechrau eu taith o Hebron tua Sodom. Ond erys Duw ar ôl yn fwriadol i wneud rhywbeth na wnaeth hyd yn hyn, ac na fydd yn ei wneud eto yn y stori: siarad ag ef ei hun. Roedd wedi clywed am ddrygioni Sodom a Gomorra, ond fel barnwr cyfiawn nid yw'n fodlon dibynnu ar achlust. Mae'n penderfynu ymchwilio i'r gŵyn, ac yn hysbysu Abraham o'i fwriad. Gan ei fod yn ystyried y patriarch yn arweinydd dylanwadol a fyddai'n arwain ei ddisgynyddion ar hyd y ffordd uniawn ac yn gorchymyn iddynt wneud 'cyfiawnder a barn' (18:19), mae Duw'n ei ddewis fel cydweithiwr. 'God's unexpected associate in matters theological' yw un disgrifiad o Abraham. Rhydd y fath ymddiriedaeth le arbennig iddo yng nghyngor y Goruchaf. Adleisia tystiolaeth Amos fod Duw'n mynegi ei gynlluniau i'w etholedigion; nid yw'n gwneud dim 'heb ddangos ei fwriad i'w weision, y proffwydi' (Am. 3:7). Trwy hybu cyfiawnder a barn, bydd Abraham yn sicrhau cyflawniad yr addewid a wnaeth Duw iddo, y byddai 'holl dylwythau'r ddaear' yn derbyn bendith trwyddo (Gen. 12:3).

Wedi cadarnhau natur y berthynas rhwng Duw ac Abraham, defnyddia'r awdur hen chwedl am ddinistr Sodom, a welir yn y bennod nesaf, i ymdrin â chwestiwn o bwys yn ymwneud â ffydd a chred. Y patrwm llenyddol yw deialog rhwng Duw a'i gydweithiwr. Angerdd ac emosiwn sy'n nodweddu'r sgwrs, ond pwnc diwinyddol a wyntyllir. Wedi clywed fod Duw am farnu o leiaf ddwy o ddinasoedd y gwastadedd, manteisia Abraham ar y cyfle i'w holi. Gŵyr am ddrygioni Sodom, ac mae'n cydnabod fod cosb yn haeddiannol os gellir profi euogrwydd. Ond cyfyd hyn gwestiwn dyrys: a ddylid cosbi pawb, y drwg a'r da fel ei gilydd? Gan fod hyn yn ei boeni, mae Abraham yn eiriol dros y ddinas gan alw ar Dduw i feddwl ddwywaith cyn cosbi. Trwy gynnwys pawb yn ei eiriolaeth mae'n bargeinio, fel pe byddai mewn marchnad, am eneidiau'r Sodomiaid. A fyddai Duw yn fodlon arbed trigolion y ddinas hyd yn oed pe na fyddai ond deg o bobl gyfiawn ynddi? Mae'n dadlau y byddai dinistrio'r dieuog ynghyd â'r euog yn gwbl groes i natur Duw. Mae'n cymryd yn ganiataol cyn dechrau bod Duw'n farnwr teg: 'A wyt yn wir am ddifa'r cyfiawn gyda'r daionus? ... Na ato Duw! Oni wna Barnwr yr holl ddaear farn?' (18:23,25). Daw'r pwyslais ar gyfiawnder Duw'n fwy amlwg fyth yng nghyfieithiad y *Good News Bible* o adnod 25: 'That's impossible. The judge of all the earth has to act justly.'

Ond er mai dyna farn Abraham, mae cyfiawnder Duw ymhell o fod yn amlwg yn hanes Israel. Problem foesol, sy'n codi dro ar ôl tro, yw llwyddiant y drwg a dioddefaint y dieuog. 'Pam y llwydda ffordd y drygionus, ac y ffynna pob twyllwr?' yw cwestiwn Jeremeia wrth osod ei achos gerbron Duw (Jer. 12:1). Mae'r Salmydd 'yn cenfigennu wrth y trahaus ac yn eiddigeddus o lwyddiant y drygionus. Oherwydd nid oes ganddynt hwy ofidiau' (Sal. 73:3–4). Cwestiwn creiddiol Job yw pam fod y dieuog yn dioddef. Wedi byw am flynyddoedd yn gywir 'ac uniawn, yn ofni Duw ac yn cefnu ar ddrwg' (Job 1:1), daw trychinebau dirifedi i'w ran. Yn wahanol i'r mwyafrif o ddioddefwyr, cafodd Job gyfle i groesholi Duw ei hun. Ond bu raid iddo fodloni ar yr ateb na fyddai byth yn deall. Mae nifer o ddiwinyddion wedi cyhoeddi cyfrolau trwchus sy'n mynd i'r afael â'r cwestiwn, ond yn y diwedd yn gorfod cytuno â hynny. Wrth holi Duw, mae Abraham yn esgor ar draddodiad o ymryson neu ymgodymu â Duw a ddaw i'r amlwg droeon o fewn Iddewiaeth.

A chymryd fod Duw yn farnwr teg, cwestiwn Abraham yw: beth sy'n llywio ei farn, drygioni'r mwyafrif ynteu ddaioni'r lleiafrif? Os caiff cymuned gyfan ei barnu a'i chosbi oherwydd drygioni rhai aelodau, pam na all daioni'r gweddill achub y sefyllfa? Caiff Duw ei herio gan ei gydweithiwr mewn materion diwinyddol i ystyried y posibilrwydd fod gan ddaioni'r dieuog rym achubol. Ymgais yw gweddill y bennod i weld faint o bobl ddieuog sydd eu hangen i gadw'r gymuned rhag dinistr. Pa mor fychan all y rhif fod, a dal i fod yn effeithiol? Dyfais lenyddol heb unrhyw arwyddocâd arbennig yw'r rhifau. Ni cheir eglurhad pam mai deg yw'r rhif olaf. Petai'r rhestr wedi mynd i lawr i bedwar, efallai y byddai Sodom wedi cael ei hachub am fod Lot, ei wraig a'i ddwy ferch yn byw yno. Nid y rhifau ond yr egwyddor sy'n bwysig. Daw'r rhifo i ben gyda'r cytundeb fod gan ddaioni'r grym i drechu drygioni.

Y casgliad anochel ar ddiwedd y deialog yw mai nifer fechan iawn o bobl rinweddol sy'n angenrheidiol i achub dinas, er i fwyafrif y trigolion fynd ar gyfeiliorn. Wrth wraidd y ddadl yr oedd y ffaith na fu disgynyddion Abraham erioed yn gwbl deyrngar i Dduw. Caiff Israel ei barnu'n hallt gan y proffwydi am ei hanffyddlondeb. Ond er i'r genedl fethu â chadw'r cyfamod rhyngddi a Duw fel y dylai, yr oedd ym mhob cenhedlaeth weddill bychan yn dal i gredu. Calondid i'r ffyddloniaid oedd gwybod fod Duw'n fwy parod i gydnabod a chanmol duwioldeb y lleiafrif na barnu a chosbi drygioni'r mwyafrif.

Cwestiynau i'w trafod

1. Pa nodweddion yng nghymeriad Abraham a ddaw i'r amlwg yn stori'r ymwelwyr annisgwyl?

2. Pa mor bwysig yng ngweinidogaeth y Cristion yw eiriol ar ran eraill?

3. Chwerthiniad o lawenydd ynteu o anghrediniaeth oedd chwerthiniad Sara?

14. Dinas Sodom
Genesis 19:1–11

Ni chaiff yr un o ddigwyddiadau Llyfr Genesis fwy o sylw yng ngweddill y Beibl na dinistr Sodom a Gomorra. Daw'r cyfeiriad cyntaf ato yn Llyfr Deuteronomium, lle caiff y trychineb a ddaw ar Israel am ei hanffyddlondeb ei gymharu â galanastra dinasoedd y gwastadedd. Ni ellir bod yn sicr ble yn union yr oedd y rhain, ond y ddamcaniaeth fwyaf tebygol yw bod eu gweddillion dan y dŵr yn rhan ddeheuol y Môr Marw. Un ohonynt oedd Sodom, a ddymchwelodd yr Arglwydd 'yn ei ddicter a'i lid' (Deut. 29:23). Ceir cyfeiriadau pellach at y dinistr yn llyfrau'r proffwydi a Galarnad Jeremeia. Mae'r Apocryffa a'r Testament Newydd hefyd yn cyfeirio droeon at y stori. Ym mhob achos, yr hyn a bwysleisir yw cosb haeddiannol y trigolion oherwydd eu pechod.

Pechod Sodom
Mae stori tynged Sodom yn dechrau yn y bennod flaenorol, lle mae Duw'n penderfynu dweud wrth Abraham y bydd yn dinistrio Sodom a Gomorra os oes sail i'r gŵyn yn eu herbyn (Gen. 18:20–21). Ond er iddo ddweud fod y gŵyn yn fawr a'r pechod 'yn ddrwg iawn', nid yw Duw'n manylu ar natur y drosedd. Mae fel petai'n cymryd yn ganiataol fod Abraham yn gwybod beth ydyw. Gwnaeth rywbeth tebyg yn achos Cain pan ddaeth ef a'i frawd ag offrwm iddo. Cynnyrch y tir oedd cyfraniad Cain; anifail o'r ddiadell oedd gan Abel. Yn ôl yr hanes, 'Edrychodd yr ARGLWYDD yn ffafriol ar Abel a'i offrwm, ond nid felly ar Cain a'i offrwm' (Gen. 4:5), ond ni cheir unrhyw eglurhad pam nad oedd ei offrwm yn dderbyniol. Y canlyniad fu i Cain ddigio, a lladd Abel.

Gan fod natur pechod Sodom yn benagored, caiff y darllenydd rwydd hynt i ddyfalu beth yn hollol oedd y trigolion yn euog ohono. Arweiniodd hyn at esboniadau cwbl groes i'w gilydd. Wedi dadansoddi'r stori'n ofalus, daw rhai esbonwyr i'r casgliad mai troseddu yn erbyn y ddyletswydd o letygarwch y mae'r Sodomiaid. Yn ôl confensiynau cymdeithasol yr oes, mae eu hymddygiad tuag at y dieithriaid a gafodd lety gan Lot, a thuag at Lot ei hun fel un a ddaeth 'i fyw dros dro' (19:9) yn eu dinas, yn anfaddeuol. Ond yn nhyb eraill, barnu anlladrwydd y trigolion a wna'r awdur. Yng ngorchymyn y dynion i Lot ddod â'i westeion allan er mwyn iddynt 'gael cyfathrach â hwy' (19:5), gwelant gyfeiriad digamsyniol at drais cyfunrywiol. Dyma esboniad traddodiadol yr Eglwys.

Mae dadleuon cryf o blaid y naill ddehongliad a'r llall, ond nid yw'r un o'r ddau'n gwbl dderbyniol. Pan roddir ystyriaeth i'r cyfeiriadau at bechod Sodom yn y llyfrau proffwydol ac yn llên ôl-Feiblaidd yr Iddewon, ac yna gwneud astudiaeth fanylach o'r stori ei hun, gwelir fod eglurhad arall yn bosibl. Dechreuwn gyda'r traddodiad Iddewig. Er bod pob un o'r proffwydi sy'n enwi Sodom yn cyfeirio at farn Duw ar y ddinas, nid ydynt yn cytuno ynglŷn â natur ei throsedd ac achos ei dinistr.

Llygredd moesol sy'n arwain y proffwyd Eseia i alw ei gyfoedion yn 'reolwyr Sodom'. Pobl ydynt â'u 'dwylo'n llawn gwaed'. Gwrthodant wneud unrhyw ymdrech i achub cam y gorthrymedig, i amddiffyn yr amddifad ac i gymryd plaid y weddw (Es. 1:10–17). Yn ei gondemniad o'r gau broffwydi yn Jerwsalem, mae Jeremeia'n eu cymharu â'r Sodomiaid am eu bod yn godinebu, dweud celwydd, cefnogi drwgweithredwyr, a gwrthod edifarhau (Jer. 23:14). Wrth bregethu barn yn erbyn teyrnas Jwda, mae Eseciel yn ei chyhuddo o drosedd waeth na'i chwaer Sodom a oedd 'yn falch, yn gorfwyta, ac mewn esmwythâd diofal', heb sôn am wrthod cymorth 'i'r tlawd anghenus' (Esec. 16:49). Er bod trosedd Sodom yn amrywio, yr elfen lywodraethol yn y llên broffwydol yw pechodau cymdeithasol.

Ceir cadarnhad o'r hyn a ddywed y proffwydi am droseddau Sodom yn y defnydd o'r gair 'cwyn' *(tse'acah)* i ddisgrifio'r hyn a ddaeth i glustiau Duw yn ei herbyn (Gen. 18:20). Yn yr Hen Destament, defnyddir y gair hwn i gyfeirio at gri ingol yr anghenus a'r diamddiffyn yn y gymdeithas:

y weddw, yr amddifad, y tlawd, a'r sawl sy'n dioddef trais a gormes. Yn Exodus 3:7 a 9, yr un gair Hebraeg sy'n disgrifio argyfwng yr Israeliaid yn yr Aifft. Ond yma, gair cryfach, sef 'gwaedd', yw'r cyfieithiad. Clywed y caethion yn gweiddi am gael eu hachub rhag eu hadfyd a'u dolur ac o afael meistri gwaith Pharo sy'n symbylu Duw i weithredu. I Eseia, mynegi'r hyn sy'n gwbl groes i gyfiawnder a barn a wna *tse'acah*. Disgwyliodd gwinllan yr Arglwydd, sef pobl Israel a Jwda, 'gael barn, ond cafodd drais; yn lle cyfiawnder fe gafodd gri' (Es. 5:7). Cwyn, gwaedd, cri – tair ffordd o gyfieithu'r un gair Hebraeg sy'n golygu'r un peth ym mhob cyd-destun: dioddefaint y diamddiffyn yn wyneb pechod moesol a chymdeithasol.

Atseinio Eseciel a wna Iesu fab Sira, awdur un o lyfrau'r Apocryffa, wrth ddisgrifio'r 'bobl y trigai Lot yn eu plith' fel 'rhai a ffieiddiwyd ar gyfrif eu balchder' (Eccles.16:8). Er i'r rabiniaid mewn cyfnod diweddarach gydnabod elfen rywiol ym mhechod Sodom, dilynant arweiniad y proffwydi. Ar yr elfen economaidd-gymdeithasol, megis ariangarwch, creulondeb a thywallt gwaed, y mae'r pwyslais yn eu hesboniadau cynnar.

Mae'r Testament Newydd yn cyfeirio at ddinistr Sodom wyth neu naw o weithiau. Defnyddia'r efengylwyr drosedd y ddinas i danlinellu pwysigrwydd croesawu Iesu ar ei deithiau pregethu a derbyn ei neges. Ymddengys fod Iesu ei hun dan yr argraff mai cosb am ddiffyg lletygarwch ac edifeirwch oedd y dinistr (Mt. 10:15; 11:23; Lc.10:12). Dim ond dau destun diweddar, Ail Lythyr Pedr a Llythyr Jwdas, sy'n cyfeirio at fywyd 'anllad' y Sodomiaid, eu puteindra, a'u 'chwantau annaturiol' (2 Ped. 2:7; Jwd. 7). O'r holl bechodau a restrir yn y Beibl, trosedd rywiol o ryw fath sy'n cael sylw diwinyddion yr Eglwys Fore hefyd. Ond wrth gyfeirio at ddinistr Sodom yn ei gyfrol ddylanwadol *Dinas Duw* (pen. 16:30), mae Awstin Sant yn fwy penodol. Yn ei farn ef, 'gweithredoedd cyfunrywiol' oedd 'pechod y Sodomiaid'. O'i gyfnod ef ymlaen, y dehongliad hwn a gafodd y lle blaenllaw yn nysgeidiaeth yr Eglwys. Yn ystod yr Oesoedd Canol, yr unig air Lladin a oedd ar gael

i gyfeirio at gyfunrywiaeth neu wrywgydiaeth oedd *sodomia*.
Caiff trigolion Sodom eu cyhuddo o amryw o bechodau yn y traddodiad Iddewig sy'n ymestyn o gyfnod y proffwydi i'r canrifoedd cynnar OC, ond gallwn fod yn eithaf sicr nad yw cyfunrywiaeth yn un ohonynt, beth bynnag fo barn ein cyndadau Cristnogol.

Lletygarwch Lot

Trown yn awr at y stori yn Genesis. Yn ein hymdriniaeth ddiwethaf ohono, yr oedd Lot newydd ddychwelyd i Sodom ar ôl i Abraham ei achub o afael y pedwar brenin a oedd wedi ei gipio a mynd ag ef i Ddamascus (Gen. 14:12,16). Er mai mewnfudwr ydyw, y mae erbyn hyn wedi ymgartrefu yn y ddinas. Nid crwydryn mewn pabell mohono bellach ond dinesydd sy'n berchen ar dŷ. Yng nghwmni rhai o drigolion Sodom, mae'n eistedd un min nos ym mhorth y ddinas (19:1). Nid manylyn dibwys mo hwn. Ceir amryw o gyfeiriadau yn yr Hen Destament at arwyddocâd arbennig y porth ym mywyd pob cymuned. Yno byddai'r henuriaid yn cyfarfod, nid yn unig i gymdeithasu ac i basio'r amser, ond hefyd i farnu achosion cyfreithiol ac i drin a thrafod pynciau o bwys.

Yn y cyd-destun hwn mae 'eistedd' yn cyfleu awdurdod. Eistedd a wnâi athro wrth ddysgu. Dyna pam y mae Mathew yn cyflwyno'r Bregeth ar y Mynydd trwy ddweud: 'Pan welodd Iesu y tyrfaoedd, aeth i fyny i'r mynydd, ac wedi iddo eistedd i lawr daeth ei ddisgyblion ato' (Mt. 5:1).

Wedi darllen rhan o'r Ysgrythur yn y synagog yn Nasareth, eisteddodd Iesu i esbonio'r testun (Lc. 4:20). Cyfeiria Iesu at awdurdod y Phariseaid trwy ddweud eu bod 'yn eistedd yng nghadair Moses. Felly gwnewch a chadwch bopeth a ddywedant wrthych, ond peidiwch â dilyn eu hymddygiad' (Mt. 23:2–3). Mae i bob esgob gadair mewn cadeirlan, fel y mae i athro gadair mewn prifysgol. Wrth ddweud fod Lot yn 'eistedd yn y porth', awgrymir ei fod yn berson o bwys yn y gymdeithas, un sy'n meddu awdurdod ac yn barod i ysgwyddo cyfrifoldeb.

Ond gadewch i ni ddilyn trywydd arall am funud ac ystyried y posibilrwydd fod ystyr ychwanegol, os mwy llythrennol, i 'eistedd yn y porth'. Nid gorchwyl hawdd i unrhyw elyn oedd concro dinas gaerog; roedd ei muriau trwchus yn effeithiol iawn er cadw ymosodwyr allan. Yn hytrach na rhoi dinas dan warchae am fisoedd, un ffordd o'i chipio oedd trwy ddichell, neu anfon ysbïwyr. Dyna sut yr enillodd yr Israeliaid Jericho a Bethel oddi ar y Canaaneaid (Jos. 2:1–24; Barn 1:22–25). Ond byddai trigolion pob dinas yn ymwybodol iawn o ystrywiau tebyg, ac yn amheus o ddieithriaid yn cyrraedd yn ddiarwybod. Rhan o swydd y rhai oedd yn 'eistedd yn y porth' oedd gwarchod y ddinas trwy sicrhau fod pob dieithryn yn cael ei gadw allan, os nad oedd yn gennad swyddogol.

Gan fod Lot yn un o'r rhai a ddeliai â materion yn ymwneud â bywyd beunyddiol y ddinas, oni allai hefyd fod yn gyfrifol am ei gwarchod trwy wylio'r fynedfa? Pan ddaw dau ddyn dieithr at y porth, ac yntau ar ddyletswydd, mae'n eu hatal. Ond yn unol â gofynion lletygarwch, rhydd wahoddiad iddynt i'w dŷ i gael swper a threulio'r noson. Mae'n pwyso arnynt i aros ar ei aelwyd yn hytrach na chysgu yn yr heol am ei fod yn awyddus i gadw llygaid arnynt. Ond mae'r trigolion yn dod at ei dŷ ac yn gofyn iddo: 'Ble mae'r gwŷr a ddaeth atat heno? Tyrd â hwy allan atom, inni gael cyfathrach â hwy'(19:5).

Y farn gyffredinol yw mai at weithred gyfunrywiol y cyfeiria'r adnod hon. Mae cyfieithiad *beibl.net* yn dweud yn blwmp ac yn blaen: 'Tyrd â nhw allan yma i ni gael rhyw gyda nhw'. Efallai mai dyna'r dehongliad cywir. Ond rhaid cydnabod fod yna ystyr eang iawn i'r gair Hebraeg *yad'a* a ddefnyddir yma. Yn ogystal â 'cael cyfathrach rywiol', gall olygu: gwybod, deall, adnabod, sylwi, darganfod, cydnabod. Mae'n air cyffredin iawn sy'n digwydd dros naw cant o weithiau yn yr Hen Destament. Dim ond mewn deg o'r rhain y gwneir defnydd ohono fel gair llednais i olygu cyfathrach rywiol. Er enghraifft, yn ôl Beibl Cymraeg 1588 mae Adda'n 'adnabod' Efa ddwywaith, ac yn cenhedlu plant (Gen. 4:1,25). Mae'r un peth yn digwydd yn achos Hanna ac Elcana, rhieni Samuel, lle mae Hanna'n beichiogi ar ôl 'adnabod' ei gŵr (1 Sam. 1:20).

[Yn y tri thestun, 'cysgu' yw cyfieithiad *beibl.net.* o *yada'.*] Yn gyson yn yr Ysgrythur, disgrifir gwyryfon fel merched sydd 'heb adnabod' dyn. Ond, â chymryd fod yr ystyr yn yr adnod sy'n disgrifio bwriad dynion Sodom yn amwys, mewn un testun yn unig y mae *yada'* yn amlwg yn golygu cyfathrach gyfunrywiol, sef Barnwyr 19:22–25. Yn y cyd-destun hwn nid amherthnasol yw nodi mai geiriau Hebraeg hollol wahanol a ddefnyddir yn y testunau cyfreithiol sy'n trafod cyfathrach rywiol yn benodol, megis Lefiticus 18:6–23; 20:11–13 a Deuteronomium 27:20–23. Lle disgwylid gweld *yada'*, ceir geiriau sydd yn eu hystyr lythrennol yn golygu 'gorwedd' a 'dinoethi': enghraifft arall o ddefnyddio geiriau llednais am gyfathrach rywiol.

O sylwi ar ystyron amrywiol *yada'*, rhaid cydnabod ei bod yn bosibl cynnig esboniad gwahanol i fwriad y dorf na dweud eu bod am gael cyfathrach rywiol â'r ddau ddyn dieithr. Gellir dadlau mai galw a wna dynion drwgdybus Sodom ar Lot i ddod â'i ymwelwyr allan er mwyn iddynt eu 'hadnabod' yn yr ystyr o ddarganfod pwy ydynt – cyfeillion ynteu elynion – a chael gwybod beth yw eu neges. Nid cyflawni trais cyfunrywiol oedd y diben, ond croesholi'r dieithriaid er mwyn sicrhau nad oeddent yn bygwth diogelwch y ddinas.

Mae sylwadau John Calfin ar Genesis 19:5 yn berthnasol. Er ei fod yn derbyn yr esboniad traddodiadol mai trosedd gyfunrywiol oedd pechod Sodom, mae'n cyfaddef fod eglurhad arall yn bosibl. 'Mae rhai', meddai, 'yn rhoi ystyr rywiol i'r gair "adnabod". Ond credaf i fod gan y gair ystyr gwahanol yn yr adnod hon. Mae fel petai'r dynion wedi dweud: "Rydym am gael gwybod pwy wyt ti wedi dod â nhw fel gwesteion i'n dinas"'.

Dewis Lot
Ymateb Lot i gais y dynion yw erfyn arnynt i beidio â gofyn y fath beth: 'Fy mrodyr, peidiwch â gwneud y drwg hwn' (19:7). Mae'n bosibl esbonio'i apêl mewn termau personol a diwylliannol, heb fynnu mai trais cyfunrywiol oedd yn aros ei westeion. Nid cyfeillgarwch neu

ymgais i dawelu'r cynnwrf sydd yn y cyfarchiad 'fy mrodyr'. Dangos a wna Lot bod ganddo'r un statws â phawb arall yn y gymdeithas, a'i fod yn haeddu'r un parch. Mae agwedd haerllug y dorf yn sarhad i un a gawsai'r fraint o 'eistedd yn y porth' gyda'r henuriaid, ac yn tanseilio awdurdod un a ystyrient yn ddinesydd cyfrifol.

Ond aiff y Sodomiaid ymhellach na sarhau Lot. Maent hefyd yn diystyru un o egwyddorion sylfaenol lletygarwch, sef hawl dieithryn i gael lloches mewn unrhyw gartref cyn gynted ag y byddai'r penteulu wedi agor y drws iddo. Gan fod yr ymwelwyr 'wedi dod dan gysgod' ei gronglwyd (19:8), dyletswydd Lot oedd eu hamddiffyn rhag unrhyw niwed, doed a ddêl. Wrth fynnu eu bod yn cael eu hanfon allan atynt, roedd dynion Sodom yn euog o drosedd ddifrifol yn erbyn un o ddefodau digyfnewid cymdeithas nomadaidd.

Er bod y Sodomiaid yn herio confensiwn trwy anwybyddu'r tabŵ sy'n gwarchod dieithriaid, mae Lot yn ei barchu i'r eithaf. Er mwyn amddiffyn ei ymwelwyr, mae'n cynnig ei ddwy ferch, sy'n wyryfon (19:8), i'r dynion wrth y drws; cânt wneud fel y mynnont â hwy. Dyma'r pris y mae'n barod i'w dalu am lynu wrth ei egwyddorion. Wrth gyflawni gweithred sydd y tu hwnt i'n hamgyffred ni, ymddengys ei fod yn fwy ymwybodol o ddyletswyddau lletygarwch i ddieithriaid na dyletswyddau tad i'w blant. Am hynny, caiff ei farnu'n hallt gan rai o'r hen rabiniaid. Mae Calfin hefyd yn feirniadol iawn ohono: 'Dylai fod wedi dioddef mil o farwolaethau cyn gwneud y fath beth', meddai. Ond mae Luther yn fwy goddefol. Er ei bod yn amlwg fod teyrngarwch i'w westeion yn bwysicach yng ngolwg Lot na'i ofal am ei deulu, gellir cyfiawnhau ei weithred am ei fod yn credu y byddai Duw'n cadw ei ferched rhag niwed. Ni ellir ei feio am ymddiried yn Nuw a dewis yr hyn a gred ef yw'r lleiaf o ddau ddrwg.

Trwy lwc, mae'r dynion yn gwrthod y cynnig, oherwydd nid trais sydd ar eu meddwl, ond awdurdod. Pa hawl sydd gan Lot, 'un a ddaeth yma i fyw dros dro ... i ddatgan barn?' (19:9). Nid yw dinasyddion Sodom am wrando ar ddyn dŵad yn dweud wrthynt hwy beth i'w wneud. Mae'r sefyllfa'n gwaethygu nes bod bywyd Lot mewn perygl. Ond daw'r ddau ddieithryn i'r adwy, a'i achub trwy daro'r dorf fygythiol â dallineb (a oedd o fewn chwedloniaeth Canaan a Babilon yn ddyfais boblogaidd er mwyn delio ag argyfwng). Mae'r proffwyd Eliseus yn erfyn ar Dduw i wneud yr un peth er mwyn iddo allu dianc rhag milwyr brenin Syria sydd am ei waed (2 Bren. 6:18).

Cwestiynau i'w trafod

1. Gan nad yw esbonwyr yn debygol o gytuno beth yn hollol oedd pechod Sodom, i ba raddau y gellir defnyddio'r stori yn y drafodaeth gyfoes am gyfunrywiaeth?

2. Beth sydd gan lwythau crwydrol y Dwyrain Canol i'w ddysgu i ni ynglŷn â lletygarwch?

3. Ym mha ffyrdd y mae cynnwys rhannau o'r Beibl yn tanseilio ein syniad o'r hyn y dylai Beibl fod?

15. Dinistr Sodom
Genesis 19:12–38

Yng ngweddill y bennod hon mae'r golygydd yn defnyddio hen chwedlau i ateb tri chwestiwn a fyddai wedi bod ar wefusau'r Israeliaid am ganrifoedd. Sut a pham aeth y tir ar gyrion y Môr Marw, a oedd unwaith mor ffrwythlon â gardd Eden neu wlad yr Aifft, yn anialdir diffaith (Gen.13:10)? Beth sydd i gyfrif am fodolaeth y creigiau halen enfawr o amgylch y môr? Pam mae'r Moabiaid a'r Ammoniaid, cymdogion sydd yn debyg iddynt mewn llawer ffordd, mor atgas gan yr Israeliaid? Chwedl sy'n disgrifio dinistr Sodom fel cosb am ddrygioni'r trigolion yw'r ateb i'r cwestiwn cyntaf. Storïau am anufudd-dod ac anfoesoldeb sy'n ateb y ddau gwestiwn arall.

Bodolaeth ac arwyddocâd Lot sy'n cyfrif am gynnwys y chwedlau hyn yn stori Abraham. Mae'r ffaith fod Duw'n cofio am Lot, ac yn ei achub rhag y dinistr, yn arwydd o'i bwysigrwydd yn y cynllun dwyfol ar gyfer dynoliaeth. Ond er i Lot a'i deulu gael eu gosod ar wahân i drigolion Sodom, rhaid aros hyd adnod 29 i gael gwybod pam y cawsant y fath ffafriaeth. Yn adnodau agoriadol yr adran hon, rhoddir sylw manwl i ymdrechion yr angylion i'w arbed ef a'i deulu.

Darogan dinistr
Mae'n amlwg bellach mai angylion yw'r dieithriaid a gafodd lety gan Lot. Gan fod Duw wedi eu gorchymyn i ddinistrio'r ddinas, dywedant wrth Lot am gasglu ei deulu a ffoi. Fel yn stori Noa, un person a'i deulu sy'n cael eu hachub. Ond mae'r adnodau agoriadol yn cynnwys gwybodaeth am deulu Lot sydd wedi ennyn sylw esbonwyr. Yn ôl rhestr yr angylion, mae ganddo feibion yn ogystal â merched, er nad oes sôn amdanynt na chynt nac wedyn. 'Dos â'th feibion-yng-nghyfraith, dy feibion a'th ferched ... allan o'r lle hwn' (19:12) yw'r gorchymyn i Lot. A derbyn nad

ydynt yn byw gyda'u tad, mae'n rhaid bod gan weddill y teulu dai mewn rhan arall o'r ddinas.

Er mwyn esbonio'u bodolaeth, mae rhai cyfieithiadau'n symud y cyfeiriad at 'feibion-yng-nghyfraith' a'i roi mewn cromfachau ar ôl 'meibion': 'Dos â'th feibion [h.y. meibion-yng-nghyfraith], a'th ferched ...'. Un rheswm am hyn yw bod gosod y meibion-yng-nghyfraith ar flaen y rhestr, a'r meibion yn ail, yn gwbl groes i'r patrwm Beiblaidd. Petai gan Lot feibion, hwy fyddai'n cael eu henwi gyntaf ar unrhyw restr. Yr awgrym yw bod y testun gwreiddiol yn ddiffygiol am fod yr awdur yn defnyddio mwy nag un ffynhonnell, ond heb wneud unrhyw ymdrech i'w cysoni.

Mae'r dryswch yn parhau. Gan mai gwyryfon yw merched Lot, sut mae ganddo feibion-yng-nghyfraith? Ar sail adnod 14, gellir dadlau mai darpar feibion-yng-nghyfraith oeddent, rhai 'a oedd am briodi ei ferched' (19:14). Felly hefyd y *Good News Bible*: 'The men that his daughters were going to marry'. Er bod hwn yn gyfieithiad posibl, mae amser y ferf yn yr Hebraeg yn amwys. Yn ôl y cyfieithiad Groeg o'r Hen Destament, dynion sydd *wedi* priodi yn hytrach nag *am* briodi merched Lot yw'r rhain. Dilyn y Roeg a wna'r cyfieithiad awdurdodedig Saesneg, y *King James Bible* (1611): 'which married his daughters'. Ategir y cyfieithiad hwn gan y *New English Bible*. Caiff ei gynnig fel cyfieithiad amgen mewn troednodyn i'r adnod: 'who had married his daughters'. Os felly, yn ogystal â'r ddwy dan ei gronglwyd, roedd gan Lot ddwy ferch arall, a oedd yn byw gyda'u gwŷr a'u plant yn y ddinas. Daw perthnasedd y ddamcaniaeth hon i'r amlwg yn nes ymlaen.

Ar orchymyn yr angylion, mae Lot yn brysio i'r ddinas i chwilio am ei deulu er mwyn eu rhybuddio bod trychineb ar ddigwydd, a'u darbwyllo i ffoi. Ond mae ei feibion-yng-nghyfraith yn ei wawdio am wrando ar ei ymwelwyr, a thybiant ei fod yn tynnu coes. Gwrthodant gredu fod anfoesoldeb y trigolion wedi condemnio'r ddinas yng ngolwg Duw, a bod dinistr yn anochel. Anwybyddant apêl Lot, a dewisant aros yn Sodom.

Mae profiad Lot yn debyg i brofiad pobl eraill sydd wedi rhybuddio dynoliaeth fod ein ffordd o fyw yn sicr o arwain i ddistryw. Dau o bynciau llosg ein canrif yw llygru'r amgylchedd a newid hinsawdd. Cawn ein rhybuddio beunydd o'r gyflafan sy'n wynebu'r byd os na wnawn ddysgu parchu'r greadigaeth. Ond cyndyn iawn ydym i gredu'r neges a chymryd y camau angenrheidiol i sicrhau dyfodol ffyniannus i'r genhedlaeth nesaf.

Achub Lot

Dyn tra gwahanol i'w ewythr yw Lot. Tra bo Abraham yn ufuddhau'n ddi-oed i orchmynion Duw, mae Lot yn betrusgar ac ansicr. Er iddo annog ei feibion-yng-nghyfraith i ffoi, mae ef ei hun yn oedi. Efallai fod ei ymateb i orchymyn yr angylion yn ddealladwy. Mae pob dinesydd nid yn unig yn teimlo'n fwy diogel yn ei gynefin, ond hefyd yn anfodlon gadael ei dŷ a'i eiddo rhag ofn ysbeilwyr. Yn ôl y rabiniaid, gwrthododd Lot ffoi am fod ganddo gyfoeth mawr yn Sodom; y wers yw y gall golud arwain at ddistryw. Ond ar waethaf ei brotest, ni chaiff ddewis. Llusgir ef a'i wraig a'i ferched allan o Sodom: 'Cydiodd y gwŷr' (neu'r angylion) ynddynt 'a'u gosod y tu allan i'r ddinas' (19:16). Cânt eu hachub yn groes i'w hewyllys am mai eu hunig obaith oedd mynd ar frys. Caiff y teulu cyfan ei siarsio i beidio ag edrych yn ôl, rhag colli amser efallai.

Serch hynny, mae Lot yn ystyfnigo unwaith eto. Ar gyrion y ddinas mae'n erfyn yn daer ar un o'r angylion am gael aros yn y gwastadedd yn lle ffoi i'r mynydd. 'Na! Nid felly, f'arglwydd' (19:18) yw ei ymateb i'r gorchymyn i fynd i'r mynydd. Ni chawn wybod pam fod y mynydd-dir, lloches draddodiadol y crwydryn, mor annerbyniol ganddo. A yw wedi cynefino gymaint â bywyd dinesig fel na all ddychmygu byw hebddo? Ynteu a yw'n teimlo fod y mynydd yn rhy bell iddo allu ei gyrraedd mewn pryd cyn y gyflafan? Llwydda i ddarbwyllo'r angylion i adael iddo fynd i ddinas gyfagos sy'n apelio ato am mai 'un fechan ydyw' (19:20). Rhoddir pwyslais ar faint y ddinas er mwyn esbonio ei henw. Ystyr *tso'ar* yw 'bychan'. Fel un o bum dinas y gwastadedd, Bela oedd ei henw'n wreiddiol, ond fe'i newidiwyd i Soar (Gen. 14:2). Mae'n bosibl mai stori esboniadol yw hanes Lot yn ei dewis i chwilio am loches, stori a gyfansoddwyd i egluro pam y rhoddwyd enw mor anghyffredin iddi, a pham y cafodd ei newid: *'Am hynny,* galwyd y ddinas Soar' (19:22).

Hefyd, y ffaith bod Lot wedi dianc yno yw'r eglurhad pam y cafodd Soar, a oedd yn dal i sefyll ganrifoedd yn ddiweddarach yn ôl Eseia 15:5 a Jeremeia 48:34, ei harbed pan ddinistriwyd y dinasoedd eraill. Cyn gynted ag y cyrhaedda Lot a'i deulu Soar, mae Duw'n dial ar Sodom a Gomorra trwy lawio brwmstan 'a thân dwyfol o'r nefoedd' (19:24). Ni wyddom i sicrwydd at beth y mae hyn yn cyfeirio. Un ddamcaniaeth yw mai disgrifiad ydyw o ddaeargryn neu ffrwydrad folcanig. A barnu oddi wrth y sylw a gaiff y digwyddiad, yn enwedig gan y proffwydi, mae'n amlwg i'r gyflafan wneud argraff ddofn ar y werin. Ond fel y dengys enghreifftiau eraill yn y Beibl, nid rhoi adroddiad ffeithiol o'r hyn a ddigwyddodd yw bwriad yr awdur. Ei amcan yw creu darlun byw o'r dinistr trwy ddilyn dull confensiynol yr oes o ddisgrifio unrhyw ddinistr. (Gw. e.e. Eseia 34:9; Esec. 38:22; Sal. 11:6; Dat. 9:17–19.) Byddai delwedd lai dinistriol yn annigonol i gyfleu barn Duw ar bechaduriaid.

Cofio gwraig Lot
Wrth iddynt adael Sodom a brysio i Soar, mae gwraig Lot yn llusgo'i thraed. Er iddi gael rhybudd i beidio â gwneud hynny, trodd yn ôl i edrych ar y dinistr, gyda chanlyniadau angheuol; trodd 'yn golofn halen' (19:26). Enghraifft sydd yma eto o'r awdur yn addasu hen chwedl i'w ddiben ei hun. Ymgais ydyw i esbonio un o ffenomenau naturiol glannau'r Môr Marw, sef creigiau halen mawr o wahanol siapiau.

Mae agwedd esbonwyr, Iddewig a Christnogol, at yr hyn a wnaeth gwraig Lot, a'r hyn a ddigwyddodd iddi, yn amrywio. Ym marn rhai, cosb am bechod oedd ei throi yn golofn halen. Prawf yw'r edrych yn ôl ei bod yn ceisio glynu wrth y gorffennol. Mae'n ymwybodol o fanteision materol bywyd bras y gwastadedd, ac yn amharod iawn i adael y ddinas a chamu ymlaen yn hyderus i'r dyfodol. Y mae ei hanufudd-dod i orchymyn yr angylion yn dangos nad oes ganddi ffydd ym mwriad

Duw ar ei chyfer; nid yw'n credu y bydd ef yn gofalu amdani. Yn ôl Luc, defnyddiodd Iesu'r stori fel esiampl, i rybuddio'i ddisgyblion rhag gwneud yr un camgymeriad. Gwae'r sawl sy'n petruso pan ddaw'r gyflafan fawr 'yn y dydd y datguddir Mab y Dyn' (Lc.17:30–32).

Ond mae eraill yn fwy tosturiol. Rydym eisoes wedi nodi'r amwyster yn nhestun gwreiddiol adnod 14, sy'n awgrymu'r posibilrwydd fod gan Lot ddwy ferch arall, a oedd yn byw gyda'u gwŷr yn Sodom. Gwyddom fod y rhain wedi aros ar ôl a gwrthod dianc i Soar gyda gweddill y teulu. Pa ryfedd i'r fam, wrth adael y ddinas, edrych yn ôl yn hiraethus wrth feddwl am ei phlant, ac efallai ei hwyrion a'i hwyresau. Heddiw, ger y Môr Marw, mae craig halen mewn siâp colofn sy'n denu twristiaid o bedwar ban y byd. Ond prin fod neb yn ystyried y posibilrwydd eu bod yn coffáu gwewyr mam o golli ei theulu wrth iddynt dynnu lluniau ei gilydd gyda 'gwraig Lot'.

Rhinweddau achubol Abraham

Daw hanes y trychineb i ben gydag Abraham yn edrych i lawr o fynydd-dir Hebron ar ddinasoedd y gwastadedd, gan weld dim ond anrhaith ac anobaith: 'Gwelodd fwg yn codi o'r tir fel mwg o ffwrn' (Gen. 19:28). Ni allwn ond dychmygu beth oedd yn mynd trwy ei feddwl wrth iddo syllu'n fud ar ganlyniadau drygioni dynoliaeth. A oes awgrym o siom neu dristwch yn y disgrifiad ohono'n sefyll yn y fan lle bu'r drafodaeth rhyngddo a Duw am ddyfodol Sodom? A oedd yn gresynu na allai Duw ddarganfod deg o bobl gyfiawn yn y ddinas? Ni wyddom chwaith beth yn hollol a ddigwyddodd i'r dinasoedd. Beth bynnag fo achos y dinistr, cawn ddarlun dramatig a chyfoes, hawdd iawn ei ddychmygu, o anhrefn llwyr. Yn nhynged Sodom, gwêl rhai darllenwyr sefyllfa sy'n eu hatgoffa o ganlyniadau trychineb niwclear dirybudd, neu flynyddoedd o ddiffyg parch at yr amgylchedd. I eraill, mwg yn codi ddydd a nos o'r amlosgfeydd yng ngwersylloedd cadw'r Natsïaid, megis Auschwitz a Buchenwald, sy'n dod i'r meddwl.

Dyma'r tro olaf i Abraham ymddangos yn stori Lot. Ond cyn i'r ddau fynd ar wahân, mae'r awdur yn gwneud sylw pwysig am y cysylltiad rhyngddynt. Trwy ddweud bod Duw 'wedi cofio am Abraham' pan ddinistriodd y dinasoedd a gyrru Lot 'allan o ganol y dinistr' (19:29), mae'n gwneud pwynt diwinyddol o bwys sy'n gwrthddweud Ail Lythyr Pedr. Yn ôl awdur y llythyr hwnnw, achubwyd Lot oherwydd ei gyfiawnder: 'Gwaredodd Lot, gŵr cyfiawn oedd yn cael ei drallodi gan fywyd anllad rhai afreolus' (2 Ped. 2:7). Adlais yw'r adnod hon o'r sylw yn Doethineb Solomon 10:6, un o lyfrau'r Apocryffa: 'Achubodd [Duw] y dyn cyfiawn a ddihangodd o'r tân a ddisgynnodd ar y Pum Dinas'. Ond mae'r cyfeiriad yn Genesis at Dduw yn 'cofio am Abraham' yn awgrymu nad oherwydd unrhyw rinwedd yn ei gymeriad yr achubir Lot. Nid cael ei drin yn ôl ei deilyngdod y mae, ond am ei fod yn perthyn i Abraham. Caiff drugaredd am ei fod o'r un gwaed â'r un a ddewisodd Duw i ymddiried ynddo, a'i hysbysu o'i fwriad ar gyfer dynoliaeth (Gen. 18:17–19). Rhinweddau Abraham sy'n achub Lot. Gallu un i achub llawer yw sail dadl Paul am gyfiawnder Duw yn Rhufeiniaid 3:21–26.

Tarddiad Moab ac Ammon

Er i Soar gael ei hachub pan ddinistriwyd dinasoedd y gwastadedd, daw Lot i'r casgliad nad dyma'r lle gorau iddo ef a'i ddwy ferch gartrefu: 'Yr oedd arno ofn aros yn Soar' (19:30). Wedi'r cwbl, ar ôl ei brofiad yn Sodom mae ganddo reswm digonol dros fod yn ochelgar o fywyd dinesig. Efallai fod trigolion Soar yn ddigroeso ac yn ddrwgdybus ohono. Neu efallai fod y ddinas yn rhy agos i'r gyflafan, ac yn dioddef oddi wrth ôl-gryndod y daeargryn, iddo deimlo'n ddiogel yno. Ar waethaf ei brotestiadau cynharach yn erbyn ffoi i'r mynydd-dir, os yw am adael Soar, chwilio am loches yn y mynydd yw'r unig ddewis sydd ganddo erbyn hyn. Trwy nodi iddo ef a'i ferched fynd i fyw mewn ogof, ymddengys fod yr awdur yn gwneud ati i gyferbynnu dewis hunanol Lot i fwynhau bywyd bras y gwastadedd pan ymwahanodd ag Abraham (Gen. 13:12) gyda bywyd llwm y mynydd.

Daw'r merched i'r casgliad, yn gam neu'n gymwys, mai hwy a'u tad yw'r unig rai a oroesodd y dinistr. O ganlyniad, nid oes ganddynt obaith cael gwŷr, a beichiogi plant. Os yw llinach Lot am barhau, eu hunig ddewis yw gorwedd gyda'u tad. Wedi sicrhau fod Lot yn feddw, dyna sy'n digwydd. Mae'r ddwy yn geni meibion, Moab a Ben-ammi. Ystyr Moab, plentyn y ferch hynaf, yw 'gan fy nhad'; ystyr Ben-ammi yw 'mab fy nhylwyth'. Gan nad oes unrhyw berthynas rhwng y stori hon a dinistr y dinasoedd, tybir fod yr awdur yn defnyddio hen chwedl i esbonio tarddiad a bodolaeth dau lwyth ar lan ddwyreiniol y Môr Marw a fu'n achosi trafferth i Israel am ganrifoedd. Ond er bod stori sarhaus yn gyfrwng hwylus i ddifrïo gelynion, ni all yr Israeliaid wadu'r berthynas rhyngddynt a'u cymdogion agos, ar waethaf y drwgdeimlad a'r brwydro cyson. Mae Israel, Moab ac Ammon i gyd yn deillio o'r un ffynhonnell, llinach Tera trwy Abraham a Lot.

Achau'r Meseia

Mae'r hyn a ddigwyddodd yn yr ogof yn her i'r sawl sydd am dynnu gwers o'r stori; dyna pam y mae'r ymateb iddi wedi amrywio dros y canrifoedd. Gall y ffaith fod y chwiorydd yn ddienw awgrymu fod yr awdur yn anghymeradwyo'r hyn a wnaethant, ac o bosibl yn eu ceryddu. Ar sail y gwaharddiad pendant yn Lefiticus 18 rhag cyfathrach rywiol rhwng aelodau o'r un teulu, byddai agwedd o'r fath yn ddealladwy. Ond ni wneir unrhyw ymgais i gloriannu eu gweithred o safbwynt moes; os rhywbeth, mae'r awdur yn oddefgar ac yn barod i'w hesgusodi. Dilyn yr un trywydd a wna Martin Luther wrth alw am oddefgarwch gan y sawl sy'n darllen yr hanes. Cyn barnu, meddai, dylid cymryd i ystyriaeth yr argyfwng sy'n wynebu'r teulu. Er bod esbonwyr cyfoes mewn embaras fod y Beibl yn disgrifio'r digwyddiad mewn dull mor ddidaro, a heb dynnu sylw o gwbl at y trosedd o anwybyddu tabŵ sylfaenol a chyntefig, cymerant hwythau'r amgylchiadau i ystyriaeth. Cyfiawnhânt gynllun y merched fel 'penderfyniad mewn anobaith'. Gan fod parhad y teulu yn y fantol, pa ddewis oedd ganddynt?

Mae agwedd rhai o'r rabiniaid cynnar yn mynd ymhellach na goddefgarwch. Canmolant hwy'r chwiorydd am iddynt sicrhau dyfodol y llwyth mewn sefyllfa a oedd yn ymddangos, iddynt hwy, yn anobeithiol. Rhoddant le arbennig yn eu traddodiad i'r ddau fab a anwyd yn yr ogof. Yn nyhead y merched i gael epil, gwelant gyfeiriad at achau'r Meseia. O hil Dafydd, mab Jesse ac ŵyr Obed mab Ruth, y ferch o lwyth Moab a briododd Israeliad, y daw eneiniog yr Arglwydd (Ru. 4:14–18). Mae llinach y Meseia'n arwain yn ôl at Lot a'i ferch hynaf, mam Moab. Mae gan y ferch arall, mam Ben-ammi, hefyd le yn y traddodiad Iddewig. Roedd merch o'r enw Naama o lwyth Ammon ymysg gwragedd a gordderchwragedd Solomon fab Dafydd. Hi oedd mam Rehoboam, olynydd Solomon ar orsedd Israel (1 Br. 14:21).

Felly, fel y dengys hanes diweddarach, nid cosbi'r chwiorydd am eu hanlladrwydd a wnaeth Duw ond eu hanrhydeddu, yn enwedig yr hynaf. Heb iddynt wneud yr hyn a wnaethant, byddai Israel wedi ei hamddifadu nid yn unig o'i brenin enwocaf a'i linach, ond hefyd o'r blaguryn a ddaw 'o'r cyff a adewir i Jesse ... cangen o'i wraidd ef' (Eseia 11:1), sef y Meseia. Yn ôl y traddodiad Iddewig a'r traddodiad Cristnogol, Ruth y Foabes oedd hen nain y brenin Dafydd; ac o linach Dafydd y daw Iesu.

Ond ar waethaf achau'r Meseia, agwedd negyddol iawn sydd gan eraill o'r hen esbonwyr Iddewig. Ystyriant hwy'r chwiorydd yn wir blant Sodom, a phrin fod Lot fawr gwell. Ni chaiff y syniad na fyddai ef erioed wedi cydsynio â'r cynllun pe na fyddai'n feddw unrhyw groeso ganddynt. Barnant ei fod yn gwbl ddiegwyddor am ei fod wedi ei lygru gan fywyd cywilyddus dinasoedd y gwastadedd. Pechodd yn anfaddeuol trwy dorri'r gyfraith sy'n gwahardd cyfathrach rywiol gyda pherthynas agos (Lef. 18:6). Mynnant nad yw'r amgylchiadau'n lleihau'r drosedd.

Gwelsom eisoes fod y traddodiad Cristnogol cynnar yn disgrifio Lot fel 'gŵr cyfiawn' (2 Ped. 2:7). Yn y traddodiad Islamaidd, caiff ei gyfrif ymysg y proffwydi. A chan fod Islam yn ystyried pob proffwyd yn ddinam, caiff ei glodfori yn y Cwrân am ei 'farn' a'i 'wybodaeth' (Sura

21:74); nid oes sôn am y berthynas afiach rhyngddo a'i ferched. Ym marn diwinyddion Moslemaidd, mae'r adroddiad am y berthynas yn esiampl berffaith o'r gwallau sy'n britho ysgrythurau'r Iddew a'r Cristion. Iddynt hwy, cyfraniad mawr Mohamed oedd cywiro'r hanes trwy hepgor stori'r ogof.

Cwestiynau i'w trafod

1. Beth yw eich ymateb i'r disgrifiad o Lot fel 'dyn cyfiawn'?

2. A ellir cyfiawnhau cynllun y merched i sicrhau parhad y llwyth?

3. Ym mha ffordd y gall edrych yn ôl a dyheu am y gorffennol effeithio ar ein hagwedd at y dyfodol?

16. Abraham ac Abimelech
Genesis 20:1–18; 21:22–34

Wedi iddo adael ei gartref yn Hebron, a theithio i'r de i chwilio am borfa i'w anifeiliaid, daw Abraham i Cades ar gyrion anialwch Sur. Nid yw'n aros yno'n hir ond yn dychwelyd i ardal fwy ffrwythlon o amgylch Gerar, un o brif ddinasoedd y Canaaneaid, heb fod ymhell o Gasa. Yno defnyddia'r un ystryw i'w amddiffyn ei hun ag a ddefnyddiodd yn yr Aifft wedi iddo ffoi yno rhag y newyn (Gen. 12:10–20). Mae'n amlwg ei fod yn ymwybodol fod Sara, er ei bod bron yn gant oed, yn dal yn brydferth a deniadol. Tybia, fel o'r blaen, ei fod yntau mewn perygl o'i hachos.

Er mwyn ei ddiogelu ei hun pan ddaw ei wraig i sylw Abimelech brenin Gerar, mae'n troi at y strategaeth a fu mor llwyddiannus gyda Pharo, sef dweud celwydd: 'Fy chwaer yw hi' (20:2). Caiff Abimelech yntau ei dwyllo gan Abraham. Y tro hwn, mae Sara hefyd yn gelwyddog. Er nad yw Abraham wedi gofyn iddi ddweud celwydd drosto, fel y gwnaeth yn yr Aifft, mae Abimelech yn honni iddi ddweud wrtho: 'Fy mrawd yw ef'. Pa ryfedd iddo ei chymryd i'w harîm 'â chydwybod dawel a dwylo glân' (20:5)? Ond er iddo weld bai ar Abraham pan ddaw'r celwydd i'r golwg, rhaid i'r brenin ddibynnu arno i ddileu'r gosb anochel sy'n ei aros ef a'i deulu (20:17–18). Daw'r stori i ben trwy wneud cyfamod sy'n creu perthynas heddychol a chymodlon rhwng y brenin a'r patriarch.

Ystyriaethau llenyddol

Cred y mwyafrif o ysgolheigion cyfoes mai casgliad o storïau annibynnol, yn hytrach nag uned gyflawn, yw hanes Abraham yn Genesis 12–25. Priodolir y storïau i wahanol awduron mewn gwahanol gyfnodau, pob un yn ysgrifennu i ddiben arbennig. Gan fod yr hanesyn hwn mor debyg i'r un a welsom eisoes yn Genesis 12:10–20, damcaniaeth yr ysgolheigion hyn yw bod gan y golygydd ddwy fersiwn o'r un stori. Caiff y ddwy eu cynnwys ganddo yn y ffurf derfynol o'r Tora sydd yn ein Beiblau heddiw. Y farn gyffredin yw mai fersiwn diweddarach o'r stori wreiddiol sydd yma.

Yn Genesis 12, ar y stori ei hun y mae'r pwyslais. Ni wneir unrhyw ymgais i amddiffyn nac i esbonio geiriau Abraham wrth Pharo mai ei chwaer oedd Sara. Nid oes ynddi chwaith yr un cyfeiriad at deimladau'r prif gymeriadau, nac eglurhad o sut y gwyddai'r brenin fod cysylltiad rhwng Sara a'r pla a drawodd ei deulu. Unwaith y cyfeirir at Dduw. Ym marn rhai, gwaith awdur arall, a ysgrifennai mewn cyfnod diweddarach yn hanes Israel, sydd yn y bennod hon. Defnyddir y stori ganddo fel llwyfan neu raglen i wyntyllu cwestiwn diwinyddol o bwys sy'n perthyn i'w oes ei hun. Er bod tebygrwydd amlwg rhwng y stori fel mae'n ymddangos yma a'r fersiwn wreiddiol, mae'r disgrifiad o'r hyn a ddigwyddodd yn amrywio, a'r tro hwn rhoddir mwy o le i drafodaeth ddiwinyddol. Nid y stori fel y cyfryw, ond y defnydd a wneir ohoni gan yr awdur, sydd o ddiddordeb i esbonwyr.

Craidd y testun yw'r ddeialog yn 20:3–13 rhwng Duw ac Abimelech, ac yna rhwng Abimelech ac Abraham. Ychydig iawn o sylw a roddir i'r digwyddiad ei hun, sef 20:1–2, a 14–18. Er ei bod yn amlwg, fel y datblyga'r stori, bod brenin Gerar wedi troseddu, mae'r cysylltiad rhwng y cymalau yn 20:1–2 yn annelwig. Beth a ysgogodd Abraham i ddweud ar goedd mai ei chwaer oedd Sara? Pam fod Abimelech mor awyddus i gael Sara yn ei harîm? Mae'r adroddiad bylchog yn yr adnodau agoriadol yn awgrymu bod yr awdur yn disgwyl i'r darllenydd fod yn gyfarwydd â'r stori wreiddiol; nid oes angen iddo ailadrodd y manylion. Yn 20:3–13, ceir trafodaeth sy'n ymdrin â'r bai am yr hyn a ddigwyddodd. Cymod a maddeuant sydd dan sylw yn 20:14–18. Dau atodiad i'r stori o gyfnod diweddarach yw cynnwys 21:22–34.

Achub Abimelech

Mae gan yr awdur ddiddordeb amlwg yn Abimelech. Caiff y brenin paganaidd y fraint o ymweliad mewn breuddwyd gan Dduw Israel. Breuddwyd nodedig yw hon, gan fod Abimelech nid yn unig yn cael ynddi neges ond hefyd gyfle i'w amddiffyn ei hun trwy holi Duw. Cymer Duw o ddifrif gwestiynau diwinyddol y di-gred. Ond gan mai cyfiawnder yw pwnc y ddeialog rhyngddynt, a bod Duw'n ystyried y brenin yn ddieuog (20:6), mae'r condemniad ar ddechrau'r drafodaeth yn annisgwyl: 'Fe fyddi farw o achos y wraig a gymeraist, oherwydd gwraig briod yw hi' (20:3). Pan ailadroddir y condemniad ar ddiwedd y freuddwyd, caiff teulu cyfan Abimelech ei gynnwys yn y gosb (20:7).

Trwy ychwanegu Sara at ei harîm, torrodd y brenin y seithfed o'r Deg Gorchymyn: 'Na odineba' (Ex. 20:14; Deut. 5:18). Gellir dadlau bod y gorchymyn hwn yn fwy cyfyng nag a dybir gan lawer. Nid cyfeirio at gyfathrach rywiol y tu allan i briodas a wna, na deddfu yn erbyn puteindra ac amlwreiciaeth. Ei ddiben yw gwahardd pob dyn rhag cael perthynas rywiol gyda gwraig briod, neu gyda merch sydd wedi dyweddïo. Y rheswm am hyn yw mai eiddo ei gŵr, neu ei dyweddi, yw'r ddynes. Wrth gymryd meddiant o eiddo dyn arall, pechu yn erbyn y perchennog a wna'r godinebwr. Trosedd sy'n gyfystyr â lladrad yw godineb. Ond os nad yw'r ferch yn eiddo i rywun arall, nid yw'r sawl sy'n cael perthynas â hi'n cyflawni unrhyw gamwedd. Yn ôl y ddadl hon, mae rhyddid i bob dyn, boed yn briod neu'n ddibriod, ddefnyddio puteiniaid a gordderchwragedd os yw'n dymuno; nid yw'n godinebu trwy wneud hynny.

Amlygir ystyr y gorchymyn ynghylch godineb ym mhrofiad Dafydd a Solomon. Caiff un ei gondemnio'n hallt gan Nathan y proffwyd am anwybyddu gair Duw trwy gymryd gwraig briod oddi ar ei gŵr (2 Sam. 12:1–14). Ond ystyrir y llall yn gwbl ddieuog; caiff glod hyd yn oed am ei ddoethineb, er bod ganddo dri chant o ferched dibriod fel gordderchwragedd, yn ogystal â saith gant o wragedd! Yn achos Solomon, nid maint a chynnwys ei harîm sy'n poeni'r awdur Beiblaidd, ond y ffaith fod y merched yn ei hudo 'i ddilyn duwiau estron' (1 Bren. 11:1–8). Anghrediniaeth, nid godineb, yw pechod un o frenhinoedd enwocaf Israel.

Gwneir yn gwbl eglur yn y Gyfraith mai'r gosb am odinebu yw marwolaeth: 'Os ceir dyn yn gorwedd gyda gwraig briod, y mae'r ddau i farw, sef y dyn oedd yn gorwedd gyda'r wraig yn ogystal â'r wraig' (Deut. 22:22). Er i Dafydd a Bathseba gael eu harbed, mae'r Gyfraith yn gwbl eglur ynglŷn â'r mater. Marwolaeth yw'r gosb sy'n aros nid yn unig Abimelech ond hefyd ei holl dylwyth am iddo ddwyn gwraig ei gymydog (Gen. 20:7). Ond gan fod Duw'n cydnabod fod y brenin yn berson rhinweddol a gonest, ac yn parchu ei brotest o ddiniweidrwydd, mae'n barod i ddileu'r gosb ar un amod: ei fod yn rhoi Sara yn ôl i'w gŵr. Caiff y brenin ei annog i wneud hynny 'oherwydd proffwyd yw' Abraham 'ac fe weddïa trosot, fel y byddi fyw' (20:7). Gwêl rhai esbonwyr fygythiad yn yr 'oherwydd', fel pe bai gan bob proffwyd rym arbennig sy'n ei alluogi i ddial ar yr un a fyddai'n meiddio gwneud niwed iddo. Ond mae'n fwy tebygol mai bwriad Duw oedd cymodi Abimelech ac Abraham. Trwy ofyn i'r patriarch weddïo drosto, byddai'r brenin yn cael ei arbed rhag pechu. Dyma'r tro cyntaf i ni ddarllen am Abraham yn gweddïo ar Dduw (20:17), a dyma'r enghraifft gyntaf yn yr Ysgrythur o Dduw'n ymateb i weddi o eiriolaeth. Yn ôl Llythyr Iago, 'Peth grymus iawn ac effeithiol yw gweddi y cyfiawn' (Iag. 5:16). Ond yma, gweddi un anghyfiawn sy'n effeithiol. Mae'r cyfiawn angen gweddïau'r rhai y mae Duw wedi dewis gweithio trwyddynt i gyflawni ei fwriad, er gwaethaf eu hanghyfiawnder.

Dyma hefyd y tro cyntaf i'r gair 'proffwyd' gael ei ddefnyddio yn y Beibl. Roedd gan bob proffwyd swydd ddwbl: llefarydd ac eiriolwr. Fel llefarydd, ei ddyletswydd oedd herio'i gydwladwyr i fyw yn ôl dysgeidiaeth foesol y Gyfraith. Wrth gyhoeddi ewyllys Duw i'w gyfoedion, yr hyn a wnâi'r proffwyd oedd ceisio llunio'r dyfodol yn hytrach na'i ddarogan. Y dyfodol agos, nid y dyfodol pell oedd o bwys iddo. Ond roedd proffwyd hefyd yn eiriolwr. Fel un a chanddo lais yng nghyfrin gyngor Duw, y rhan arall o'i swydd oedd gweddïo dros y gymuned yr oedd yn aelod ohoni. Am iddo eiriol dros ei genedl, yn ogystal â bod yn llefarydd ar ran Duw, y gelwir Moses yntau'n broffwyd (Num. 21:7; Deut. 9:25–29. Gw. hefyd Am. 7:1–6).

Croesholi Abraham

Wedi trafod y sefyllfa gyda'i gabinet, mae'r brenin yn penderfynu galw ar Abraham i roi eglurhad, ac yn ei gyhuddo o dwyll ac anfoesoldeb: 'Yr wyt wedi gwneud pethau i mi na ddylid eu gwneud' (Gen. 20:9–13). Yn ei ymateb, nid yw'r patriarch yn gwadu iddo dwyllo Abimelech; ond mae'n ceisio cyfiawnhau'r twyll ac amddiffyn ei ymddygiad trwy wneud esgusodion. Mae'n dechrau trwy fynegi ei gred bod ei einioes mewn perygl, ac yntau wedi tybio mai diwylliant digrefydd oedd diwylliant Gerar. Gan nad oedd y trigolion yn 'ofni Duw', neu'n byw yn ôl safonau moesol cydnabyddedig, roedd gan grwydryn digartref le i deimlo'n anesmwyth, yn enwedig os oedd ganddo wraig brydferth.

Ond mae'r pryder am y dyfodol yn gwbl ddi-sail. Camgymeriad oedd meddwl nad oedd neb yn Gerar yn 'ofni Duw'. Abraham ei hun sy'n ddiffygiol yn hyn o beth, nid Abimelech. Caiff y brenin ei ddisgrifio ddwywaith yn y stori fel dyn gonest a rhinweddol (20:5,6). Mae'n eironig fod brenin paganaidd yn fwy egwyddorol na'r un a gyfrifir yn y traddodiad Iddewig fel 'cyfaill' ac 'anwylyd' Duw (2 Cron. 20:7; Eseia 41:8). Profiad llawn cywilydd i Abraham yw sylweddoli fod Abimelech yn rhagori arno mewn moesoldeb.

Er mwyn ceisio ei amddiffyn ei hun ymhellach mae'r patriarch yn mynnu nad oedd yn gelwyddog wrth ddweud mai ei chwaer oedd Sara. Mae'n mynd yn ei flaen i ddweud ei bod yn hanner-chwaer iddo, yn ferch i'w dad, ond o fam wahanol (Gen. 20:12). Nid oes gyfeiriad at y fath berthynas rhyngddynt yn Genesis nac unrhyw lyfr Beiblaidd arall, ond mae Abraham yn honni ei fod yn dweud y gwir. Er bod cyfathrach rywiol rhwng brawd a chwaer, neu hanner-chwaer, yn destun melltith yn y Gyfraith (Lef. 18:11; Deut. 27:22), mae'n amlwg nad oedd yn cael ei ystyried yn drosedd yn y cyfnod cynnar, fel y dengys stori Amnon a Tamar (2 Sam. 13:13). Roedd Sara, meddai Abraham, wedi cytuno flynyddoedd ynghynt yn Haran i ddweud mai ei chwaer oedd hi, ble bynnag y byddent yn byw.

O ystyried pa mor daer yw amddiffyniad Abraham, ond pa mor llipa ei esgusodion, mae haelioni'r brenin yn drawiadol. Cyfeiria'n fwriadol at Abraham fel 'brawd' Sara (20:16), un ai er mwyn arbed Abraham rhag bod yn gyff gwawd am gefnu ar ei wraig, neu er mwyn dangos nad ydyw, er ei ymateb haelionus, wedi anghofio'r dichell. Fel yn yr achos blaenorol gyda Pharo (12:19), rhyddheir Sara o'r harîm, a chaiff Abraham anrhegion hael, gan gynnwys lle i fyw a rhyddid i dramwyo'r wlad gyfan.

Yn y fersiwn hon, mae i'r anrhegion wahanol ystyr i'r rhai a gaed yn y stori flaenorol. Yn yr Aifft, tâl i Abraham am roi ei 'chwaer' i'r brenin cyn i'r twyll ddod i'r golwg oedd yr anifeiliaid a'r gweision a'r morynion (12:16). Ond yn achos Abimelech, diben yr anrhegion yw gwneud iawn am anghyfiawnder. Nid oedd rhaid i'r brenin wneud hyn, ac yn sicr nid oedd Abraham yn haeddu unrhyw gydnabyddiaeth. Ond mae haelioni'r brenin yn mynd ymhellach. Caiff Abraham fil o ddarnau arian hefyd fel iawndal rhag i gymeriad ei 'chwaer' ddioddef sarhad. Bydd rhodd mor anrhydeddus yn 'clirio' Sara yng ngolwg ei theulu (20:16). Cyfieithiad y *Good News Bible* o'r testun Hebraeg aneglur yw: 'So that everyone will know that you have done no wrong'.

Y cyfamod wrth y ffynnon

Un o nodweddion amlwg yr hanesion am Abraham yn Genesis yw bod amryw ohonynt yn cael eu hadrodd bob yn bâr: ceir dwy stori am Dduw yn gwneud cyfamod ag Abraham, dwy am Hagar yn yr anialwch, dwy am Abraham yn dweud celwydd er mwyn achub ei einioes, ac ati. Mewn atodiad i hanes ymweliad Abraham â Gerar, ceir yr ail stori amdano yn delio ag anghydfod (21:22–34). Pan oedd tensiwn rhwng ei fugeiliaid ef a bugeiliaid Lot ym Methel ynglŷn â'r hawl i gael dŵr i'w braidd, deliodd yn llwyddiannus â'r broblem (Gen. 13). Y tro hwn, rhyngddo ef a gweision Abimelech y mae'r broblem. Yr un yw achos y gynnen, sef hawliau pori a dyfrio anifeiliaid – mater hanfodol bwysig i grwydriaid. Unwaith eto, llwydda Abraham i dawelu'r dyfroedd. Mae'r ddawn ganddo i greu heddwch a chytgord mewn sefyllfa anodd.

Er mai gochelgar yw ymateb Abimelech i'r cyhuddiad fod ei fugeiliaid wedi cymryd y pydew dŵr trwy drais (21:25–26), caiff y patriarch ei ddymuniad trwy roi anifeiliaid yn rhodd i'r brenin. Yn ogystal â defaid ac ychen, mae'n rhoi saith hesbin iddo. Wrth dderbyn rhodd ychwanegol, disgwylir i Abimelech, yn ôl arfer y cyfnod, gydnabod mai gan Abraham y mae'r hawl i'r pydew (21:30). Y saith hesbin yw un esboniad o enw'r lle, Beerseba – 'Ffynnon y Saith'. Esboniad arall yw 'Ffynnon y Llw', er a bod yn fanwl nad oes angen llw na chytundeb; mae'r hesbin yn dyst fod Abraham wedi ennill y ddadl. Efallai mai dwy stori wahanol i egluro'r enw sydd y tu cefn i'r testun Beiblaidd. Heddiw, mae olion hynafol Beerseba yn safle archaeolegol o bwys. Darganfyddiad sydd wedi cael cryn dipyn o sylw yw ffynnon y tu allan i brif borth y ddinas wreiddiol. Er nad oes dim i brofi ei bod yno yn amser Abraham, mae'n bosibl sefyll yn ei hymyl a dychmygu'r olygfa rhwng y brenin a'r crwydryn a ddisgrifir yn Genesis.

Sylwadau diwinyddol

Wrth ail-bobi ac addasu hen stori, mae'r awdur yn trin materion diwinyddol sydd o bwys i'w gyfnod ei hun, ond sydd hefyd yn berthnasol i'n cyfnod ni. Nodwn dair enghraifft cyn symud ymlaen.

Trwy roi darlun cadarnhaol o gymeriad Abimelech, a dangos fod Duw'n gwrando ar yr hyn sydd ganddo i'w ddweud, ceisia'r awdur ddarbwyllo'i gyfoedion fod bywyd rhinweddol, neu 'ofn Duw', yn bodoli y tu allan i Israel. Gall Duw ddefnyddio anghredinwyr i argyhoeddi ei etholedigion o'u pechod. Rhybudd sydd yma i ochel rhag y culni crefyddol sy'n arwain credinwyr i dybio nad oes ganddynt ddim i'w ddysgu gan y di-gred. Mae'r gwahaniaeth rhwng Abimelech ac Abraham yn dwyn i gof y ffordd y mae Iesu'n cymharu agwedd lugoer ei gyd-Iddewon tuag ato gydag agwedd ffyddiog aelod o'r fyddin Rufeinig. Meddai wrth ei ddilynwyr cyn iacháu gwas y canwriad: 'Yn wir, rwy'n dweud wrthych, ni chefais gan neb yn Israel ffydd mor fawr' (Mt. 8:10). Nid yw credinwyr wedi gwrando cymaint ag y dylent ar y di-gred.

Mae'r stori hefyd yn dangos sut y daeth ymddygiad Abraham â thrybini yn hytrach na bendith yn ei sgil i'r byd y tu allan i'w gymuned ei hun, a hynny am yr ail waith: Pharo a'i deulu yn gyntaf, ac yna Abimelech. Trwy ddweud celwydd, ni fu'r patriarch yn gwbl effro i'r alwad a gafodd yn Haran i fod yn fendith 'i holl dylwythau'r ddaear' (Gen.12:3). Mae'r un peth yn wir am bobl Dduw ar hyd y canrifoedd. Bu'r Eglwys Gristnogol yn barod iawn yn y gorffennol i erlid hyd at waed y sawl oedd yn anghytuno â'i chredo. Mae'r Gyfraith Iddewig yn ymwybodol iawn y gall agwedd yr etholedig fod yn achos poen a thrallod i eraill. Dyna pam y mae'n gorchymyn i ffyddloniaid beidio 'â gwneud cam â'r estron, na'i orthrymu' (Ex. 22:21).

Ac yn olaf, ni allwn ragori ar dalfyriad John Calfin o gynnwys y stori. Enghraifft ydyw, meddai, o 'anwadalwch dyn a gras Duw'. Trwy ewyllys rasol Duw caiff Abimelech ei achub rhag pechod marwol (20:6). Nid oherwydd ei ffyddlondeb a'i fywyd rhinweddol y dewiswyd Abraham, ond trwy ras Duw. Er iddo dwyllo, mae Duw'n clywed ei weddi ar ran Abimelech, ac yn iacháu'r brenin a'i deulu (20:7,17). Calondid i bob un ohonom yw gwybod fod Duw, yng ngeiriau Martin Luther, 'yn gallu marchogaeth ceffyl cloff'.

Cwestiynau i'w trafod

1. *Yn y stori, mae'r di-gred yn cywilyddio crediniwr. Ym mha ffordd y mae'r byd yn cywilyddio'r Eglwys?*

2. *Unwaith eto mae ymddygiad Abraham yn achosi gofid i eraill. Sut all pob crefydd fod yn felltith yn hytrach na bendith?*

3. *Beth sydd gan y stori hon i'w ddweud am berthynas Duw â'r rhai sydd y tu allan i gylch ei etholedigion?*

17. Defod Sylfaenol
Genesis 21:1–7

Yn ôl y rabiniaid, dwy ddefod sylfaenol Iddewiaeth yw cadw'r Saboth ac enwaedu pob bachgen. O'r ddwy ddefod, enwaediad yw'r bwysicaf. Yn y gorffennol, dim ond yn y synagog y byddai'r seremoni'n digwydd, ond heddiw mae'r cartref neu ystafell arbennig yn yr ysbyty'r un mor gyffredin. Rhaid cyflawni'r ddefod gan rabi trwyddedig yng ngŵydd o leiaf deg tyst. Mae'r gosb am ei hesgeuluso'n ddifrifol, sef esgymuniad. Caiff y dienwaededig ei 'dorri ymaith o blith ei bobl' am fod peidio ag enwaedu yn gyfystyr â thorri'r cyfamod (Gen. 17:14). Yn ôl un testun Beiblaidd, byddai Duw wedi lladd Moses hyd yn oed am iddo beidio ag enwaedu ei fab, oni bai i'w wraig achub y sefyllfa. Mewn llety, ar y ffordd i'r Aifft i arwain yr Israeliaid o gaethiwed, aeth Moses yn ddifrifol wael. 'Ond cymerodd Seffora gyllell finiog a thorri blaengroen ei fab a'i fwrw i gyffwrdd â thraed Moses, a dweud, "Yr wyt yn briod imi trwy waed"' (Ex. 4:25). Diflannodd y clefyd. Mae'n wir fod hon yn stori ryfedd ac anodd ei hesbonio. Ond sut bynnag y dehonglir y digwyddiad, yn ddiamau prif nodwedd y testun yw'r pwyslais a geir ynddo ar enwaedu.

Yr wythfed dydd

Dyletswydd pob Iddew yw enwaedu ar ei fab yn wyth diwrnod oed. Un esboniad dros ddewis yr wythfed diwrnod yw mai cymhwyso stori'r creu i'r unigolyn a wna'r ddefod. Yn union fel y cwblhaodd Duw ei waith o greu'r byd mewn saith diwrnod, mae enwaediad yn cwblhau'r weithred o greu'r plentyn, ac yn agor y drws i fywyd newydd. Dim ond dan amgylchiadau arbennig y gellir gohirio'r seremoni. Er enghraifft, pe bai'r plentyn yn sâl, rhaid aros iddo wella. Pe bai'r teulu wedi colli dau fab o salwch yn dilyn enwaediad, ni ddylid enwaedu ar y trydydd nes y bydd yn hŷn, ac yn fwy tebygol o fedru derbyn y driniaeth yn ddiogel. Er ei bod yn ddefod greiddiol i'r grefydd, mae'r rabiniaid yn tynnu sylw at y fath amgylchiadau esgusodol am mai diben pob gorchymyn yw arwain credinwyr i fywyd, nid i farwolaeth (Lef. 18:5).

Os yw'r wythfed dydd wedi'r geni yn syrthio ar y Saboth, caiff y gorchymyn i enwaedu flaenoriaeth dros yr un sy'n gwahardd gweithio. At hyn y mae Iesu'n cyfeirio wrth gyfiawnhau iachau ar y Saboth: 'Rhoddodd Moses i chwi ddefod enwaediad – er nad gyda Moses y cychwynnodd ond gyda'r patriarchiaid – ac yr ydych yn enwaedu ar blentyn ar y Saboth. Os enwaedir ar blentyn ar y Saboth rhag torri Cyfraith Moses, a ydych yn ddig wrthyf fi am imi iachau holl gorff rhywun ar y Saboth?' (In. 7:22–24). Y rheswm dros flaenoriaeth enwaediad oedd bod y gorchymyn i enwaedu yn hŷn na'r gorchymyn i gadw'r Saboth. Dyna pam nad yw'r ddefod yn gynwysedig yn y Deg Gorchymyn; roedd wedi cael ei hordeinio eisoes fel arwydd o'r cyfamod a wnaed ag Abraham. Mae'n wir y dywedir yn Lefiticus, 'Ar yr wythfed dydd enwaeder ar y bachgen' (Lef.12:3), ond nid gorchymyn penodol i enwaedu yw hwn. Dim ond cyfeirio'n anuniongyrchol at y ddefod yng nghyd-destun puro gwraig ar ôl genedigaeth a wna'r adnod hon, nid ei gorchymyn.

Yn ei adroddiad am hanes plentyndod Iesu, dywed Luc yn ei efengyl fod enwaedu ac enwi yn digwydd yr un pryd (Lc. 2:21). Ond nid dyna'r patrwm ymhlith Iddewon y cyfnod cynnar. Yr arferiad oedd enwi'r plentyn yn union wedi'r geni. Yn yr wythfed ganrif OC y datblygodd y drefn o enwaedu ac enwi yn yr un seremoni. Bwriad Luc wrth gyfeirio at enwaedu Iesu oedd dangos fod ei rieni'n bobl dduwiol, ufudd i'r Gyfraith. Ond yn gynnar iawn yn hanes yr Eglwys, datblygodd y ddefod yn bwnc dadleuol ymysg Cristnogion. Asgwrn y gynnen oedd a ddylai Cristion o dras baganaidd fyw yn ôl deddfau Iddewig, gan gynnwys enwaediad. Roedd Iago a Christnogion ceidwadol Jerwsalem o blaid hynny, ond roedd Paul yn erbyn. Yr anghydfod hwn yw cefndir y Llythyr at y Galatiaid. Ond cyhuddir Paul hefyd o annog Iddewon hyd yn oed i beidio ag enwaedu. Er nad oedd yn euog o hyn, bu bron iddo gael ei ladd yn y cythrwfl a ddilynodd (Ac. 21:17–35).

Tarddiad a diben

Nid oes esboniad boddhaol am darddiad na diben y ddefod. Mae'r cyfeiriad yn y Beibl at yr arfer hynafol o ddefnyddio cyllyll 'callestr' (Jos. 5:2–3) i enwaedu yn tystio fod yr arferiad yn perthyn i ddiwylliant rhannau o'r Dwyrain Canol ymhell cyn amser Abraham. Erbyn y cyfnod Rhufeinig, cyllyll metel a ddefnyddid. Nid oedd yr Assyriaid a'r Babiloniaid yn enwaedu eu meibion, a chyfeirir at y Philistiaid hefyd fel y 'dienwaededig' (1 Sam. 17:26). Ond roedd y Canaaneaid a'r Eifftiaid yn enwaedu, sy'n profi nad creu defod newydd a wnaeth Israel, ond cymhwyso neu 'fedyddio' un a oedd yn bod eisoes. Tystia Jeremeia 9:26 pa mor gyffredin oedd yr arferiad. Gallai Duw gymryd yn ganiataol fod Abraham yn gyfarwydd â'r ddefod.

Wrth drafod diben enwaediad, mae rhai esbonwyr yn cynnig rhesymau diwylliannol. Efallai mai defod cyn priodi ydoedd yn wreiddiol, neu ddefod oedran dyfod-yn-ddyn ('puberty rite' neu 'rite of passage') a fyddai'n gwneud llanc ifanc yn gyflawn aelod o'r llwyth. Damcaniaeth sy'n apelio at eraill yw mai diben meddygol, yn hytrach na diwylliannol, oedd i'r arferiad. Y ffordd orau i osgoi afiechyd oedd hyrwyddo glendid corfforol. Yr ystyr o 'lanhau' sydd wrth wraidd y defnydd symbolaidd neu fetafforaidd a wneir o'r ddefod yn y Beibl wrth alw am ddiwygiad. Ceir y cyfeiriadau cynharaf at enwaediad ysbrydol yn y Tora. Wrth ddelio â'i genedl wrthnysig, mae Duw'n gorchymyn i'w bobl enwaedu eu calonnau a pheidio 'â bod yn ystyfnig eto' (Deut. 10:16). Gweler hefyd y cyfeiriad yn Deuteronomium 30:6 at y galon enwaededig fel un o fendithion Duw i'r sawl sy'n edifeiriol.

Adleisio hyn a wna Jeremeia ac Eseciel yn eu pregethau. Galwant ar eu gwrandawyr i buro'u heneidiau trwy gadw'r Gyfraith. Wrth wrando ar air Duw ac edifarhau, caiff yr Israeliaid faddeuant am eu pechodau: 'Ymenwaedwch i'r ARGLWYDD, symudwch flaengroen eich calon ... rhag i'm digofaint ddod allan fel tân a llosgi heb neb i'w ddiffodd' (Jer. 4:4. Gw. hefyd Jer. 9:25–26; Esec. 44:7). Dywed Jeremeia fod y genedl yn mynd ar gyfeiliorn am fod ei chlustiau hefyd 'yn ddienwaededig', hynny yw, yn fyddar i lais Duw (Jer. 6:10). Ystyr mewnol yr arwydd allanol a gaiff sylw arweinwyr ysbrydol y genedl.

Ar y dehongliad ffigurol hwn y mae Paul yn pwyso wrth ddadlau â'i gyd-Iddewon. Y safbwynt Iddewig oedd bod y sawl oedd yn gynwysedig yn y cyfamod ag Abraham trwy enwaediad corfforol yn sicr o etifeddu bywyd tragwyddol. Mae Paul yn cytuno fod gwerth i'r ddefod os yw'r enwaededig yn cadw'r gorchmynion; ond os yw'n torri'r Gyfraith bydd 'ei enwaediad wedi mynd yn ddienwaediad'. Nid enwaediad 'mo'r enwaediad sydd yn y golwg yn y cnawd'. Y 'gwir enwaediad yw enwaediad y galon, peth ysbrydol, nid llythrennol' (Rhuf. 2:25–29. Gw. hefyd Col. 2:11–14). Nid allanolion sy'n bwysig, ond bywyd dilychwin.

Mantais ac anfantais

Mae'r ddolen gyswllt rhwng enwaediad a chrefydd yn y byd paganaidd yn amwys; ond pan gafodd y ddefod ei mabwysiadu gan Israel, rhoddwyd lle canolog iddi ym mywyd y genedl. Gwelsom eisoes mai un cyfeiriad byr sydd at enwaedu corfforol yn y Tora (Lef. 12:3), a hwnnw megis rhwng cromfachau. Serch hynny, i'r Iddewon y mae i'r arferiad arwyddocâd arbennig, yn grefyddol ac yn genedlaethol. Mae'r cysylltiad anwahanadwy rhwng enwaediad a chyfamod yn tanlinellu mai diben y ddefod yw dynodi perthynas arbennig yr Iddew, fel aelod o'r genedl etholedig, â Duw. Ond gan fod pawb yn gwisgo dillad, mae'n amlwg nad diben gweladwy sydd i enwaediad corfforol. Arwydd ydyw i atgoffa'r unigolyn o'i statws breintiedig. Am nad oes traddodiad o enwaedu merched mewn Iddewiaeth, gwêl rhai yn y ddefod gadarnhad o natur batriarchaidd y grefydd. Dim ond trwy berthyn i deulu y mae pob gwryw wedi ei enwaedu ynddo y gall merch fod yn aelod o gymdeithas yr etholedigion. Ond gellir dadlau fod dehongliad metafforaidd, sef enwaediad ysbrydol, yn gwneud y ddefod yn berthnasol i ferched hefyd.

Daeth arwyddocâd cenedlaethol yr arferiad i'r amlwg yn ystod y Gaethglud ym Mabilon yn y chweched ganrif CC. Pan ddaeth y seremonïau a oedd yn gysylltiedig â'r Deml, megis aberthu a phererindota, i ben yn dilyn dinistr Jerwsalem, datblygodd enwaediad yn un o brif symbolau Iddewiaeth. Dim ond trwy enwaedu eu meibion, defod nad oedd y Babiloniaid yn ei harfer, y llwyddodd yr Iddewon i amddiffyn eu hunaniaeth mewn diwylliant paganaidd. Goroesodd y genedl y cyfnod mwyaf argyfyngus yn ei hanes am iddi ddal gafael yn y ddefod. Dychwelodd y genedl i Jwda ac ailgodi'r Deml.

Ond gan fod enwaediad, yn ogystal â bod yn ddefod grefyddol, yn arwydd o'r gwahaniaeth rhwng y genedl Iddewig a chenhedloedd eraill, fe'i defnyddiwyd gan ei gelynion i'w herlid. Datblygodd yn bwnc llosg yn y frwydr rhwng y wladwriaeth a'r Iddewon. Yn yr ail ganrif CC ceisiodd y Groegiaid ddileu Iddewiaeth trwy halogi'r Deml, gorfodi gweithio ar y Saboth, a gwahardd enwaediad. Yn ôl awdur Llyfr Cyntaf y Macabeaid, 'lladdasant y gwragedd oedd wedi enwaedu ar eu plant, gan grogi'r babanod wrth yddfau eu mamau' (1 Mac. 1:60–61). Merthyrdod y rhai a wrthodai ufuddhau i'r awdurdodau oedd sbardun y gwrthryfel llwyddiannus dan arweiniad Jwdas Macabeus yn 165 CC. I geisio cael gwared â'r Iddewon, a oedd yn ddraenen yn ystlys yr Ymerodraeth Rufeinig, gwnaeth yr Ymerawdwr Hadrian yr enwaediad yn drosedd marwol. O ganlyniad, cafwyd gwrthryfel olaf yr Iddewon yn erbyn Rhufain (132–135 OC). Ond er iddynt ddinistrio Jerwsalem yn llwyr ac alltudio pob Iddew o'r wlad, ni lwyddodd y Rhufeiniaid i atal enwaedu a dileu Iddewiaeth.

Parhaodd yr erledigaeth dan nawdd yr Eglwys. Wedi sefydlu Cristnogaeth fel crefydd swyddogol yr Ymerodraeth yn y bedwaredd ganrif, galwodd y diwinyddion ar y gwleidyddion am gymorth i ymladd heresïau. Gan fod yr ymerawdwyr o hyn ymlaen yn Gristnogion, ni fu'r cymorth yn hir yn dod. Rhoddodd pob ymerawdwr sêl ei fendith ar nifer o gyfreithiau a oedd yn diogelu Cristnogaeth rhag gaudduwiaeth. Ond nid paganiaid a hereticiaid yn unig oedd yn poeni'r awdurdodau eglwysig. Cyfrifid yr Iddewon hwythau'n fygythiad. Yn fuan iawn, daeth cyfres o ddeddfau gwlad i rym i warchod uniongrededd yr Eglwys. Roedd llawer o'r deddfau hynny'n ymwneud ag Iddewiaeth.

Un ddeddf a gafodd effaith ddifrifol a pharhaol ar fywyd beunyddiol yr Iddewon oedd hon: 'Petai'r Iddew yn prynu caethwas ac yn ei enwaedu, fe'i cosbir nid yn unig trwy golli'r caethwas ond hefyd trwy ddioddef dienyddiad'. Fe'i pasiwyd gan yr Ymerawdwr Constantius ar Awst 13eg, 339. Nid ysbryd dyngarol a symbylodd y gwaharddiad i enwaedu. Nid gwneud bywyd yn haws i'r caethwas na dileu caethwasanaeth oedd y diben, ond atal Iddewon rhag lluosogi. Ymgais oedd y gyfraith i rwystro twf Iddewiaeth trwy wahardd cenhadu, oherwydd cyn gynted ag y deuai caethwas yn eiddo i Iddew, fe enwaedwyd arno gan na allai gyflawni ei orchwylion ond fel un o'r teulu. Yn fuan iawn, cafodd y gwaharddiad hwn effaith andwyol ar fywyd cymdeithasol yr Iddewon. Mewn economi a ddibynnai gymaint ar lafur caethiwed, roedd yr Iddew dan anfantais o'i gymharu â'r Cristion. Pa obaith oedd gan amaethwr Iddewig i fedru cystadlu â'i gymdogion Cristnogol, ac yntau'n amddifad o weithwyr? Trwy wahardd cadw defod sylfaenol, llwyddodd yr Eglwys, gyda chymorth yr ymerodraeth, i ddifreinio'r Iddewon a'u gwthio o'r neilltu. Yn raddol bu raid i'r Iddew droi cefn ar amaethyddiaeth a chanolbwyntio ar fyd masnach, meddygaeth ac arian i ennill ei damaid.

Mae'r ffaith bod amryw o'r ymerawdwyr cynnar wedi gorfod cyhoeddi'r ddeddf yn erbyn enwaediad sawl gwaith yn dangos pa mor benderfynol oedd yr Iddewon o gadw arwydd y cyfamod. Ar waethaf yr erlid, parhaodd y ddefod am ei bod yn ganolog i grefydd, cenedligrwydd a hunaniaeth yr Iddew. Roedd yn rhaff deircainc na ellid ei thorri.

Cwestiynau i'w trafod

1. Arwydd o berthynas yr Iddew â'i genedl a'i grefydd yw enwaediad. A oes modd bod yn Gristion heb ddefod sy'n arwydd o berthynas â'r Eglwys?

2. Pa nodweddion yn y stori am ei enedigaeth sy'n arwain esbonwyr i ystyried Isaac fel cynddelw neu raglun o Iesu?

3. Mantais ynteu anfantais i ffyddloniaid unrhyw grefydd yw arwyddion gweledol o'u cred?

18. Parhad Stori Hagar
Genesis 21:8–21

Mae'r ail act yn stori Hagar yn dechrau trwy gyfeirio at y wledd ar achlysur diddyfnu Isaac. Ond o adnod 11 ymlaen Ismael a gaiff yr holl sylw, er na chyfeirir ato wrth ei enw. Yr hyn sy'n taro'r darllenydd ar unwaith wrth ailafael yn y stori yw'r tebygrwydd rhwng y ddwy act. Unwaith eto, mae Sara'n benderfynol o yrru ei morwyn a'i phlentyn allan o'r cartref, ac mae Abraham yn cyd-fynd â dymuniad ei wraig. Wrth grwydro'r anialwch ar gyrion yr Aifft, caiff Hagar ei chyfarch drachefn gan angel sy'n ei hachub trwy ei harwain at ffynnon a'i hebrwng ar ei thaith. Disgrifir Ismael fel saethwr medrus a fyddai'n gallu goroesi'n ddidrafferth mewn anialdir. Bydd ei ddisgynyddion, yn ôl yr addewid a wnaeth Duw i'w fam, yn tyfu'n genedl fawr. Mae'r cyffelybiaethau'n awgrymu bod gan y golygydd ddwy fersiwn wreiddiol o'r un stori o'i flaen. Y gwahaniaethau rhyngddynt sy'n cyfiawnhau'r dyblygu.

Chwarae'n troi'n chwerw

Daw'r anghydfod rhwng meistres a morwyn i'r amlwg unwaith eto. Ond y tro hwn nid agwedd haerllug Hagar yw'r broblem. Sara sy'n achosi'r tyndra am ei bod yn ystyried y gaethferch a'i phlentyn yn fygythiad i ddyfodol ei theulu. Bydd Ismael yn cystadlu ag Isaac am yr etifeddiaeth (21:10). Mae Sara wedi ei chythruddo o weld Ismael yn 'chwarae gyda'i mab Isaac' a oedd newydd ei ddiddyfnu (21:8–9). Ond mae ystyr y gair Hebraeg *tsachac,* a gyfieithir 'chwarae' yma, yn amwys. Defnyddir yr un gair yn Genesis 39:14 gan wraig Potiffar i gyhuddo Joseff o'i gwneud yn gyff gwawd. Yno 'gwaradwyddo' yw cyfieithiad y BCND; 'insult' a 'mock' sydd gan y cyfieithiadau Saesneg.

Mae'r amwyster yn parhau am fod testun Hebraeg Genesis 21:9 yn hepgor y geiriau 'gyda'i mab Isaac'. (Dilyn y fersiynau Groeg a Lladin, cyfieithiadau sy'n seiliedig ar destun cynharach o'r Beibl Hebraeg na'r un sydd gennym heddiw, a wna'r BCND wrth eu cynnwys.) Hebddynt, gall *tsachac* olygu fod Ismael, sydd erbyn hyn tua phymtheg oed, yn gwawdio Sara. Ond trwy ychwanegu 'Isaac' fel gwrthrych y ferf, gellir gweld yma ddisgrifiad o ddau blentyn yn chwarae â'i gilydd. Dehongliad y rabiniaid cynnar o'r cymal oedd bod Ismael yn bwlio Isaac, neu hyd yn oed yn ei gam-drin yn rhywiol. Apeliai'r esboniad hwn atynt am ddau reswm. Yn gyntaf, am ei fod yn *cyfiawnhau creulondeb Sara* yn anfon Ismael a'i fam ymaith. Yn ail, am ei fod yn caniatáu i esbonwyr mewn cyfnodau helbulus rhwng Iddewon ac Arabiaid *barddu o cymeriad Ismael* pan oedd arnynt awydd gwneud hynny.

Yr eglurhad hwn sydd, o bosibl, wrth wraidd yr hyn a ddywed Paul yn ei lythyr at y Galatiaid wrth gyfeirio at y stori: 'Ond fel yr oedd plentyn y cnawd [Ismael] gynt yn erlid plentyn yr Ysbryd [Isaac], felly y mae yn awr hefyd' (Gal. 4:29). Derbyniwyd y dehongliad negyddol hwn, bod Ismael wedi cam-drin neu 'erlid' Isaac, gan amryw o esbonwyr Cristnogol o gyfnod y Diwygiad Protestannaidd hyd at ddiwedd y bedwaredd ganrif ar bymtheg. Caiff ei arddel, er enghraifft, gan Mathew Henry, gweinidog gyda'r Presbyteriaid yng Nghaer, ac un o esbonwyr mwyaf dylanwadol y ddeunawfed ganrif yn y byd Protestannaidd. Mae'r syniad wedi dal ei dir ymysg Iddewon hyd heddiw.

Beth bynnag a ddigwyddodd i danio digofaint Sara, cynnen dros etifeddiaeth oedd yr achos gwaelodol. Er mwyn rhwystro Ismael rhag cyd-etifeddu ag Isaac, mae Sara'n gorchymyn i'w gŵr yrru allan 'y gaethferch hon a'i mab' (Gen. 21:10). Dyma'r unig ffordd i sicrhau mai eiddo Isaac a'i ddisgynyddion fydd y wlad a addawyd iddynt. Mae sarhad yn amlwg yn ei llais. Nid yw'n cyfeirio at Hagar ac Ismael wrth eu henwau: 'mab y gaethferch' yw Ismael; 'y gaethferch hon' yw Hagar. Ni cheir unrhyw awgrym bod Sara'n ei chydnabod fel ei morwyn bersonol a roesai'n wraig i Abraham. Unwaith eto mae'r penteulu'n ufuddhau, ond nid heb wrthwynebiad y tro hwn: 'Yr oedd hyn yn atgas iawn gan Abraham' (21:11). Er bod Isaac wedi ei eni erbyn hyn, mae Abraham yn nes at Ismael nag oedd yn yr act gyntaf, ac yn amlwg yn fwy teimladwy. Nid yw'n barod i droi cefn ar ei gyntaf-anedig y bu'n disgwyl mor hir amdano. Gallwn ddychmygu'r sgwrs rhyngddo a Sara. Sut y gallai hi fod mor ddidrugaredd? Pa gyfiawnhad sydd dros anfon plentyn a'i fam i grwydro'r anialwch, beth bynnag fo'r amgylchiadau?

Dim ond trwy anogaeth Duw y caiff Abraham ei ddarbwyllo i gydsynio â dymuniad ei wraig: 'Paid â phoeni am y llanc a'r gaethferch; gwna bopeth a ddywed Sara wrthyt' (21:12). Mae Duw fel petai'n dweud wrtho, 'Gad i Sara gael ei ffordd ei hun; fe edrychaf fi ar ôl y plentyn'. I ennill ei gydweithrediad, mae'n ei sicrhau mai trwy Isaac y cedwir ei linach. Ond mae'n addo disgynyddion iddo trwy Ismael hefyd: 'Gwnaf fab y gaethferch hefyd yn genedl, am ei fod yn blentyn i ti' (21:13). Yn yr act gyntaf (Gen.16), Hagar yn unig a gaiff addewid o ddisgynyddion trwy Ismael; yn yr ail act, gwneir yr addewid i Abraham hefyd.

Mewn ufudd-dod i Dduw ac i gadw Sara'n dawel, mae Abraham yn ffarwelio ag Ismael a'i fam. Dywed y testun iddo osod nid yn unig botelaid o ddŵr a thipyn o fara ond y bachgen hefyd ar ysgwydd Hagar. Mae dychmygu'r fam yn cario'i phlentyn wedi achosi trafferth i esbonwyr. Yn ôl Genesis 16:16, roedd Abraham yn wyth deg a chwech pan anwyd Ismael, ac yn naw deg a naw pan gafodd ei enwaedu (Gen. 17:24). Hyd yn hyn nid oes sôn am Isaac; aiff blynyddoedd heibio cyn ei eni. Felly, erbyn diwrnod diddyfnu Isaac, yn ddwy neu efallai dair oed, mae Ismael yng nghanol ei arddegau. Pwn go fawr i ferch fach eiddil!

Un eglurhad posibl yw mai golygydd diofal sy'n gyfrifol am y dryswch. Gan ei fod yn awyddus i ddangos bod cyndad y genedl wedi cydymffurfio â'r gyfraith Iddewig, ychwanegodd hanes yr enwaedu ym mhennod 17 at ffurf derfynol Genesis. Ond ni wnaeth unrhyw ymgais i blethu stori'r enwaediad gyda'r ddwy fersiwn o stori Hagar a oedd ganddo. O blaid derbyn geiriad y testun bod y plentyn yn ddigon ifanc i Hagar ei gario, gellir tynnu sylw at y ffaith i'w fam osod 'y bachgen i lawr dan un o'r llwyni' (21:15). Gweithred annhebygol iawn os oedd Ismael tua phymtheg oed. Mae gorchymyn yr angel i Hagar godi'r plentyn a gafael amdano (21:18) hefyd yn ein harwain i feddwl yn nhermau plentyn bach, yn hytrach na'r glaslanc sy'n gweddu i'r amserlen.

Diffyg moesoldeb

Yn yr olygfa hon, sy'n diweddu gyda'r gaethferch a'i phlentyn yn crwydro'r diffeithwch, daw problem foesol i'r amlwg. Caiff Hagar ei bychanu a'i cham-drin gan gymeriadau eraill y stori, gan gynnwys Duw. Mae Sara'n eiddigeddus ohoni, ac yn benderfynol na chaiff Ismael gyd-etifeddu ag Isaac. Ond nid ffoi a wna Hagar y tro hwn: caiff hi a'i phlentyn eu gwthio allan o'r cartref yn fwriadol, a'u hanfon i'r anialwch. Nid yw'r ffaith fod Duw'n cefnogi Sara'n gwneud dim i hybu hunan-barch Hagar; os rhywbeth, mae'n ychwanegu at ei hing. Mae Abraham yn anhapus ac yn betrusgar. Er bod Isaac wedi ei eni erbyn hyn, mae Abraham yn nes at Ismael nag ydoedd yn yr act gyntaf; ac eto nid yw'n gwneud dim i helpu ei gyntaf-anedig a'i fam.

Mae Martin Luther yn feirniadol iawn o Abraham am anfon Hagar a'i phlentyn i wynebu peryglon yr anialwch heb neb i'w hebrwng a'u hamddiffyn. Meddai wrth gyfeirio at ansawdd pitw'r picnic: 'Petai rhywun am farnu Abraham yn hyn o beth, gellid ei gyhuddo o lofruddio'i fab a'i wraig ... Ni fyddai neb yn credu iddo wneud y fath beth oni bai i Moses adrodd yr hanes ... Mae rhywun yn siŵr o ddweud, "Fe ddylai Abraham fod wedi ystyried y peryglon cyn ymddwyn mor fyrbwyll."' Yn ôl Luther, sydd yma'n adleisio barn y rabiniaid, yr unig ffordd y gellir cyfiawnhau gweithred Abraham yw trwy gofio iddo ufuddhau i orchymyn Duw: 'Gwna bopeth a ddywed Sara wrthyt' (21:12). Mae hyn, wrth gwrs, yn rhagdybio mai Sara oedd yn gyfrifol am anfon Hagar ac Ismael i'r anialwch. Ond nid yw'r testun yn dweud hynny.

Y mae'n amlwg fod yr awdur o blaid Hagar. Ceir darlun byw a theimladwy o'i hunigrwydd, ei hing a'i hofn. Yn ddigartref a di-gefn, mae'n crwydro'r anialwch yn chwilio am ddŵr. Unwaith eto daw Duw i'r adwy. Ond y tro hwn Ismael, nid Hagar, a gaiff sylw: 'Clywodd Duw lais y plentyn' (21:17). Mae thema'r plentyn gwrthodedig yn cael ei achub yn wyrthiol er mwyn cyflawni rhyw wrhydri yn boblogaidd mewn straeon am wroniaid yr hen fyd. Stori Moses yw'r enghraifft orau yn yr Hen Destament; ceir llawer mwy yn chwedloniaeth Mesopotamia, Groeg a Rhufain.

Diben a chymhwysiad stori Hagar

Daw dawn lenyddol yr awdur i'r amlwg yn y sylw a roddir i Hagar ac Ismael. Er bod Sara'n ddi-blant, caiff Abraham epil trwy fam fenthyg. Ond mae Hagar a'i phlentyn yn cael eu gyrru allan. Pa obaith sydd gan y patriarch o feithrin ei fab fel etifedd? Beth fydd y cam nesaf iddo? Rhaid i ni aros i gael gwybod gan fod yr awdur yn canolbwyntio ar Hagar ac Ismael.

Mae'r sylw a roddir i Ismael a'i ddisgynyddion yn egluro dau beth. Yn gyntaf, *bodolaeth cenedl arall,* yn ogystal â'r Moabiaid a'r Ammoniaid, sy'n crwydro'r anialwch ar ffin ddeheuol Israel, sef yr Ismaeliaid, a'r berthynas rhyngddynt a'r Israeliaid. Yn ail, y tyndra oesol *rhwng yr Israeliaid a'r Bedawin,* rhwng amaethwyr a chrwydriaid. Hanes Hagar yn gweld Duw, ac yn byw i ddweud yr hanes, sydd i gyfrif am enwi'r ffynnon lle gwelodd hi'r angel yn Beer-lahai-roi (Gen. 16:14), sef 'Pydew yr un sy'n gweld a byw'. Hanesion deongliadol neu esboniadol sydd yma.

Mae'r mwyafrif sy'n darllen stori Hagar yn canolbwyntio ar ei thrybini i'r fath raddau nes iddynt fethu â gweld llygedyn o oleuni ynddi. Ond o edrych ar yr hanesyn cyfan, daw amryw o nodweddion cadarnhaol i'r golwg sy'n dangos fod Hagar yn gymeriad blaenllaw yn y Beibl.

Cyfarchiad gan angel

Caethferch o'r Aifft oedd y cymeriad cyntaf yn y Beibl – nid yn unig y ferch gyntaf, ond y cymeriad cyntaf – i gael cyfarchiad gan angel yn darogan geni plentyn o bwys. Ceir enghreifftiau eraill o Dduw'n cyfarch mewn sefyllfa debyg: Sara cyn geni Isaac (Gen. 18:10–14); gwraig Manoa cyn geni Samson (Barn. 13:3); Sachareias i ragfynegi genedigaeth Ioan Fedyddiwr (Lc. 1:13–17); a Mair i ragfynegi genedigaeth Iesu (Lc.

1:28–33). Diben pob cyfarchiad yw pwysleisio arwyddocâd y plentyn a enir. Ar y cyfan, serch hynny, prin yw'r cyfarchiadau; ffaith sy'n tanlinellu arbenigedd cyfarchiad Hagar. Caiff y forwyn fach yr un anrhydedd â mawrion y genedl. Cwmni dethol i gaethferch o'r Aifft.

Enwi Duw.

Mewn ymateb i'r cyfarchiad wrth y ffynnon nid yw Hagar yn 'galw ar enw Duw', sef gweddïo, fel y buasem yn disgwyl iddi wneud, ond 'galwodd hi enw'r ARGLWYDD oedd yn llefaru wrthi "Tydi yw El-roi"' (Gen. 16:13). Caiff Duw enw newydd gan Eifftes. Defnyddia'i phrofiad personol o gael ei hachub i alw Duw 'y Duw sy'n fy ngweld'. Gwelodd Duw ei thrallod, a daeth i'w hachub. Dyma'r unig enghraifft yn y Beibl o rywun yn enwi Duw.

Gweld Duw.

Ond yn ogystal â'i enwi, mae Hagar yn gweld Duw, ac yn goroesi'r profiad. Dywedodd Duw wrth Moses na allai neb weld ei wyneb a byw (Ex. 33:20). Dyna pam na welodd Moses ond ei gefn. Er bod y testun Hebraeg yn Genesis 16:13 yn aneglur, ymddengys fod Hagar yn synnu ei bod yn dal ar dir y byw wedi gweld Duw. Mae'r profiad yn ei gosod ymysg y bobl ddewisedig a gaiff weledigaeth o'r dwyfol, megis Eseia, Eseciel a Habacuc, ac yn byw i ddweud yr hanes. O safbwynt y Testament Newydd, mae Hagar yn rhannu'r un profiad â'r disgyblion ar fynydd y gweddnewidiad, Paul ar y ffordd i Ddamascus, ac awdur Llyfr y Datguddiad. Cwmni dethol i gaethferch o'r Aifft.

Dewis gwraig.

Gorchwyl olaf Hagar yw cael gwraig i'w mab. Hi yw'r unig fenyw yn y Beibl sy'n gwneud hynny; dyletswydd y tad oedd chwilio am wraig addas. Trwy ddewis Eifftes, mae'n sicrhau bod ei thraddodiadau, ei diwylliant a'i gwerthoedd yn parhau. Cyflawnwyd yr addewid a wnaed iddi am ddisgynyddion trwy Ismael a'i wraig; a daw yn fam i genedl fawr.

Hagar yn y traddodiad Iddewig

Ar wahân iddi gael ei henwi yn llinach Ismael (Gen. 25:12–16; 1 Cron. 1:28–31), nid oes sôn am Hagar wedyn yn y Beibl nes i Paul gyfeirio ati yn ei lythyr at y Galatiaid. Serch hynny, rhoddwyd ei phrofiad ar gof a chadw er mwyn gwrthsefyll diwinyddiaeth lywodraethol y Beibl sy'n pwysleisio galwedigaeth, etholedigaeth, ffydd, ac ufudd-dod i'r Gyfraith. Mae ei phrofiad yn dangos nad yw Duw ynghlwm wrth y system. Gall ddewis gweithio y tu allan iddi, ac mae'n gwneud hynny. Ni chaiff gweithredoedd achubol Duw eu cyfyngu i'r etholedig. O ganlyniad, mae'r neilltuolaeth sy'n britho llawer o'r Ysgrythur yn pellhau. Gwahoddir darllenwyr i gydymdeimlo â'r rhai a ystyrir yn bobl yr ymylon gan y genedl etholedig.

Er mai cyd-destun stori Hagar yw hanes Isaac, plentyn yr addewid a thad y genedl, mae'n amlwg bod Duw'n ffafrio Ismael hefyd, mab Eifftes ddigartref: 'Bu Duw gyda'r plentyn, a thyfodd' (Gen. 21:20). Mae ei ofal am y bachgen a'i fam yn dangos nad yw'n anwybyddu'r rhai y mae'r traddodiad yn eu gwrthod. Mae Duw'n chwilio, yn cael, yn cyfarch ac yn parchu caethferch o'r Aifft. Mae'n addo rhyddid a bywyd gwell iddi hi a'i phlentyn. Gyda'r pwyslais ar Hagar a'i disgynyddion, mae neilltuolaeth y Beibl yn mynd i'r cefndir am foment. Nid trwy ddisgynyddion Isaac yn unig y mae Duw'n creu cenedl fawr. Mae gan ddisgynyddion Ismael hefyd le yn ei gynllun ar gyfer dynoliaeth. Ni chaiff gweithredoedd achubol Duw eu cyfyngu i'r etholedig.

Dengys y stori nad adroddiad unffurf yw'r Beibl, ond casgliad o wahanol syniadau ynglŷn â ffydd a chred. Testun aml-leisiol yw'r Hen Destament. Nid gwerslyfr sy'n cynnwys ateb pendant i bob cwestiwn ydyw, ond mynegbost i'n harwain i ddarganfod mwy am y natur ddynol, am y grefft o gyd-fyw, ac am ewyllys Duw ar gyfer pob un o'i blant. Cawn ein cymell beunydd ganddo i feddwl y tu allan i'r bocs.

Y dehongliad hwn o'r Ysgrythur a arweiniodd nifer o rieni Iddewig yn Israel gyfoes i gymryd cam eithaf dadleuol trwy ddewis Hagar yn enw i'w merch, a thrwy hynny wneud datganiad gwleidyddol sy'n dangos eu bod yn cefnogi cymod â gwledydd Arabaidd, ac yn anghytuno â pholisi eu llywodraeth o feddiannu tir y Palestiniaid. Yr agwedd gymodlon hon sydd hefyd i gyfrif am deitl cyfnodolyn a gyhoeddir gan Brifysgol Ben Gurion ym Meerseba, *Hagar: Studies in Culture, Polity and Identities.*

Cwestiynau i'w trafod

1. Sut y dylai'r Cristion ymateb i'r addewidion a wnaeth Duw i Hagar ac Ismael?

2. Beth y mae stori Hagar yn ei ddweud wrthym am gymeriad Duw?

3. Beth y mae'r gofod a roddir i stori Hagar yn ei awgrymu ynglŷn â safbwynt yr awdur?

19. Y Prawf Olaf
Genesis 22:1–19

Hon yw'r stori fwyaf adnabyddus yn y casgliad o hanesion am Abraham. Fel testun trafodaeth, mae wedi tanio dychymyg Iddew, Cristion a Moslem am ganrifoedd. Hon hefyd yw'r stori fwyaf dyrys. Fel y gwelwn, mae'r arddull a'r cynnwys wedi peri anhawster i'r sawl sydd am ei hesbonio, a hynny oherwydd ei natur fratiog. Prin yw'r manylion. Yn aml, nid yw'r awdur yn gwneud dim mwy nag awgrymu'r hyn sy'n digwydd. Wrth ymdrin ag arddull y bennod yn ei lyfr *Mimesis,* mae Erich Auerbach yn cyfeirio at 'the silence and the fragmentary speeches' sy'n llethu pob ymdrech i'w dehongli'n foddhaol. Ond o ganlyniad i'r amwyster, mae wedi denu mwy o esbonwyr na'r un stori arall. Cafodd y rabiniaid cynnar rwydd hynt i lenwi'r bylchau, ac mae ysgolheigion cyfoes yn dal i ddyfalu a damcaniaethu ynglŷn â'i hystyr. Wrth fynd trwyddi, byddwn yn ystyried rhai o'r problemau sy'n codi wrth gynnig dehongliad ohoni.

Gorchymyn Duw
Er bod Duw wedi ochri â Sara pan alltudiwyd Ismael, addawodd i Abraham mai Isaac fyddai ei etifedd (Gen. 21:12). Yna, yn hollol annisgwyl, mae'n gorchymyn iddo'i aberthu. Geilw arno i ladd yr un y mae wedi dyheu amdano ers blynyddoedd, a thrwy hynny ddifa'r unig obaith sydd ganddo am ddisgynyddion. Gan ufuddhau i'r gorchymyn, mae Abraham yn codi'n fore ac yn gadael Hebron gyda'i fab a dau was, heb ddweud dim wrth ei wraig. Mae'n debyg na allai'r bachgen a'r gweision beidio â sylwi ar y pryder sy'n pwyso arno, ond nid yw'r un ohonynt yn torri gair yn ystod y tridiau o daith. Nid oes neb yn gofyn i ble'r oeddent yn mynd, na pham. Mewn ychydig eiriau, mae'r awdur yn cyfleu'r tensiwn, ond nid yw'n dweud dim am deimladau'r un o'r cymeriadau. O ystyried cynnwys ysgytwol y gorchymyn, mae'r cynildeb yn drawiadol.

Mae rhan helaethaf y drafodaeth ynghylch natur a diben y gorchymyn i aberthu yn deillio o'r adnod agoriadol: 'Rhoddodd Duw brawf ar Abraham. "Abraham," meddai wrtho, ac atebodd yntau, "Dyma fi"' (Gen. 22:1). Yn ôl yr esboniad traddodiadol, mae parodrwydd y tad i aberthu ei fab yn tystio i'w ffydd yn Nuw. Ond pa fath o Dduw fyddai'n gorchymyn i dad ladd ei fab? Pa fath o dad fyddai'n barod i wneud hynny heb fath o brotest? Pam na fyddai Abraham wedi codi ei lais yn erbyn bwriad Duw, ac o leiaf ei holi, fel y gwnaeth yn achos Sodom a Gomorra? Pam fod y mab yntau'n derbyn ei dynged gyda'r fath ostyngeiddrwydd?

I rai, y mae'r syniad o Dduw trugarog a graslon yn galw ar Abraham i gyflawni gweithred mor annynol yn gwbl wrthun. Onid oedd Abraham wedi dangos ei ffyddlondeb eisoes trwy adael ei dylwyth a'i deulu yn Haran, teithio i wlad na wyddai ddim amdani, ac yna enwaedu ei hun, ei feibion a'i weision? Prin fod angen prawf pellach. Mae Duw'n ymddangos yn fympwyol a chreulon. Ystyriaethau o'r fath sydd i gyfrif fod y stori wedi peri trafferth i genedlaethau o gredinwyr ac anghredinwyr fel ei gilydd. Dyna pam y cafodd pob dehongliad sy'n ceisio cyfiawnhau'r gorchymyn ei farnu'n hallt gan ladmeryddion Cyfnod yr Ymoleuo. Ymateb Immanuel Kant, un o hoelion wyth y cyfnod, oedd gwrthod credu mai llais Duw a glywodd Abraham. Gan fod y gorchymyn i ladd plentyn yn gwbl anfoesol, cyhudda ef y sawl sy'n ceisio gwneud synnwyr ohono o wyngalchu Duw. Cynnal a gwarantu'r gyfraith foesol a wna Duw; ni all fyth ei gwrth-ddweud.

Er mwyn cyfiawnhau cynnwys stori mor ddidrugaredd yn y Beibl, mae rhai ysgolheigion cyfoes yn honni mai diben yr awdur oedd protestio yn erbyn aberthu plant. Yn sicr, roedd yr arferiad hwn yn rhan o ddiwylliant yr hen Ddwyrain Canol yn gyffredinol, a chredir fod ganddo le hefyd yng nghrefydd gynnar Israel. Mae ufudd-dod parod Abraham yn awgrymu nad yw'n ystyried yr hyn y mae Duw yn ei orchymyn yn anghyffredin. Nid oes dystiolaeth eang o'r ddefod yn hanes yr Israeliaid, mae'n wir, ond ar un achlysur o leiaf fe barodd Manasse, brenin Jwda, 'i'w fab fynd trwy dân' (2 Bren. 21:6). I gryfhau'r ddadl, tynnir sylw at orchymyn Duw i'r genedl: 'Yr wyt i gyflwyno i mi dy fab cyntaf-anedig' (Ex. 22:29), er nad yw'r testun yn egluro beth yn hollol mae 'cyflwyno' yn ei olygu. Ond mae rhai o'r proffwydi'n condemnio'r arferiad yn ddidrugaredd. Meddai Jeremeia yn enw Duw: 'Ni orchmynnais hyn iddynt, ac ni ddaeth i'm meddwl iddynt wneud y fath ffieidd-dra, i beri i Jwda bechu' (Jer. 32:35. Gw. hefyd Jer. 7:31). Safbwynt tebyg sydd gan Eseciel: 'Pan gyflwynwch eich rhoddion, a gwneud i'ch plant fynd trwy'r tân, yr ydych yn eich halogi eich hunain â'ch holl eilunod' (Esec. 20:31). Caiff y ddefod ei chondemnio hefyd yn y Tora (Deut. 18:10; Lef. 18:21). Efallai mai ymgais yw stori aberthu Isaac i ddileu'r ddefod hon trwy ladd anifail yn lle plentyn yn unol ag Exodus 34:20: 'Yr wyt i gyfnewid pob cyntaf-anedig o'th feibion'.

Er gwaetha'r cyfeiriadau uchod, gwneir nifer o ymdrechion yn y traddodiad Iddewig i amddiffyn y testun. Un esboniad yw bod Abraham, yn rhinwedd ei swydd fel proffwyd (Gen. 20:7), wedi rhagweld na fyddai'n lladd ei fab. Sail yr eglurhad hwn yw'r addewid a wnaeth i'w weision. Wedi dweud wrthynt am aros gyda'r asyn tra byddai ef ac Isaac yn mynd i addoli, meddai: 'yna dychwelwn atoch' (22:5). Awgryma ffurf luosog y ferf ei fod yn gwybod y byddai Isaac yn goroesi, ac y deuai'r ddau ohonynt yn ôl at y llanciau. Yn ei lyfr *Fear and Trembling,* sy'n seiliedig ar y stori hon, mae'r athronydd Cristnogol Soren Kierkegaard yn gwneud pwynt digon tebyg. Ei eglurhad ef yw bod Abraham wedi ufuddhau'n ddiymdroi i'r gorchymyn i aberthu Isaac am ei fod yn gwbl hyderus na fyddai Duw byth yn gadael iddo wneud hynny.

Mae esboniad Iddewig arall yn beio Satan am y prawf trwy gymharu profiad Abraham â'r hyn a ddigwyddodd i Job (Job 1:6–12). Yn yr Hen Destament, un o'r 'bodau nefol' yw Satan. Ystyr yr enw yw 'Y Cyhuddwr' neu 'Y Gwrthwynebwr'. Fel gwas Duw, ei swydd yw tramwyo'r ddaear i sicrhau fod dynoliaeth yn bihafio. Fel yn achos Job, cwynodd Satan wrth Dduw fod ffydd Abraham yn ddiffygiol am iddo esgeuluso gwneud offrwm i fynegi diolch wedi genedigaeth

Isaac. Onid dyma brawf diymwad fod ei gariad at ei fab yn rhagori ar ei gariad at Dduw? Gwrthododd Duw'r cyhuddiad yn erbyn Abraham. Ond daliodd Satan ati. Er mwyn darganfod pa mor ddiffuant oedd cred ac ymgysegriad y patriarch, mae Satan yn herio Duw i roi prawf arno trwy orchymyn iddo aberthu ei fab. Yr unig ffordd i wrthbrofi'r cyhuddiad oedd cytuno i wneud hynny. Ond nid Duw a ewyllysiodd y prawf, Satan a'i mynnodd. Ceir dehongliad tebyg mewn troednodyn i stori'r aberth yn un o lyfrau gweddi'r Synagog. Defnyddir y gair 'prawf' yn lle 'aberth' i ddisgrifio'r digwyddiad, meddai'r esboniwr, er mwyn osgoi unrhyw gamddealltwriaeth ar ran y darllenydd fod Duw yn mynnu aberth dynol. Er nad yw'n dweud hynny wrth Abraham, rhoi prawf ar ei ffydd a'i ddidwylledd oedd y bwriad, nid gofyn am einioes Isaac.

Ymyrraeth Satan neu beidio, weithiau mae prawf neu demtasiwn o fudd i'r sawl sy'n cael ei brofi; caiff gyfle i ddysgu am ei gryfderau a'i wendidau. Ond yn ôl y stori hon, yr unig un sy'n elwa o'r prawf yw Duw ei hun. Mae adnod agoriadol y stori'n awgrymu ei fod yn gosod y prawf er mwyn cael gwybodaeth nad oedd ganddo gynt. Er iddo gredu bod Abraham yn ddidwyll, nid yw'n gwybod hynny. Ond erbyn y diwedd mae'n gwbl sicr. Meddai wrtho trwy ei angel, 'Gwn yn awr dy fod yn ofni Duw, gan nad wyt wedi gwrthod rhoi dy fab, dy unig fab, i mi' (Gen. 22:12). Cri o orfoledd yw'r ymadrodd Hebraeg a gyfieithir 'gwn yn awr'; mynegiant ydyw o lawenydd un sydd wedi profi gofal a chariad Duw mewn argyfwng. (Gw. e.e. Ex. 18:11; Sal. 20:6; 56:9). Mynegi ei lawenydd a wna Duw am fod ufudd-dod Abraham wedi cadarnhau ei ddidwylledd heb iddo aberthu ei fab.

Yr anwylyd

Dynodir yr un sydd i gael ei aberthu fel 'dy fab, dy unig fab Isaac, sy'n annwyl gennyt' (Gen. 22:2), disgrifiad sy'n tanlinellu gerwinder y gorchymyn. Ond mae hefyd yn amwys am ei fod yn gwrth-ddweud y ffeithiau. Nid Isaac yw unig fab Abraham. Beth am Ismael? A yw Duw wedi anghofio amdano? Pa un o'r meibion yw'r anwylaf? Isaac meddai

154

Iddewiaeth a Christnogaeth; Ismael meddai Islam gyfoes. Ond nid yw'r cwestiwn erioed wedi cael ateb boddhaol. Mae hunaniaeth yr anwylyd wedi achosi canrifoedd o anghydfod ac ymryson rhwng y crefyddau am fod etifeddiaeth Abraham yn y fantol.

Wrth gefnogi Isaac, mae'r rabiniaid yn dychmygu sgwrs rhwng Duw ac Abraham:
'Cymer dy fab.'
'Mae gennyf ddau fab.'
'Dy unig fab.'
'Mae'r ddau yn unig fab i'w fam.'
'Yr un sy'n annwyl gennyt.'
'Mae'r ddau yn annwyl gennyf.'
Yn y diwedd mae Duw'n torri'r ddadl trwy ddweud 'Isaac'. Y cyfiawnhad dros enwi Isaac yw bod Ismael wedi ei alltudio o'r teulu erbyn hyn; i bob diben nid yw bellach yn cyfrif fel mab i Abraham. At Isaac y mae'r testun yn cyfeirio meddai Cristnogaeth hefyd. Yn ôl y traddodiad cynharaf, 'Trwy ffydd, pan osodwyd prawf arno, yr offrymodd Abraham Isaac' (Heb. 11:17. Gw. hefyd Iag. 2:21).

Ceir disgrifiad o'r aberth ym mhennod 37:102–111 o'r Cwrân, ond nid yw'r testun yn adrodd fawr ddim o'r stori sydd tu cefn iddo. Nid oes sôn am y gweision, y lle, y coed, y tân, na'r gyllell. Serch hynny, mae'r tebygrwydd rhwng y fersiwn Islamaidd a'r adroddiad yn Genesis yn amlwg. Er na enwir y bachgen yn y Cwrân, caiff ei osod gan ei dad ar yr allor, ond fe'i harbedir trwy aberthu anifail yn ei le. Gellir cyfiawnhau'r diffyg manylder trwy ddweud fod y stori'n wybyddus i'r darllenwyr; nid oes angen manylu. Y wers ysbrydol, nid y manylion ffeithiol, sydd o bwys i gredinwyr. Canmolir Abraham am basio'r prawf a osododd Allah ar ei ffydd a'i ufudd-dod.

Datblygodd dau esboniad yn Islam ynglŷn â hunaniaeth y sawl a rwymwyd ar yr allor. Gan fod enw Isaac yn ymddangos droeon yn y stori wreiddiol (Gen. 22:3,6,7,9), mae un ohonynt yn cadw at eiriad y

Beibl Hebraeg. Y farn gyffredin am o leiaf ddwy ganrif wedi marwolaeth Mohamed oedd mai Isaac a olygid. Ond bellach, barn leiafrifol yw hon. Yn ôl y *Concise Encylopaedia of Islam*, 'It is usually accepted in Islam that the sacrifice was to be that of Ismael'. Yr ymresymiad yw bod Duw wedi gorchymyn i Abraham aberthu ei fab *cyn* geni Isaac, pan nad oedd ganddo ond un plentyn: 'Cymer dy fab, dy unig fab' (22:2). Yr Iddewon, meddai'r esbonwyr Islamaidd, oedd yn gyfrifol am ail-drefnu'r testun Beiblaidd gan ychwanegu enw Isaac at y gorchymyn gwreiddiol. Enghraifft arall yw hon, meddir, o'u hymgais fwriadol i wyrdroi'r Ysgrythur a throi'r dŵr i'w melin eu hunain. Erbyn hyn, mae pob Moslem yn argyhoeddedig mai Ismael, nid Isaac, a rwymwyd ar yr allor. Iddynt hwy, Ismael oedd yr anwylaf o'i feibion gan Abraham.

Pwnc trafod arall yw oed y bachgen. A chymryd mai Isaac a olygir, ni chawn wybod faint o amser sydd wedi pasio ers ei ddiddyfnu. Amrywia'r cynigion ynglŷn â'i oed rhwng chwech a thri deg a saith. Mae arlunwyr mawr y byd yn ei ddarlunio fel plentyn ifanc, yn sicr dan ddeg oed. Ond nid dyna y mae'r testun yn ei awgrymu. Mae'r bachgen yn ddigon cryf i gario'r coed, yn ddigon hen i wybod beth sy'n briodol fel aberth, ac yn ddigon aeddfed i ymresymu â'i dad trwy ofyn cwestiwn digon rhesymol iddo: 'Dyma'r tân a'r coed; ond ble mae oen y poethoffrwm?' (Gen. 22:7). Y rabiniaid sy'n awgrymu ei fod yn dri deg a saith. Sail y ddamcaniaeth yw'r gred mai'r sioc o glywed am y gorchymyn i aberthu Isaac oedd yn gyfrifol am farwolaeth ei fam, sef y digwyddiad nesaf yn y stori. Gan fod Sara'n naw deg ar enedigaeth ei mab, ac yn gant dau ddeg a saith pan fu farw (23:1), nid plentyn ifanc ond dyn yn ei oed a'i amser oedd Isaac pan gafodd ei rwymo ar yr allor.

Mynydd Moreia

Ar fynydd yng ngwlad Moreia y gwneir yr aberth. 'Ar y trydydd dydd cododd Abraham ei olwg, a gwelodd y lle o hirbell' (22:4). I'r sawl sy'n hyddysg yn iaith y Beibl, nid cyfeirio at ddyddiau ac oriau a wna'r 'trydydd dydd' ond at ddigwyddiad arbennig. Pan ddaeth yr Israeliaid i droed Mynydd Sinai wedi iddynt ddianc o'r Aifft, arweiniodd Moses hwy allan o'r gwersyll i gyfarfod â Duw 'ar fore'r trydydd dydd' (Ex. 19:16). Mewn cân sy'n mynegi sicrwydd cenedl edifeiriol o faddeuant am bechod a'i gobaith am y dyfodol, mae Hosea'n dyfynnu ei gyfoedion: 'Fe'n hadfywia ar ôl deuddydd, a'n codi ar y trydydd dydd, inni fyw yn ei ŵydd' (Ho. 6:2). Efallai mai'r ystyr confensiynol hwn i'r ymadrodd sydd wrth wraidd datganiad Paul fod Iesu wedi cael 'ei gladdu, a'i gyfodi y trydydd dydd, yn ôl yr Ysgrythurau' (1 Cor. 15:4).

Roedd enwi mannau lle profodd y patriarchiaid bresenoldeb y duwdod yn hollbwysig yn yr hen fyd. Y cysylltiad rhwng lle a'r datguddiad o Dduw a wnâi pob cysegr yn ganolfan grefyddol i genedlaethau diweddarach. Enghreifftiau amlwg yw Bethel a Penuel (Gen. 28:10–19; 32:22–30). Yn yr achos hwn, fodd bynnag, nid yw'r testun yn enwi safle penodol ond yn hytrach yn cyfeirio'n benagored at 'wlad Moreia'. O gofio pa mor sylfaenol i hanes Israel oedd yr hyn a ddigwyddodd yno, mae'n syndod nad oes gennym wybodaeth fwy manwl.

Yr unig enghraifft arall o'r enw 'Moreia' yn y Beibl yw sylw'r Croniclydd wrth iddo ddisgrifio arwyddocâd y fan a ddewiswyd i godi'r Deml: 'Dechreuodd Solomon adeiladu tŷ'r ARGLWYDD yn Jerwsalem ar Fynydd Moreia, lle'r oedd yr Arglwydd wedi ymddangos i'w dad Dafydd' (2 Cron. 3:1). Os mai cyfeirio at yr un lle y mae'r Croniclydd a Llyfr Genesis, oni fyddai'n fwy naturiol i'r awdur olrhain pwysigrwydd y safle i Abraham yn hytrach nag i Dafydd? A pheth arall: taith diwrnod (tua ugain milltir), nid tri diwrnod, yw Jerwsalem o Hebron, lle cychwynnodd Abraham.

Tybia rhai esbonwyr mai ychwanegiad diweddarach at hanes aberthu Isaac yw'r cyfeiriad at Moreia, er mwyn cysylltu Abraham gyda phrif gysegr Iddewiaeth, sef Bryn y Deml yn Jerwsalem. Yn y traddodiad Iddewig, Mynydd Seion yw Mynydd Moreia. Pa sail bynnag sydd i'r ddamcaniaeth hon, y graig o dan y gromen *(Dome of the Rock)* a godwyd gan un o arweinwyr cynnar Islam yn y seithfed ganrif ar olion y Deml yw safle traddodiadol allor Abraham mewn Iddewiaeth. Yn ôl y traddodiad Islamaidd, i Arabia yr aeth Abraham i aberthu ei fab. Lleolir Mynydd Moreia yn y mosg enfawr yng nghanol Mecca.

Mae Cristnogion yn dilyn trywydd gwahanol. Heb fod ymhell o olion y Deml, a'r cysegr Islamaidd a gymerodd ei lle, mae eglwys a godwyd gan yr ymerawdwr Cystennin yn y bedwaredd ganrif i nodi'r fan lle cafodd Iesu ei groeshoelio a'i gladdu, sef Eglwys y Beddrod Sanctaidd. Mewn un rhan ohoni, ceir tri mosäig mawr ar y mur: yn y canol, Mair Magdalen wrth y bedd; ar y chwith, Iesu yn cael ei dynnu oddi ar y groes; ac ar y dde, Abraham ar fin aberthu Isaac. Neges y brithwaith yw mai rhaglun neu ragfynegiad o fywyd a marwolaeth Crist yw stori Isaac. Gwêl y tadau eglwysig debygrwydd trawiadol rhwng y ddau adroddiad: angel yn cyhoeddi genedigaeth wyrthiol y ddau blentyn, y ddau yn derbyn eu tynged heb fath o brotest, yr offer ar gyfer eu marwolaeth ar ysgwyddau'r ddau – Isaac yn cario coed i gynnau'r tân ac Iesu'n cario'i groes. Dyna pam y mae'n arferiad mewn rhai eglwysi Cristnogol i ddarllen stori aberthu Isaac yn y gwasanaeth boreol ar Ddydd Gwener y Groglith. Casgliad anochel y Cristnogion cynnar oedd mai ar Fryn Calfaria, nid ar Fryn y Deml, nac yn Mecca, yr adeiladodd Abraham ei allor.

Angel gwarcheidiol
Ar y funud olaf, caiff Isaac ei achub gan yr angel: 'Abraham! Abraham! ... Paid â gosod dy law ar y bachgen' (Gen. 22:11–12). Am iddo gael ei arbed rhag marwolaeth, mae'r Iddewon yn cyfeirio at y digwyddiad fel 'Rhwymo Isaac', yn hytrach na'i aberthu. Ond mae adnod olaf y stori (22:19) yn awgrymu na wnaeth Abraham atal ei law. Sylwer mai'r trydydd person unigol, nid y lluosog, yw'r ferf yn yr adnod honno: 'Yna dychwelodd Abraham at ei lanciau'. Nid oes sôn am Isaac. Nid yw hynny o reidrwydd yn golygu na ddaeth yn ôl. Ond am na chyfeirir ato, mae rhai'n tybio mai ar ei ben ei hun y daeth Abraham yn ôl ac yn gofyn felly: Pam nad oedd Isaac gyda'i dad? Beth a ddigwyddodd iddo? Yn ôl un traddodiad Iddewig, fe'i lladdwyd ar yr allor. Canmolodd Duw ffydd Abraham wedi'r aberth, ac addo ei fendithio am iddo gyflawni'r

gorchymyn 'heb wrthod rhoi' ei fab (22:16). Yn ôl y traddodiad hwn, ystyr 'rhoi' yn y cyd-destun yw bod Abraham wedi lladd Isaac, ac wedi gwylio'r tân yn difa'i gorff. Ond sut, felly, mae esbonio'r cyfeiriad at Dduw'n paratoi hwrdd i gymryd lle Isaac? A beth am dystiolaeth y penodau canlynol sy'n dweud ei fod nid yn unig wedi goroesi, ond hefyd wedi priodi, cael plant, a sicrhau llinach i Abraham yn ôl addewid Duw? Sut mae cysoni'r ddau adroddiad, y naill yn honni iddo gael ei aberthu a'r llall ei fod yn fyw? Yn ôl y rabiniaid, gwneir hynny trwy gredu i Isaac gael ei atgyfodi ar ôl treulio tair blynedd ym mharadwys: gwobr gan Dduw oedd yr atgyfodiad am iddo wrthod gadael i'r profiad ar Fynydd Moreia greu chwerwedd yn ei galon tuag at ei dad.

Mae'r stori'n diweddu gyda'r angel yn ailadrodd yr addewid sy'n clymu'r hanesion am Abraham wrth ei gilydd. Rhoddodd Duw brawf ar ei ffydd a'i ddidwylledd amryw o weithiau; ond dyma'r prawf olaf, a dyma'r tro olaf hefyd iddo siarad ag Abraham. Yng ngeiriau'r angel, ceir cadarnhad o'r addewidion a wnaed sawl gwaith yn ystod y stori. Ond y tro hwn mae'r mynegiant yn gryfach nag yn yr enghreifftiau blaenorol. A sylwer fod ffydd ac ufudd-dod yn cael eu gwobrwyo gydag addewid ychwanegol: sicrhad o fuddugoliaeth dros elynion (20:17). Yn ogystal â chadarnhau ffyddlondeb Abraham, gellir dirnad pwrpas pellach i'r stori, sef dangos fod Duw'n cadw ei addewid, ac yn galw ar gredinwyr i edrych yn hyderus i'r dyfodol.

Cwestiynau i'w trafod

1. Ym mha ffyrdd y mae Duw'n rhoi prawf ar ffydd ei blant?

2. Mae parodrwydd Abraham i ufuddhau i'r gorchymyn i aberthu ei fab yn benbleth i esbonwyr. A fyddem ni'n barod i ddilyn esiampl ein cyndadau Cristnogol a lladd yn enw Duw?

3. Pam y cafodd stori, a ystyrir gan rai yn stori mor wrthun, ei chynnwys yn y Beibl?

20. Angladd a Phriodas
Genesis 22:20–24; 23:1–20; 24:1–10

Enw'r ffordd sy'n arwain o Jerwsalem trwy fynydd-dir Jwda i Beerseba yw Ffordd y Patriarchiaid. Yn y gorffennol pell, dyma lwybr y cyndadau Iddewig ar eu taith o Galilea i'r de. Ar ei hyd yr aeth Abraham pan ymfudodd o Bethel i'r Aifft. Ar y ffordd i'r de o Jerwsalem, y ddinas nesaf o unrhyw faint ar ôl Bethlehem yw Hebron. Enw arall arni yn y Beibl yw Ciriath-arba, 'dinas y pedwar', sy'n golygu un ai dinas yn cynnwys pedair ardal, neu ddinas ar groesffordd bwysig. Ei harwyddocâd diwinyddol yw'r cysylltiad rhyngddi a'r patriarchiaid, yn enwedig Abraham, yn nhraddodiadau'r tair crefydd undduwiol. Ei henw mewn Arabeg yw El Khalil, sy'n golygu 'y cyfaill' am fod y Cwrân yn dilyn y Beibl (2 Cron. 20:7) trwy ddisgrifio Abraham fel 'cyfaill Duw'. Tarddiad yr enw Hebraeg 'Hebron' yw'r gair *chaber,* sydd hefyd yn golygu 'cyfaill'. Ym mhroffwydoliaeth Eseia, mae Duw'n cyfarch cenedl Israel fel 'had Abraham, f'anwylyd' (Eseia 41:8).

I'r Iddew, Hebron yw'r ail ddinas sanctaidd ar ôl Jerwsalem. Mae'n hawlio ei safle arbennig am fod Abraham wedi codi allor yno (Gen. 13:18), ond yn bennaf am mai yno y claddwyd nid yn unig Abraham a Sara, ond hefyd Isaac, Rebeca, Jacob a Lea (Gen. 49:29–32). Gwelir hyd heddiw sylfaen y mur a gododd Herod Fawr tua 20 CC i warchod y beddrod rhag ysbeilwyr ac i sicrhau diogelwch pererinion. Ond am ganrifoedd, bu ymladd hyd at waed i gael meddiant o'r cysegr. Er bod Steffan, y merthyr Cristnogol cyntaf, yn dweud yn ei araith gerbron y Sanhedrin mai yn Sichem y claddwyd y patriarchiaid (Ac.7:16), alltudiodd yr Ymerodraeth Rufeinig yr Iddewon o Hebron, a chodi eglwys yno ar olion adeilad Herod i gofio'r cyndadau.

Ond ni fu Hebron yn gysegr Cristnogol yn hir. Ar ei ffordd o Mecca i Jerwsalem, ymwelodd y proffwyd Mohamed â'r ddinas er mwyn cydnabod ei ddyled i Abraham. I goffáu'r ymweliad, dinistriodd ei ddilynwyr yr eglwys. Adeiladwyd mosg dros y bedd, a dyrchafwyd Hebron yn bedwaredd ddinas sanctaidd Islam. Serch hynny, rhoddwyd caniatâd i'r Iddewon i ddychwelyd yno ac addoli mewn rhan arbennig o'r cysegr. Heddiw, mae'r mosg a'r libart o'i amgylch yn ddigon mawr i gynnwys deng mil o addolwyr ar ddydd gŵyl. Gan fod y beddrod dan y mosg, nid oes gan archaeolegwyr hawl i gloddio. Rhaid bodloni ar yr hyn a ddywed y traddodiad, ac anwybyddu araith Steffan.

Llwyddodd Iddewon a Moslemiaid i fyw'n heddychlon yn Hebron am ganrifoedd. Ond er dechrau'r ugeinfed ganrif, mae enw'r ddinas yn gyfystyr ag eithafrwydd crefyddol. Yma y mae'r elyniaeth rhwng Iddew a Moslem yn fwyaf amlwg. Ym mis Awst 1929, lladdwyd dros chwe deg o'i thrigolion Iddewig yn sgil cythrwfl enbyd yn Jerwsalem ynghylch meddiant Mur yr Wylofain, man cysegredig i Iddewiaeth ac Islam. Yn 1994, aeth Iddew uniongred i'r mosg yn Hebron ar awr weddi a saethu'n farw naw ar hugain o Foslemiaid a oedd yn penlinio o'i flaen; anafwyd yn ddifrifol dros gant arall. Yn 1997, rhannwyd y ddinas yn ddwy. Heddiw mae dros ddau gan mil o Foslemiaid mewn un rhan, a thua mil o Iddewon yn y rhan arall. Lleiafrif nad oes croeso iddynt yw'r Iddewon, sy'n byw y tu ôl i wrthglawdd cadarn yn rhan fwyaf hynafol y ddinas. Er mai prin ugain milltir sydd o Jerwsalem i Hebron, mae'n daith o leiaf awr mewn car am fod chwe rheolfa neu *check-point* ar y ffordd. Erbyn hyn, mae beddrod y patriarchiaid wedi ei leoli yn un o ddinasoedd peryclaf y byd.

Dwy neges

Wedi aberthu Isaac, nid i Hebron at ei wraig yr aeth Abraham ond i Beerseba (Gen. 22:19). A derbyn bod Mynydd Moreia'n gyfystyr â Mynydd Seion, byddai raid iddo, i gyrraedd Beerseba o Jerwsalem, fynd trwy Hebron lle'r oedd Sara'n byw. Gan nad oes sôn iddynt weld ei gilydd, cymerir yn ganiataol un ai iddo lwyddo i lithro trwy Hebron yn ddiarwybod, neu iddo ychwanegu milltiroedd yn fwriadol at ei daith er mwyn osgoi'r ddinas. Nid yw'r Beibl yn ein goleuo. Tybed a oedd arno ofn wynebu ei wraig a dweud wrthi beth a ddigwyddodd, ac yntau heb ymgynghori â hi ynglŷn â'r gorchymyn a gafodd i aberthu ei fab? Gwyddom ddigon am bersonoliaeth Sara i ddychmygu pa mor ffyrnig fyddai'r ymateb. Am ba reswm bynnag, ni allai dewis Abraham i beidio â dychwelyd adref wedi profiad mor ysgytwol wneud dim i gryfhau'r berthynas rhyngddynt.

Ond cyn iddo gael cyfle i ymgartrefu yn Beerseba, daeth dau negesydd at ddrws ei babell, y naill o Haran a'r llall o Hebron. Y newydd o Haran oedd bod ei frawd, Nachor, erbyn hyn yn dad i ddeuddeg o feibion. Estyniad o achau Tera yn Genesis 11:26–27 yw'r rhestr enwau ar ddiwedd pennod 22. Ni all y wybodaeth fod dyfodol teulu ei dad yn ddiogel ond codi calon Abraham, oherwydd gwyddai na fedrai ef ei hun wneud fawr ddim cyfraniad at barhad y teulu. Yn ôl y rhai sy'n credu ei fod wedi lladd Isaac ar yr allor, gweision yn unig oedd ganddo yn Beerseba; dim gwraig, na mab, na nai. Byddai'r newydd am deulu enfawr Nachor yn falm i'w enaid am ei fod yn sicrhau parhad llinach Tera. Ond mae arwyddocâd arbennig yn perthyn i un enw yn y rhestr, Rebeca merch Bethuel. Bwriad yr awdur wrth ei henwi yw paratoi'r darllenydd ar gyfer digwyddiad pwysig ymhellach ymlaen.

Newydd drwg oedd gan y negesydd o Hebron. Roedd Sara wedi marw. Er nad yw'r Beibl yn dweud wrthym faint o amser oedd rhwng aberthu Isaac a marwolaeth ei fam, mae'r traddodiad Iddewig yn gweld cysylltiad rhyngddynt. Bu Sara farw o dor calon wedi clywed beth a ddigwyddodd ar Fynydd Moreia. Pan gafodd Abraham y newydd, aeth i Hebron yn ddi-oed i alaru ac i wylo amdani. Mae Martin Luther yn ei ganmol am wylo. Dangos a wna ei ddagrau, meddai, pa mor deimladwy a chalondyner oedd y patriarch. Tystiant hefyd i'r cariad oedd ganddo tuag at ei wraig. Rhinwedd yng nghymeriad unrhyw un yw'r gallu i wylo, nid yn unig mewn profedigaeth bersonol, ond yn wyneb trybini eraill. Ni ddylai neb ymddiheuro am ddangos eu teimladau trwy ddagrau.

Bargeinio am fedd

Pan ddaeth y cyfnod galar i ben, aeth Abraham at ei gymdogion er mwyn cael bedd i Sara. Dim ond wedi iddi farw y mae'n chwilio am gartref parhaol iddi; yn ystod ei hoes bu raid iddi fod yn barod i symud o le i le. Ond gŵyr Abraham nad oes ganddo, fel crwydryn, hawl ar y darn lleiaf o dir. Os yw am roi angladd teilwng i'w wraig, rhaid iddo fynd ar ofyn pobl y wlad. Yng ngŵydd henuriaid Hebron, mae'n cydnabod ei statws: 'Dieithryn ac ymdeithydd wyf yn eich mysg' (23:4), sy'n awgrymu nad oedd erioed wedi teimlo'n gartrefol yng Nghanaan. Llwyddodd i gael ei ddymuniad, ond nid heb drafod y pris. Mae'r bargeinio'n dechrau ym mhorth y ddinas gydag Abraham yn gwneud cais cyffredinol am 'hawl ar fedd' yn eu plith (23:4). Mater cyhoeddus, a fyddai o ddiddordeb i bawb, oedd prynu tir i greu mynwent. Yn union fel y gweir heddiw gais cynllunio am ganiatâd i godi neu newid adeilad, rhaid i Abraham fynd ar ofyn yr henuriaid. Mae'r trigolion yn cytuno ar unwaith ac yn cynnig iddo'r bedd gorau (23:6). Pwy fedrai wrthod un a oedd wedi byw ar gyrion y ddinas am flynyddoedd, ac a gyfrifid gan bawb fel 'tywysog nerthol' (23:6)? Ond nid oes sôn am dâl.

Gŵyr Abraham am ddull y Dwyrain o fargeinio. Yn unol â moes a defod gymdeithasol, disgwylid i'r gwerthwr ymateb i ddechrau trwy gynnig fel rhodd beth bynnag a ofynnai'r prynwr amdano. Dim ond ymhellach ymlaen, ac ar ddamwain fel petai, y deuai gwerth ariannol y pryniant yn rhan o'r sgwrs. Felly, gan mai ei fwriad yw prynu'r tir, mae Abraham yn mynd â'r drafodaeth gam ymhellach. Mae wedi gosod ei fryd ar ogof Machpela. Roedd claddu'r meirw mewn ogofau yn dal yn arferiad yn amser Iesu. Er iddo gael cynnig bedd ym mynwent yr Hethiaid, un o lwythau'r Canaaneaid, mae Abraham yn awyddus i warchod hunaniaeth ei deulu trwy gael beddrod ar wahân i drigolion Hebron. Mae'n gofyn i'r Hethiaid gefnogi ei gais i gael am y pris llawn yr ogof ar fferm Effron. Er mawr syndod i Abraham, mae Effron yn barod i werthu nid yn unig yr ogof ond y tir o'i chwmpas hefyd, gan ychwanegu fod y llecyn yn fargen am y pris. Wedi i'r prynwr dderbyn y telerau heb brotest, cadarnheir y gwerthiant yn swyddogol trwy restru cynnwys y cytundeb ym mhresenoldeb tystion.

Adroddiad manwl o hawl cyfreithiol Abraham ar ddarn o dir yw'r stori. Yn naturiol, mae hyn yn rhoi lle arbennig iddi yn hanes Israel. Ond mae iddi arwyddocâd pellach yn niwylliant a diwinyddiaeth yr Iddew. Adnod yn y stori hon yw sail un o arferion galar cyfoes Iddewiaeth Uniongred. Wedi iddo dreulio amser yn wylo am ei wraig, 'cododd Abraham o ŵydd y marw' (23:3), sy'n awgrymu iddo orwedd neu eistedd i alaru. Un o ddefodau galar pwysicaf yr Iddewon yw 'Cadw *Shifa*', sef y gair Hebraeg am 'saith'. Yn dilyn profedigaeth, disgwylir i alarwyr aros gartref am saith niwrnod wedi'r angladd, ac eistedd ar stôl neu gadair isel, neu hyd yn oed ar lawr, wrth dderbyn ymwelwyr. Cedwir *Shifa* wedi marwolaeth saith perthynas: mam a thad, brawd a chwaer, mab a merch, a phriod.

Gwneir defnydd o stori Machpela hefyd yn y gwasanaeth priodas Iddewig. Dehonglir prynu'r ogof fel arwydd o gariad Abraham at Sara. Y pryniant yw sail y syniad ymysg Iddewon Uniongred fod gŵr yn 'prynu' ei wraig gyda modrwy aur wrth ei phriodi. Am iddi gael ei 'pherchenogi' trwy briodas, i'w gŵr yn unig y mae'r wraig yn perthyn. Pa mor annerbyniol bynnag yw'r fath syniad yn y byd modern, y mae'r gŵr, wrth roi'r fodrwy ar fys ei wraig yn y gwasanaeth priodas, yn datgan ei fod yn ailadrodd gweithred Abraham o gyfnewid arian am faes Effron.

Yn hytrach na dilyn trywydd y traddodiad Iddewig sy'n chwilio am sail defodau crefyddol, mae gan esbonwyr cyfoes fwy o ddiddordeb mewn ceisio dirnad ystyr y stori yn ei chyd-destun gwreiddiol. Pam fod yr awdur yn manylu ar gynnwys y cytundeb rhwng Abraham a'r Hethiaid? Oni fyddai'n ddigon iddo ddweud bod Sara wedi marw ac iddi gael ei chladdu yn Hebron? Y farn gyffredinol yw mai diben y stori yw dangos fod y cam cyntaf wedi ei gymryd i gyflawni'r addewid o wlad i Abraham a'i ddisgynyddion, yr addewid a wnaed ar ddechrau'r hanes yn Genesis 12. Dangos a wna'r trefniant sut y cafodd ffydd ac ufudd-dod eu gwobrwyo. Gan ei fod yn berchen ar faes Effron ac ogof

Machpela, nid dieithryn ac ymdeithydd fyddai Abraham mwyach. Er mai ei ddymuniad oedd prynu lle i gladdu ei wraig, mae'r pryniant hefyd yn rhoi iddo hawl cyfreithiol ar o leiaf ddarn bychan o wlad Canaan. Mae dod yn berchen ar dir yn Hebron yn sicrhau lle parhaol iddo ef a'i ddisgynyddion yn y wlad a addawodd Duw iddo. Defnyddia'r awdur hyd yn oed farwolaeth y fam i ysbrydoli ei ddarllenwyr i gredu yn y Duw sy'n cadw'i addewidion. Nid digwyddiad dibwys a groniclir yma. Y mae i feddiannu'r darn lleiaf o dir ystyr ddiwinyddol o bwys. Dyna pam y neilltuir pennod gyfan i ddangos sut y daeth y tir i ddwylo Abraham.

Gweithred olaf Abraham

Gobaith pob rhiant yw y bydd eu plant, os am briodi, yn dewis y person 'iawn'. Mae hyn yn ddealladwy am fod llwyddiant yr uniad a hapusrwydd y teulu'n dibynnu ar allu'r partneriaid i gyd-fyw'n gytûn. Yn niwylliant y Gorllewin, mae dewis cymar yn nwylo'r sawl sy'n priodi. Ond mewn rhannau eraill o'r byd, y rhieni sy'n dewis cymar i'w plentyn, ac aelod o'r teulu estynedig a ddewisir yn aml iawn. Weithiau, os yw'r arferiad yn achosi tensiwn o fewn y teulu, caiff y briodas sylw yn y cyfryngau a'i chondemnio fel 'priodas orfodol'. Serch hynny, bu cyfrifoldeb y rhieni i drefnu priodas y plant yn un o nodweddion diwylliant y Dwyrain Canol er cyn cof.

Roedd y trefniant yn bodoli yng nghyfnod y patriarchiaid. Dyletswydd Abraham, fel pob tad, yw cael gwraig i Isaac. Ar wahân i gymryd gwraig arall iddo'i hun, dyma ei weithred olaf ac yma hefyd y clywir ei eiriau olaf. O hyn allan, rhan fechan iawn fydd iddo yn y stori: gwas dienw, ac yna Isaac a Rebeca fydd y prif gymeriadau. Ond mae'r gorchymyn a rydd i'w was fynd i chwilio am gymar delfrydol i'w fab yn weithred allweddol yn hanes y teulu. Rhaid i'r gwas wneud dau addewid.

Yn gyntaf, *peidio â dewis merch o Ganaan*, ond mynd yn ôl i Haran a chael gwraig o blith disgynyddion Tera, teulu estynedig ei feistr. (Dilynir yr un patrwm yn achos Jacob, mab Isaac. Ar orchymyn ei fam, aeth yntau i Haran i gael gwraig. Dychwelodd gyda dwy: Lea a Rachel, merched Laban, ŵyr Nachor, brawd Abraham.) Yn ail, os yw'r ferch yn gwrthod gadael ei theulu, rhaid i'r gwas addo *peidio â mynd ag Isaac i Haran*. Nid yw'r etifedd, ar unrhyw gyfrif, i adael Canaan, oherwydd petai'n mynd i fyw i Haran, byddai'n diddymu'r bererindod a wnaeth ei dad. Rhaid iddo aros yng ngwlad yr addewid, i'w meddiannu a'i hamddiffyn. Nid oedd dim gwrthwynebiad i Isaac a'i deulu fyw ochr yn ochr â'r Canaaneaid, a chymysgu â hwy trwy fargeinio a marchnata. Ond nid oeddent fyth i anwybyddu'r gwahaniaeth rhyngddynt a'u cymdogion. Dyletswydd bennaf Isaac oedd gwarchod hunaniaeth plant Abraham.

Mae'n amlwg fod ei dad yn rhoi llawer mwy o bwyslais ar gadw Isaac yng Nghanaan nag ar sicrhau gwraig addas iddo. Yn ystod misoedd olaf ei fywyd, yr hyn a gaiff y lle blaenaf ym meddwl Abraham yw parhad y teulu yn y wlad a fydd yn gartref i'w ddisgynyddion. Ufuddhaodd y gwas i'r gorchymyn trwy osod 'ei law dan glun ei feistr' (23:9). Gair llednais yw 'clun' am yr organau cenhedlu gwrywaidd. Wrth alw ar ei was i gyffwrdd â'r rhan o'i gorff a oedd yn ffynhonnell bywyd ac yn arwydd o'r cyfamod trwy'r enwaediad, roedd Abraham yn tanlinellu pwysigrwydd yr addewid. (Ceir enghraifft arall o'r ddefod yn Genesis 47:29.) Wedi gwneud yn ôl y gofyn, aeth y gwas ar ei union i Haran gyda chamelod yn llwythog o anrhegion. Dychwelodd i Ganaan gyda Rebeca, merch Bethuel fab Nachor. Bu'r siwrnai faith i chwilio am wraig yn llwyddiant digymysg, oherwydd 'Carodd Isaac Rebeca, ac felly cafodd gysur ar ôl marw ei fam' (Gen. 24:67).

Caiff Abraham ei farnu gan rai am wrthod gadael i Isaac briodi merch leol; arwydd digamsyniol, meddir, o'i agwedd nawddoglyd at y Canaaneaid. Mae Tacitus, hanesydd Rhufeinig o'r ganrif gyntaf OC, yn cyhuddo Iddewon ei gyfnod o'r un peth. Arwydd, meddai yntau, yw rheolau megis cadw'r Saboth, gwahardd rhai bwydydd, a phriodi o fewn y genedl, o agwedd wrthgymdeithasol, neu hyd yn oed 'gasineb tuag at yr hil ddynol'. Ond bwriad Abraham oedd darganfod ffordd i gydfyw gydag estroniaid heb ymdoddi'n llwyr i'r gymdeithas. Ofn cymysgu crefyddau, a thrwy hynny golli hunaniaeth, oedd wrth wraidd gwrthod merch o Ganaan.

Caiff yr egwyddor o osgoi perthynas agos â'r Canaaneaid ei chadarnhau yng Nghyfraith Moses: 'Paid â gwneud cytundeb priodas â hwy trwy roi dy ferched i'w meibion a chymryd eu merched yn wragedd i'th feibion' (Deut. 7:3). Y polisi hwn sy'n gyfrifol, o leiaf i raddau, am oroesiad Iddewiaeth. Yn ystod yr Oesoedd Canol Diweddar, cafodd diwylliant a chrefydd yr Iddew eu gwarchod gan furiau'r geto a phenderfyniad y trigolion i wrthod ymdoddi i'r gymdeithas o'u cwmpas. Ond dros y canrifoedd, tybed faint o blant, yn Iddewon, Cristnogion a Moslemiaid, a dorrwyd allan o'r teulu gan eu rhieni am briodi y tu allan i'w crefydd?

Cwestiynau i'w trafod

1. Pa mor dderbyniol yn y byd modern yw'r arferiad o rieni'n dewis priod i'w plentyn?

2. Beth sydd i gyfrif fod mannau cysegredig sy'n gyrchfan i bererinion, megis Bedd y Patriarchiaid yn Hebron, ac Eglwys y Beddrod Sanctaidd a Bryn y Deml yn Jerwsalem, yn arwain at gynnen, a hyd yn oed drais, ymysg credinwyr?

3. Ym mha ystyr y mae'r Cristion yn 'ddieithryn ac ymdeithydd' (Gen.23:4; Heb. 11:13) yn y byd hwn?

21. Etifeddiaeth Abraham
Genesis 25:1–18

Mae'n amlwg o gofio cynifer o benodau a neilltuir iddi, a'r lle amlwg sydd iddi ar ddechrau'r Tora, fod stori Abraham yn greiddiol i'r genedl Iddewig. Ond er gwaethaf yr arwyddocâd diwinyddol a fydd i'r patriarch o fewn tair crefydd maes o law, daw ei hanes i ben yn yr adran hon sydd fel pe bai'n ddim mwy nag ôl-nodyn i'r stori gyfan. Cawn yr argraff fod gan yr awdur fwy o ddiddordeb yn y dyfodol nag yn y gorffennol. Pedair adnod yn unig sy'n disgrifio marwolaeth Abraham a'i angladd yn Hebron. O boptu'r adroddiad ceir cyfeiriadau at ei ddisgynyddion, sef plant Cetura a phlant Ismael. Ond o hyn allan, Isaac fydd y prif gymeriad. Ef sy'n gwisgo mantell yr un a ddewisodd Duw i fendithio'i greadigaeth. Ei blant ef fydd yn gyfrifol am sicrhau mai bendith ac nid melltith a ddaw i ddynoliaeth trwy Abraham.

Meibion Cetura

Mae rhyw ddirgelwch yn perthyn i Cetura. Ni chyfeirir ati yn y Beibl ond yma yn Genesis 25 ac yn 1 Cronicl 1:28, lle disgrifir hi nid fel gwraig Abraham ond fel un o'i ordderchwragedd. Beth bynnag oedd y berthynas rhyngddynt, ni ddywedir yma *bryd* y cymerodd Abraham 'wraig arall' (Gen. 25:1). Ai cyn marwolaeth Sara ynteu wedi hynny? Os mai wedi marw Sara yw'r ateb, mwynhaodd Abraham flynyddoedd o fywyd priodasol ffrwythlon. Er iddo gael ei farnu'n hallt gan Calfin am ei anniweirdeb yn ailbriodi a chasglu gordderchwragedd, mae Luther yn ei ganmol. Nid anlladrwydd, meddai hwnnw, oedd y sbardun ond ffydd yng ngair Duw y byddai'n 'dad i lu o genhedloedd' (17:4). Hynny yw, dyhead am weld cyflawniad corfforol yr addewid, yn ogystal â'i gyflawniad ysbrydol, a arweiniodd Abraham i ailafael yn ei fywyd teuluol.

Ond mae'n anodd cysoni'r ffaith iddo genhedlu llawer mwy o blant gyda'i ddiffyg hyder yn yr addewid am etifedd. Deugain mlynedd yn gynharach, wedi clywed y byddai Sara'n beichiogi o fewn ychydig fisoedd, 'chwarddodd ynddo'i hun, a dweud, "A enir plentyn i ŵr canmlwydd oed?"' (17:17). Roedd cyfnod cenhedlu plant wedi hen fynd heibio. Yr unig ffordd i ddeall yr anghysondeb yn y testun yw cofio mai prif amcan yr awdur trwy gydol y stori oedd sicrhau parhad y traddodiadau amrywiol am Abraham, nid cyflwyno cofiant cyson, digyfnewid.

Diben enwi plant Cetura yw esbonio i genhedlaeth ddiweddarach y berthynas rhwng Arabia ac Israel. I'r sawl sy'n dyfalu pwy yw'r llwythau Arabaidd ar ffin ddeheuol teyrnas Dafydd a Solomon, rhai ohonynt yn bartneriaid masnachol, yr ateb yw: disgynyddion Abraham a'i drydedd wraig. Ond o safbwynt Israel fel cenedl etholedig Duw yn tarddu o Abraham, cynrychioli *cul de sac* a wna meibion Cetura. Tra bo statws unigryw Isaac fel plentyn yr addewid yn cael ei gydnabod wrth ddweud iddo etifeddu 'holl eiddo' ei dad (25:5), anrhegion yn unig a gafodd y lleill. I osgoi anghydfod ar ôl ei farwolaeth, rhoddodd Abraham yr anrhegion 'tra oedd eto'n fyw'; ac er mwyn sicrhau na fyddai neb yn cystadlu ag Isaac am ei etifeddiaeth, aeth ymhellach trwy anfon ei hanner brodyr 'draw i wlad ddwyreiniol' (25:6). Serch hynny, mae bodolaeth meibion Cetura'n gwireddu'r addewid y bydd disgynyddion Abraham mor lluosog â sêr y nefoedd a'r tywod ar lan y môr. Mynegiant yw'r anrhegion o'r tensiwn yr ymdeimlai'r awdur ag ef rhwng y ddyletswydd i nodi statws arbennig y genedl etholedig a'r haelioni sy'n cofleidio pob cenedl.

Angladd Abraham

Erbyn diwedd ei oes, roedd Abraham wedi cyrraedd pinacl ei yrfa. Yr oedd ganddo eiddo ac etifedd. Enynnodd barch brenhinoedd paganaidd. Sefydlodd amryw o gysegrfeydd, a chafodd oes hir. Serch hynny, mae'n anniogel. Yn lle cael ei wlad ei hun, fel yr addawodd Duw, roedd wedi treulio'i fywyd yn crwydro'n ddigartref ymysg estroniaid, yn berchen ar ddim ond digon o dir i'w gladdu ef a'i deulu. Anadlodd ei anadl olaf union ganrif wedi iddo adael Haran, a bron ddeugain mlynedd wedi marwolaeth Sara. Ond er iddo briodi eto, a chenhedlu llawer mwy o blant wedi claddu Sara, nid oes gyfeiriad ato'n gwneud dim pellach am weddill ei oes, ar wahân i anfon ei was i chwilio am wraig i Isaac.

Claddwyd Abraham, meddai'r stori, 'gyda'i dylwyth' (25:8) yn ogof Machpela. Nid yw'r cyfeiriad at ei dylwyth yn ffeithiol gywir gan mai yn Haran yr oedd bedd ei dad a'i deulu; Sara yn unig oedd ym Machpela. Ai awgrym sydd yma o obaith am wynfyd y tu draw i'r bedd? Yng nghyfnod cynnar Israel, y wobr am fywyd dilychwin o wneud ewyllys Duw oedd cyfoeth materol, llu o ddisgynyddion, marw'n heddychol mewn oedran teg, a lle ym meddrod y teulu. Nid oedd y syniad o wynfyd fel gwobr i'r duwiol yn bodoli. Tynged yr enaid oedd ymuno â'r meirw yn Sheol neu Hades, y byd tanddaearol, y pwll tywyll diwaelod. Roedd y sawl a syrthiai iddo'n colli pob cysylltiad â Duw. Dyna pam y mae'r Salmydd yn erfyn ar Dduw i roi iddo wellhad buan o'i salwch. Mae'n arswydo rhag ymuno â'r rhai nad yw Duw 'yn eu cofio bellach am eu bod wedi eu torri ymaith' o'i afael (Sal. 88:5).

Dim ond yn ystod y canrifoedd olaf CC, pan oedd yr Iddewon yn dioddef oherwydd eu ffyddlondeb i Dduw, y datblygodd y gred mewn nefoedd ac uffern a'r syniad o gosb a gwobr mewn byd a ddaw. Cyfnod o erlid a merthyrdod sy'n arwain awdur Llyfr Daniel i galonogi ei gyd-gredinwyr a'u hannog i gredu y caiff eu ffyddlondeb ei wobrwyo. Pan ddaw Mihangel, yr archangel, i'w hachub, 'Bydd llawer o'r rhai sy'n cysgu yn llwch y ddaear yn deffro, rhai i fywyd tragwyddol, a rhai i waradwydd a dirmyg tragwyddol. Disgleiria'r deallus fel y ffurfafen, a'r rhai sydd wedi troi llawer at gyfiawnder, byddant fel y sêr yn oes oesoedd' (Dan.12:2–3).

Yn nhraddodiad ôl-Feiblaidd yr Iddewon, mae Abraham yn etifeddu bywyd tragwyddol, ac yn cael lle ymysg y rhai sy'n disgleirio 'fel y ffurfafen'. Caiff ei arwain i'r nefoedd gan Mihangel. Yno mae'n eiriol ar Dduw dros bechaduriaid, ac yn gwarchod y porth sy'n arwain i uffern rhag i'r cyfiawn fynd drwyddo. (Dyma, efallai, ffynhonnell y ddameg am y dyn cyfoethog a Lasarus yn Efengyl Luc 16:19–31.) Mae stori boblogaidd arall yn y llên rabinaidd yn dangos cymaint oedd Duw yn ei feddwl ohono. Ynddi caiff Abraham weledigaeth o'r byd a ddaw, lle mae Duw wedi rhoi'r Meseia i eistedd ar ei ddeheulaw, ac Abraham ar y chwith. Mae Abraham yn pwdu am i'r Meseia gael y lle anrhydeddus, ac yn dweud wrth Dduw ei fod yn ystyried hyn yn ddiffyg parch tuag ato. Ymateb Duw yw, 'Ydi, mae'r Meseia ar fy neheulaw i, ond mi rydw i ar dy ddeheulaw di'. Abraham yn eistedd gyda Duw ar ei ddeheulaw: ni allai neb gael mwy o barch na hynny.

Er i'r esbonwyr Iddewig dreulio llawer o amser ac egni'n sicrhau lle teilwng i Abraham yn nhragwyddoldeb, mae disgrifiad byr y Beibl o'i angladd yn cynnwys neges nid amherthnasol i'r byd modern. Ar lan bedd eu tad, daw Isaac ac Ismael wyneb yn wyneb am y tro cyntaf ers blynyddoedd. Annisgwyl yw cynnwys Ismael ymysg y galarwyr; ni fu sôn amdano wedi iddo ef a'i fam gael eu troi allan o'r cartref i farw yn yr anialwch. Rhaid casglu un ai nad oedd ei hanes cynnar yn wybyddus i'r awdur, neu i'r digwyddiad gael ei anwybyddu'n fwriadol wrth gyfeirio at ei bresenoldeb ger bedd ei dad.

Gall marwolaeth yn y teulu greu ffrwgwd, yn enwedig wedi darllen ewyllys. Ond wrth farw, llwydda'r patriarch i wneud yr hyn na lwyddodd i'w wneud yn ystod ei fywyd, sef cymodi ei ddau fab â'i gilydd. Er mai Isaac, plentyn yr addewid, a gaiff holl eiddo ei dad yn ogystal â derbyn bendith gan Dduw (Gen. 25:11), nid oes unrhyw awgrym o gynnen rhwng y brodyr. Mae stori Abraham yn diweddu ar nodyn eciwmenaidd a gobeithiol am fod rhwymau teuluol yn gryf yng nghyfnod y patriarchiaid. Digwyddodd yr un peth yn hanes Isaac. Ar waethaf yr anghydfod rhyngddynt, daeth ei ddau fab at ei gilydd wrth fedd eu tad. Pan 'anadlodd Isaac ei anadl olaf ... Claddwyd ef gan ei feibion Esau a Jacob' (35:29). Gresyn na fyddai esiampl Isaac ac Ismael yn cael dylanwad ar fywyd bob dydd yn Hebron heddiw.

Beddargraff Abraham

Cyn gadael Genesis, buddiol fydd i ni grynhoi'r darlun o'r patriarch a geir gan olygydd terfynol y llyfr. Mae agweddau cadarnhaol yn gymysg â rhai negyddol yn ei gymeriad. Ystyriwn y cadarnhaol yn gyntaf.

Ufudd-dod.
Mae ei barodrwydd di-gwestiwn i wneud ewyllys Duw'n drawiadol. Gadawodd Haran, a gwnaeth baratoadau i aberthu Isaac heb wneud unrhyw brotest.

Grym.
Mae'r portread ohono'n ennill brwydr fawr yn gwbl groes i'r darlun a geir yng ngweddill y stori. Nid bugail crwydrol yn chwilio am gartref ac yn gofidio nad oes ganddo etifedd sydd yma, ond milwr llwyddiannus gyda rhan allweddol yng ngwleidyddiaeth ei gyfnod.

Haelioni.
Trwy gynnig lletygarwch i ddieithriad, ac yn ei ymateb i Melchisedec, profodd ei fod yn meddu ar un o brif rinweddau'r nomad. Mae'r addewid am epil yn dilyn ei haelioni.

Proffwydoliaeth.
Cysylltodd Duw ag ef mewn gweledigaeth; cyfarchiad sy'n awgrymu swydd broffwydol. Mae'r berthynas arbennig rhyngddo a Duw yn golygu fod ei statws yn cynyddu'n sylweddol.

Ffydd.
Caiff ei gyfrif yn gyfiawn gan Dduw oherwydd ei ffydd. Ef yw 'the quintessential example and model of the person of faith'.

Eiriolaeth.
Wrth erfyn ar Dduw i drugarhau wrth Sodom, ac wrth weddïo dros dylwyth Abimelech, mae'n sefyll fel eiriolwr rhwng Duw a dynoliaeth.

Mae rhinweddau Abraham yn amlwg, ond nid yw'r testun yn celu'r ffaith fod ganddo'i wendidau. Gellir dadlau, fodd bynnag, fod ei ffaeleddau'n cynyddu ei apêl trwy ei wneud yn fwy dynol.

Didostur.
Gwrthododd ymyrryd ym mhenderfyniad Sara i anfon Hagar o'i chartref, a hithau'n feichiog. Ni wnaeth unrhyw ymdrech i achub ei blentyn cyntaf a'i fam rhag marw yn yr anialwch. Ni ddangosodd ronyn o emosiwn ar y daith gydag Isaac i Fynydd Moreia, na dweud gair wrth ei wraig am ei fwriad.

Celwyddog.
Aberthodd Sara ddwywaith er mwyn arbed ei fywyd ei hun; dywedodd gelwydd heb falio botwm corn am neb arall. Roedd yn barotach i ymddiried yn ei gyfrwystra cynhennid nag yng ngair y Duw a oedd wedi addo'i amddiffyn. Yn y ddwy stori, gwelir brenhinoedd paganaidd, Pharo ac Abimelech, mewn goleuni gwell na'r crediniwr celwyddog.

Amheus.
Ar un ystyr mae ar ben ei ddigon. Ond ei ddyhead dyfnaf yw cael etifedd. Am nad oes olwg am blant, mae'n mynegi ei ddiffyg ffydd yn yr addewid. Wedi aros am ddeng mlynedd, daw i'r casgliad fod gair Duw'n ddiwerth. Iddo ef, mae'r addewid am epil yn gwbl chwerthinllyd.

Ismael a'i ddisgynyddion

Er i Ismael gael ei ddiystyru o safbwynt etholedigaeth, mae'r portread ohono a geir yn y Beibl yn cynnwys sylwadau cadarnhaol iawn. I werthfawrogi ei statws arbennig, cymharer ei dynged ag eiddo'r meibion a gafodd Abraham a Cetura. Anfonwyd y chwech ohonynt hwy gyda'u teuluoedd a'u hanrhegion i'r Dwyrain; nid oes sôn amdanynt eto. Cânt eu cydnabod o safbwynt hanes, ond ni wneir yr un datganiad diwinyddol amdanynt. Ni chânt fendith nac addewid.

Ond yn achos Ismael, mae hanes a diwinyddiaeth yn gymysg. Mae'r ffaith mai ef oedd cyntaf-anedig Abraham yn rhoi iddo le arbennig yn niwylliant yr hen Ddwyrain Canol. Yn Israel, roedd y mab cyntaf ym mhob teulu'n perthyn i Dduw yn ôl Cyfraith Moses: 'Eiddof fi yw pob cyntaf-anedig' (Num. 3:11–13. Gw. hefyd Deut. 21:15–17). Ar ôl Abraham, ef hefyd oedd y cyntaf i dderbyn enwaediad. (Nid oedd Isaac wedi ei eni.) Gan fod enwaediad yn arwydd o'r berthynas arbennig rhwng y crediniwr a Duw, mae'r ddefod yn arwyddo bod gan Ismael hefyd le yng nghyfeillach y cyfamod. Er iddo gael ei alltudio o'r teulu yn groes i ewyllys ei dad, mae arwydd parhaol y cyfamod arno. I rai, mae hyn yn ei wneud yn un o'r etholedigion, ac ni all Israel felly hawlio statws cenedl etholedig iddi hi ei hun.

Rhoddir pwyslais pellach ar bwysigrwydd Ismael. Arwydd o ofal Duw amdano yw ei enw; ei ystyr yw 'clywodd Duw' (Gen. 16:11). Cafodd ei achub ddwywaith yn yr anialwch – y tro cyntaf, cyn ei eni. Er nad gydag ef a'i ddisgynyddion y gwnaed y cyfamod, mae'n amlwg bod ganddo le yn arfaeth Duw, a rhan yn ei gynllun ar gyfer ei greadigaeth. Dyna pam y mae Duw, mewn addewid i Abraham, yn gwneud datganiad o bwys ynglŷn â'i ddyfodol: 'Gwnaf fab y gaethferch hefyd yn genedl, am ei fod yn blentyn i ti' (21:13). Nid Isaac yn unig fydd yn derbyn bendith trwy gael nifer fawr o ddisgynyddion. Caiff Ismael hefyd ei fendithio yn yr un modd. Ef fydd cyndad llwythau Arabia (17:20).

Ond er y gellir gwneud amryw o sylwadau cadarnhaol am Ismael, caiff ei ystyried yn gymeriad cymhleth, ac mae ei gyfraniad i hanes cynnar Israel ymhell o fod yn eglur. Mae'n gymeriad gwahanol i Isaac, ac yn wahanol hefyd i feibion Cetura, mewn sawl ffordd. Derbyniodd arwydd y cyfamod, ond ni chaiff ei gyfrif yn un o bobl y cyfamod. Ac yntau yng nghroth ei fam, anfonwyd ef gan Abraham a Sara i farw yn yr anialwch, ond fe'i hachubwyd gan Dduw. Gwrthodwyd ef gan ei deulu, ond cyflawnwyd yr addewid a wnaeth Duw i'w fam y byddai ei ddisgynyddion 'yn rhy luosog i'w rhifo' (16:10). Ganwyd iddo ddeuddeg mab. Yn hyn o beth, y mae ei dynged yn debyg i Jacob. Ond negyddol yw sylw olaf yr awdur ynglŷn â'i feibion: 'yr oeddent yn erbyn eu holl frodyr' (25:18). O leiaf, dyna un cyfieithiad o'r cymal. Mae'r Hebraeg yn amwys. Gellir cyfiawnhau cyfieithiad arall sy'n gosod llwythau Ismael mewn goleuni gwell trwy ddangos natur lai ymosodol: 'aethant i fyw i'r dwyrain o'u holl frodyr'.

O ystyried tystiolaeth y Beibl, mae'n hawdd gweld pam fod Ismael yn ddirgelwch i genhedlaeth ddiweddarach o esbonwyr Iddewig. Wrth adrodd ei stori, maent yn cydnabod ei fod ar y cychwyn yn gymeriad pwysig, ond iddo golli ei arwyddocâd ar enedigaeth Isaac. Buan iawn y maent yn troi yn ei erbyn. Mae'r ffaith iddo briodi Eifftes yn pardduo ei gymeriad, gan ei fod trwyddi hi yn gyndad i lwythau crwydrol Arabia, a oedd yn baganiaid peryglus a milwriaethus.

Yn y canrifoedd olaf CC, roedd y Bedawin ymysg gelynion pennaf yr Iddewon. Ac o ganlyniad, yr oedd y rabiniaid yn barod iawn i briodoli pob math o wendidau a throseddau iddynt, ac i'w cyndad trwyddynt. Ond gwrthodir darlun negyddol Iddewiaeth yn derfynol gan Islam.

Ismael yn Islam

Prin fod Ismael yn gymeriad canolog yn y Cwrân; dim ond deuddeg gwaith y gwelir ei enw ynddo. Wedi iddo ddweud pa rai sydd i gael eu henwi yn y llyfr, megis Mair, Abraham, Moses ac Aaron, gorchmynnodd Allah i Mohamed gynnwys stori Ismael hefyd. Ar wahân i fod yn fab i Abraham, roedd yn negesydd ac yn broffwyd. Dysgodd ei ddisgynyddion i weddïo ac i roi elusen (Sura 19:54–55). Fel y gwelsom eisoes, mewn un gangen o'r traddodiad llafar, Ismael nid Isaac a rwymwyd ar yr allor. Y cyfeiriad at ei enwaediad yw'r awdurdod i Foslemiaid enwaedu ar blant. Dewis a datblygu rhai elfennau o'r traddodiad Beiblaidd ac esgeuluso eraill a wnaeth Mohamed.

Ond yn y traddodiad Islamaidd mae gan Ismael gysylltiad arbennig â phrif gysegr Islam. Wedi cael eu troi allan gan Sara, aeth ef a'i fam ymhellach o lawer i'r de na diffeithwch Beerseba. Daliodd y ddau i deithio nes cyrraedd dyffryn Mecca. Wrth chwilio am ddŵr iddi hi a'i phlentyn, rhedodd Hagar saith o weithiau rhwng dau fryn, Safah a Marwah. Cafodd ei hachub gan angel. Wedi rhoi neges galonogol iddi, tebyg iawn i'r un a geir yn Genesis, agorodd ffynnon sydd yno hyd heddiw. Un o'r defodau y disgwylir i bererinion i Mecca ei chyflawni yw rhedeg rhwng y ddau fryn, yfed o'r ffynnon, a mynd â dŵr adref i'w teuluoedd.

Er i Abraham droi ei gefn ar y ddau, ni allai eu hanghofio. Aeth i chwilio amdanynt a'u cael yn Mecca. Fel arwydd o ddiolch i Dduw am agor ffynnon iddynt, gyda help Ismael fe gododd gysegr i'r unig Dduw, sef y *Kaaba*. O safbwynt hanes, mae tarddiad y *Kaaba*, yn ddirgelwch. Yn ôl y traddodiad Islamaidd, fe'i sefydlwyd gan Adda; cafodd ei ddifa yn y Dilyw, a'i ailgodi gan Noa. Wedyn bu'r adeilad yn adfail am ganrifoedd, nes i Abraham ac Ismael ei atgyweirio. Am nad oedd ei dad yn ddigon tal i orffen y gwaith, daeth Ismael â charreg iddo sefyll arni. Dywedir bod ôl troed Abraham ar y garreg hyd heddiw.

Pan aeth Mohamed ati o ddifrif i sefydlu undduwiaeth, difethodd holl eilunod a chysegrfeydd y paganiaid ar wahân i'r *Kaaba*. Roedd y cysylltiad gydag Abraham, Hagar ac Ismael yn ddigon i arbed yr adeilad. Heddiw, ystafell wag, ddiaddurn, dan orchudd du yn cynnwys dim ond rhai copïau o'r Cwrân, ydyw. Saif yng nghanol y mosg mwyaf yn y byd, prif gysegr Islam.

Cwestiynau i'w trafod

1. O safbwynt Iddewig, mae cyfeiriad cadarnhaol at Ismael a'i ddisgynyddion yn ffordd annisgwyl o ddod â stori Abraham i ben. Pa neges y mae'r awdur am i'w ddarllenwyr ei gweld rhwng y llinellau?

2. Daeth y ddau frawd at ei gilydd wrth fedd eu tad. I ba raddau y mae crefydd yn gallu uno neu chwalu teuluoedd?

3. Beth sy'n apelio fwyaf atoch yng nghymeriad Abraham?

22. Abraham yn y Gaethglud a'r Gwasgariad

Eseia 51:1–3; Nehemeia 9:7–8.

Athrawiaeth a chred sy'n gwneud unrhyw wlad yn gysegredig ym meddwl ei thrigolion. Bywyd a gwaith y proffwyd Mohamed a sicrhaodd le arbennig i Mecca a Medina yn Islam. Bywyd, marwolaeth ac atgyfodiad Iesu sy'n arwain Cristnogion i ystyried Gwladwriaeth Israel a thiriogaethau'r Palestiniaid fel 'y wlad sanctaidd'. Y cysegrfeydd, lleoedd sy'n gysylltiedig â digwyddiadau hanesyddol, sy'n denu pererinion. Mae'r ymadrodd 'mannau cysegredig' yn ddisgrifiad digonol o'r hyn sy'n bwysig i Gristnogaeth ac Islam.

Ond mewn Iddewiaeth, nid ffeithiau hanesyddol a chysegrfeydd sy'n bwysig. Nid yr hyn a *ddigwyddodd* yn Jerwsalem sy'n cyfrif yn y pendraw, ond Jerwsalem *ei hun*. Wrth gwrs, y mae i hanes ei le, fel y tystia presenoldeb cyson addolwyr wrth Fur yr Wylofain, sy'n gofeb i gwymp y Deml. Ond i'r Iddew, y mae i'r tir a'r tywyrch – ar wahân i unrhyw ddigwyddiad – arwyddocâd diwinyddol: mae'r wlad yn elfen greiddiol yn ei grefydd am fod cysylltiad uniongyrchol rhyngddi a Duw. Fel y gwelsom, caiff hyn ei bwysleisio yn y Beibl. Ynghyd â'r addewid am fendith ac epil, mae'r addewid am wlad yn sylfaenol i'r cyfamod rhwng Duw ac Abraham. Dyma'r addewid mwyaf amlwg yn y Tora. Yn ychwanegol at y cyfeiriadau mynych ato yn Genesis, caiff ei ailadrodd droeon yn Deuteronomium.

Ond pan ddaeth teyrnas Israel i fodolaeth dan Dafydd a Solomon yn y ddegfed ganrif CC, gwthiwyd y cyfamod ag Abraham o'r neilltu am nad oedd angen ei bwysleisio mwyach. Gwireddwyd yr addewidion. Roedd bodolaeth y deyrnas yn brawf fod Duw wedi cadw'i air y byddai gan ddisgynyddion Abraham gartref diogel a pharhaol. Ym mhregethau proffwydi'r wythfed ganrif, megis Amos a Hosea, cymerwyd lle'r cyfamod diamodol rhwng Duw ac Abraham gan y cyfamod amodol a wnaed rhyngddo a'r genedl ar Fynydd Sinai. Hwn yw'r un sy'n cynnwys y Deg Gorchymyn, a'r cyfreithiau sy'n seiliedig arnynt. Ond mewn cyfnodau o argyfwng yn hanes y genedl, cafodd y cyfamod heb amodau ei atgyfodi. Digwyddodd hyn am y tro cyntaf yn ystod y Gaethglud ym Mabilon. A'r dyfodol yn ansicr, daeth y cyfamod ag Abraham i'r amlwg unwaith eto.

Pobl y Llyfr

Bod ar wasgar yw un o nodweddion amlycaf yr Iddewon. O'r cychwyn cyntaf, cenedl o nomadiaid oeddent: dyn ar daith oedd Abraham; crwydriaid oedd Jacob a'i feibion; crwydrodd Moses yr anialwch am ddeugain mlynedd cyn cyrraedd gwlad yr addewid. Hyd yn oed wedi cartrefu yng Nghanaan, byr fu'r cyfnod sefydlog yn hanes y genedl, a dioddefodd ymfudo gorfodol ar ddau achlysur. I ddechrau, yn 722 CC, ymwthiodd brenin Assyria i'r gorllewin er mwyn meddiannu'r tir ffrwythlon ar arfordir Môr y Canoldir ac agor llwybr i ymosod ar yr Aifft. Erbyn hyn, roedd teyrnas Dafydd a Solomon wedi ei rhannu'n ddwy, Israel a Jwda. Collodd Israel ei hannibyniaeth gan ddod yn 'Dalaith Samaria' fel rhan o Assyria. Er mwyn gwanhau grym cenedlaetholdeb, polisi Assyria oedd cymysgu poblogaeth ei deiliaid ym mhob talaith newydd trwy alltudio'r dynion a chadw'r merched (2 Bren. 17:1–6, 24–28). Gan iddynt ddod yn bobl gymysg o ran hil a chred ni fu'r Samariaid fyth wedyn yn dderbyniol yng ngolwg y Jwdeaid.

Ac yna, ychydig dros ganrif yn ddiweddarach, ymosododd Nebuchadnesar, brenin Babilon, ar Jwda er mwyn ehangu ei deyrnas. Caethgludodd hufen y boblogaeth i Fabilon. Ond gan fod y bobl a adawyd yn Jwda wedi torri eu haddewid o ffyddlondeb iddo, daeth Nebuchadnesar yn ei ôl eilwaith. A'r tro hwnnw, cymerodd fwy o gaethgludion; maluriodd y Deml; dinistriodd Jerwsalem; a gadael 'pobl y wlad' ar ôl ymysg yr adfeilion dan ofal Gedaleia, a benodwyd yn llywodraethwr (2 Bren. 25:1–26). Daeth teyrnas Jwda i ben yn 587 CC, ac ar wahân i gyfnod byr dan y Macabeaid, ni chafodd yr Iddew wedi hynny hawl ar ei wlad ei hun hyd 1948.

Dim ond am hanner canrif (587–538 CC) y parhaodd y Gaethglud ym Mabilon. Ond dyma'r cyfnod mwyaf arwyddocaol yn hanes yr Iddewon. Bu'r profiad yn argyfwng gwleidyddol a diwinyddol i'r genedl. Daeth y frenhiniaeth, a oedd wedi goroesi am bedair canrif, i ben. Ond nid oedd colli'r brenin yn ddim o'i gymharu â cholli'r wlad a roddodd Duw i'r cyndadau. Gan fod y wlad ei hun yn sanctaidd, ond bellach yn rhan o ymerodraeth estron, nid oedd gan y grefydd ddewis ond newid ei natur yn sylfaenol wedi cwymp y Deml a dinistr Jerwsalem. Nid allor, offrwm a phererindod a fyddai craidd Iddewiaeth bellach i'r caethgludion, ond y Tora.

Lluniwyd y Tora fel y'i gwelir yn ein Beibl heddiw yn ystod y Gaethglud, neu yn fuan wedyn. Casglwyd y traddodiadau ysgrifenedig a oedd wedi bodoli am ganrifoedd, dogfennau'n cynnwys storïau creu'r byd, hanesion yr hynafiaid, a hanes marwolaeth Moses. Cawsant eu golygu'n derfynol, eu hychwanegu at y Gyfraith, a'u rhoi ar gof a chadw mewn pum sgrôl (Gen. 1 – Deut. 34). Ym Mabilon, ystyrid mai addoliad oedd myfyrio yn y Tora a'i esbonio a'i astudio. Dyma darddiad y synagog. Dim ond trwy ddarllen yr Ysgrythur yn gyson er mwyn cadw'r gorffennol mewn cof, a thrwy fyw yn ôl y gorchmynion, y gallai'r Iddew sicrhau ei hunaniaeth mewn diwylliant paganaidd. Ym Mabilon, gwelwn ddechrau proses a fydd yn un o nodweddion parhaol Iddewiaeth, sef gwneud testunau creiddiol yn destunau perthnasol trwy eu cymhwyso i fywyd beunyddiol y ffyddloniaid. Parhaodd y ddelfryd hyd heddiw. Pa ryfedd mai 'Pobl y Llyfr' y mae'r Cwrân yn galw'r Iddewon.

Wrth afonydd Babilon

Er mai yn yr ymwared o'r Aifft, ac wrth draddodi'r Gyfraith i Moses ar Sinai, y datguddiodd Duw ei hun a'i ewyllys i Israel, y mae'r Tora'n cynnwys rhagymadrodd o bwys, sef storïau'r patriarchiaid. Mae'n amlwg fod y golygydd yn eu hystyried yn werthfawr o safbwynt diwinyddol ac yn ddigon pwysig i haeddu lle yn ffurf derfynol y Tora. Mae'r gyfres o hanesion yn dechrau gyda'r cymeriad pwysicaf, sef Abraham. Ond o ystyried bod prif nodweddion ei grefydd ef mor wahanol i'r grefydd

Iddewig, sy'n deillio o'r profiad ar Fynydd Sinai ac yn seiliedig ar Gyfraith Moses, pam fod Abraham mor bwysig? Pam fod y golygydd yn anfodlon cofnodi hanes ei genedl heb grybwyll Abraham? Pam y cynhwyswyd yn y Tora stori'r dyn hwn a oedd yn gymeriad eithaf brith? Ym mha ffordd y mae cyfeirio ati'n cyfrannu at lwyddiant yr Iddewon i oroesi argyfwng y Gaethglud o ran eu cred a'u hunaniaeth?

Gellir cynnig amryw o atebion, ond mae un yn eithaf amlwg: roedd gormod yn dibynnu ar Abraham i'r caethgludion fedru gwneud hebddo. Yn y cyfnod mwyaf argyfyngus yn hanes y genedl, gwelent ynddo ef a'i deulu batrwm byw delfrydol, ac yn y cyfamod a wnaed rhyngddo a Duw, gwelent gysur a gobaith.

Ystyriwn yn gyntaf arwyddocâd aelwyd Abraham a Sara fel *patrwm byw.* Am bedair canrif, meddiant o'r wlad ac addoliad y Deml oedd sail hunaniaeth yr Iddewon. Ond yn y Gaethglud, heb y cysegr canolog a'r gwyliau pererindod, roedd pob Iddew'n gwbl ddibynnol ar ei gyd-gredinwyr i'w ddiffinio'i hun. Os oedd Iddewiaeth am oroesi mewn byd paganaidd a diwylliant estron, roedd rhaid i bob aelwyd ysgwyddo'r cyfrifoldeb. Dyletswydd y penteulu oedd enwaedu ei feibion, a sicrhau fod ei deulu cyfan yn byw yn ôl hanfodion y grefydd trwy gadw'r Saboth a pharchu deddfau bwyd. I'r gymuned Iddewig ym Mabilon, roedd y cartref yn hollbwysig.

Rydym wedi tynnu sylw eisoes ym mhennod 12 at arwyddocâd enwaedu fel un o'r prif symbolau sy'n diffinio Iddew. Daw arwyddocâd cenedlaethol y ddefod i'r brig mewn cyfnodau argyfyngus pan fo dyfodol y genedl yn y fantol. Ym Mabilon, cafodd le blaenllaw fel arwydd o'r gwahaniaeth rhwng cenedl Israel a chenhedloedd eraill. Ond nid defod gyhoeddus mohoni. Yn y Gaethglud, un o brif ddefodau'r cartref Iddewig oedd enwaedu. Y patrwm ar gyfer y pwyslais hwn ar gyfrifoldeb pob aelwyd i gadw Iddewiaeth yn fyw oedd crefydd deuluol Abraham. Ef oedd y cyntaf i enwaedu ei blant a'i weision er mwyn eu cynnwys yn y cyfamod. Fel 'Seremoni Cyfamod Abraham' y cyfeirir at enwaedu gan Iddewon hyd heddiw.

Yn ail, roedd y cyfamod ag Abraham yn ffynhonnell *cysur a gobaith*. Methodd Israel â chadw telerau cyfamod amodol Sinai; a dinistr Jerwsalem a'r Gaethglud oedd y canlyniad. Wrth iddynt sylweddoli bod y dyfodol yn dywyll, roedd dau demtasiwn yn wynebu'r caethgludion. Y naill oedd cefnu ar eu crefydd a cholli eu hunaniaeth trwy gydweddu â'r byd paganaidd o'u cwmpas, gan obeithio y byddai hynny'n gwneud bywyd yn haws. Y llall oedd suddo i anobaith am eu bod yn argyhoeddedig y byddai'r alltudiaeth yn parhau am byth. Mae'r Salmydd yn mynegi eu gofid: 'Ger afonydd Babilon yr oeddem yn eistedd ac yn wylo wrth inni gofio am Seion. Ar yr helyg yno bu inni grogi ein telynau' (Sal. 137:1–2).

Achubwyd y sefyllfa gan y proffwyd Eseia, bugail ffyddlon y caethgludion, ac un o gymeriadau mwyaf dylanwadol y Gaethglud. Swm a sylwedd ei bregethu oedd cysur, maddeuant a gobaith: 'Cysurwch, cysurwch fy mhobl – dyna a ddywed eich Duw. Siaradwch yn dyner wrth Jerwsalem, a dywedwch wrthi ei bod wedi cwblhau ei thymor gwasanaeth a bod ei chosb wedi ei thalu' (Eseia 40:1–2). Ceisia ymladd digalondid yr alltudion trwy eu hannog i obeithio, i ddyfalbarhau mewn cyfnod dyrys, a meddwl am fynd adref.

Pa destun gwell i godi'r galon na stori Abraham? Geilw'r proffwyd ar ei wrandawyr i gofio'r graig y naddwyd hwy ohoni, a'r chwarel lle'u cloddiwyd, sef tad a mam y genedl. Dengys y cyfeiriad at Abraham a Sara fod Duw'n gallu ac yn barod i wneud gwyrthiau. O gwpwl oedrannus daeth disgynyddion na ellir eu rhifo: 'Un ydoedd pan elwais ef, ond fe'i bendithiais a'i amlhau' (Es. 51:2). Dau gymeriad amheugar, camweithredol, ond serch hynny'n derbyn bendith. Yr hyn a wnaeth Duw unwaith, meddai Eseia, fe'i gwna eto er mwyn achub ei bobl mewn argyfwng. Caiff y pwyslais hwn ar fendith a ffrwythlondeb yn stori'r patriarch sylw awdur y Llythyr at yr Hebreaid: 'Trwy ffydd – a

Sara hithau'n ddiffrwyth – y cafodd nerth i genhedlu plentyn, er cymaint ei hoedran ... O un dyn, a hwnnw cystal â bod yn farw, fe gododd disgynyddion fel sêr y nef o ran eu nifer, ac fel tywod dirifedi glan y môr' (Heb. 11:11–12). Duw yn creu'r posibl allan o'r amhosibl. Pa ryfedd i'r diddordeb yn addewid Duw i Abraham ailgydio yn yr alltudion wrth afonydd Babilon?

Abraham yn y Gwasgariad

Er gwaethaf yr amgylchiadau yn y Gaethglud, ymsefydlodd yr Iddewon ym Mabilon. Pan roddodd brenin Persia, a oedd wedi concro'r wlad, ganiatâd i'r caethgludion ddychwelyd i Jwda yn 538 CC, ychydig a fanteisiodd ar y cyfle. Roedd y mwyafrif wedi ymgartrefu, ac wedi creu cymuned Iddewig ym Mabilon a fyddai'n parhau am bymtheg can mlynedd. Ond erbyn diwedd y bumed ganrif CC, roedd nifer yr Iddewon ar wasgar wedi cynyddu'n sylweddol y tu hwnt i ffiniau Babilon. Meddai Strabo, y daearyddwr Rhufeinig, wrth gyfeirio at yr Iddewon tua diwedd y ganrif olaf CC: 'Mae'r genedl hon ym mhob dinas. Nid yw'n hawdd darganfod unrhyw fan yn y byd lle nad yw wedi cyrraedd, a lle nad yw ei dylanwad yn amlwg'. Ceir tystiolaeth debyg gan Luc wrth iddo ddisgrifio Gŵyl y Pentecost yn Actau'r Apostolion 2:5–11. Hyd heddiw, cyfran fechan o Iddewon y Gwasgariad sy'n dewis mynd i fyw i Israel, er bod ganddynt yr hawl i wneud hynny.

Trwy fyw yn ôl gorchmynion y Tora, llwyddodd Iddewon y Gaethglud a'r Gwasgariad i gadw eu hunaniaeth a ffynnu mewn gwledydd estron, heb ofni erledigaeth. Ond roedd bywyd yn dra gwahanol i'r gweddill a adawyd yn Jerwsalem gan Nebuchadnesar. Aflwyddiannus fu eu hymdrechion i fyw'n gytûn gyda'r nifer bychan o'u cyd-Iddewon a ddewisodd ddychwelyd o Fabilon pan ddaeth cyfnod y Gaethglud i ben. Er iddynt ailgodi'r Deml yn 516 CC, oherwydd diffyg cydweithrediad roedd rhannau o'r ddinas yn parhau'n adfeilion hanner canrif yn ddiweddarach. Er mwyn cael trefn ar ei ddeiliaid, anfonodd brenin Persia, a oedd bellach wedi concro Babilon, ddau gennad o deuluoedd Iddewig blaenllaw'r Gwasgariad i Jerwsalem, sef Esra a Nehemeia.

Cyflwr materol y ddinas oedd cyfrifoldeb Nehemeia; cyflwr ysbrydol y bobl oedd o bwys i Esra. Aeth Nehemeia ati i ailgodi'r muriau. Galwodd Esra am ddiwygiad.

Casglodd Esra drigolion Jerwsalem ynghyd a darllen rhan o'r Tora iddynt. Yna arweiniodd y Lefiaid hwy mewn gweddi o edifeirwch ar ffurf salm hanesyddol a oedd yn cyfeirio at anwadalwch y genedl dros y canrifoedd. Ond mae'r hanes yn dechrau ar nodyn cadarnhaol – gydag Abraham. Rhoddir diolch i Dduw am iddo ddewis 'Abram a'i dywys o Ur y Caldeaid, a rhoi iddo'r enw Abraham'. Oherwydd ei ffyddlondeb, gwnaeth Duw 'gyfamod ag ef, i roi i'w ddisgynyddion wlad y Canaaneaid' (Neh. 9:8). Perthnasedd y testun yw ei fod yn debyg iawn o ran mynegiant i'r disgrifiad o selio'r cyfamod rhwng Duw ac Abraham yn Genesis 15, ac yn ddibynnol arno o bosibl. Ynddo ceir talfyriad cryno o arwyddocâd y cyfamod i genedlaethau diweddarach. Er gwaethaf yr anffyddlondeb a arweiniodd at y Gaethglud, ni wnaiff Duw byth dorri ei gyfamod. Bydd yn parhau i faddau ac i achub ei bobl oherwydd yr addewid a wnaeth unwaith i Abraham. Mae'r weddi'n pwysleisio ei ffyddlondeb: 'Ac fe gedwaist dy air, oherwydd cyfiawn wyt ti' (Neh.9:8). Duw sy'n gwneud ac yn cadw addewidion yw Duw Abraham.

Mae'r testun yn pwysleisio pedair elfen greiddiol yn y cyfamod. Yn gyntaf, yr un yw'r Duw a addolir gan Iddewon y Gwasgariad a'r Duw a wnaeth addewidion i'w cyndad. Yn ail, Duw sy'n cymryd y cam cyntaf trwy ddewis Abraham, a galw arno i'w ddilyn. Yn drydydd, mae newid ei enw o 'dad dyrchafedig' i 'dad tyrfa' yn gwarantu y bydd gan Abraham lu o ddisgynyddion. Yn olaf, mae'r addewid am wlad yn sicrhau y bydd gan ei blant gartref parhaol, gwlad a fydd yn perthyn iddynt hwy ac i neb arall.

Mae Abraham yn adennill ei bwysigrwydd yn y Gaethglud a'r Gwasgariad am fod y ddiwinyddiaeth sy'n seiliedig ar ei stori'n ddiwinyddiaeth greadigol. Wrth fyfyrio ar y cyfamod, caiff y genedl nerth i ymdopi â'r argyfwng mwyaf yn ei hanes, sef colli gwlad. Mae cofio'r addewidion yn caniatáu lle i fywyd newydd egino. Mewn cyfnodau helbulus, mae grym arbennig yn perthyn i gyfamod diamodol.

Cwestiynau i'w trafod

1. Ym mha ffordd y mae hanes gwroniaid y Ffydd yn help i Gristnogion obeithio?

2. Beth yw arwyddocâd stori Abraham i'r Iddewon sy'n byw yn y Gwasgariad heddiw?

3. Sut mae credinwyr yr unfed ganrif ar hugain yn diogelu eu hunaniaeth mewn cymdeithas ddifater a di-gred?

23. Abraham yn Nhraddodiad ôl-Feiblaidd yr Iddewon

Ecclesiasticus 44:19–21; 1 Macabeaid 2:51–52.

Rhoddwyd ystyriaeth yn yr ail bennod i'r ffaith fod cymeriad Abraham yn esblygu'n ddiderfyn dros y canrifoedd. Mae'r esblygiad yn dechrau yn y cyfnod rhwng y ddau Destament. Yn fuan wedi i Lyfr Genesis ymddangos yn ei ffurf derfynol tua 500 CC, datblygodd Abraham sawl dimensiwn newydd. Mae awduron y llên ôl-Feiblaidd yn defnyddio'u dychymyg i ychwanegu'n sylweddol at y wybodaeth a geir amdano yn Genesis. Ymgais yw hyn i wneud tri pheth: llenwi'r bylchau amlwg yn nhystiolaeth y Beibl er mwyn bodloni cywreinrwydd y ffyddloniaid; dangos perthnasedd y cyfamod rhwng Duw a'r patriarch i gyfnod diweddarach yn hanes Israel; ac olrhain tarddiad y genedl i'r cyfnod cynharaf posibl. Pwysigrwydd y traddodiad ôl-Feiblaidd, ac arwyddocâd y portread o Abraham a geir ynddo, a gaiff sylw yn awr. Dechreuwn gydag arolwg o'r amrywiol ffynonellau sy'n cychwyn gyda'r Apocryffa ac yn diweddu gyda'r Midrash.

Y ffynonellau

Mewn pennod ragarweiniol i lyfr ar yr Apocryffa, mae J.E. Meredith yn dyfynnu llythyr a anfonodd John Puleston Jones, y gweinidog llengar, at un o'i gyfeillion: 'Darllen yr Apocryffa sydd wedi fy nghadw rhag gwaeth pethau'r wythnos hon. Llawer gwaith y clywais ddweud mai colled fawr yw'n dieithrwch ni i'r Apocryffa. Yr wyf yn coelio yrŵan. Y mae ynddo gyfle ardderchog i wybod beth oedd y byd crefyddol y ganwyd Crist a'i Apostolion iddo.'

Cyfeirio a wna Puleston at bymtheg o lyfrau ôl-Feiblaidd yr Iddewon: llyfrau a ysgrifennwyd yn rhy hwyr i gael eu cynnwys yn yr Hen Destament. I hawlio lle yn y casgliad swyddogol hwn, roedd rhaid i lyfr

185

fod wedi ei ysgrifennu o fewn 'y cyfnod proffwydol', hynny yw, rhwng amser Moses ac amser Esra (1200 i 400 CC). Mewn rhai Beiblau Protestannaidd, caiff y llyfrau apocryffaidd eu gosod rhwng y ddau destament, mewn rhyw fath o dir neb diwinyddol. Mae eraill yn gwrthod rhoi lle iddynt rhwng cloriau'r Beibl, ac yn cyhoeddi'r Apocryffa fel cyfrol ar wahân.

Yn ogystal â'r Apocryffa, rhan sylweddol arall o'r llên ôl-Feiblaidd yw'r Pseudepigrapha neu'r Ffugysgrifeniadau. Fel yr awgryma'r enw, llyfrau yw'r rhain a ysgrifennwyd yn enw gwroniaid y traddodiad Iddewig. Er enghraifft, *Datguddiad Enoch, Testament Moses, Testament Job.* O ddiddordeb arbennig i ni yw *Testament Abraham* a *Datguddiad Abraham,* ac yn enwedig *Llyfr y Jiwbilî,* sef esboniad ar Genesis a rhan o Exodus. Maent oll yn cyfrannu at y darlun a geir o Abraham yn y canrifoedd olaf CC; a hwy yw tarddiad y Midrash, sef esboniadaeth Feiblaidd y rabiniaid mewn cyfnod diweddarach. Dau destun arall gan awduron Iddewig y dylid eu henwi yw *Am Abraham,* traethawd gan Philo o Alexandria (tua 20 CC – 50 OC), a *Hynafiaethau'r Iddewon* gan Joseffws (37–100 OC). Cymerwn bigion o'r prif ffynonellau i lunio'r darlun chwedlonol o Abraham sy'n datblygu.

Er mwyn esbonio dewis Duw o Abraham, defnyddiodd yr Iddewon gryn dipyn o ddychymyg. Fel yn achos arwyr mawr eraill, roedd ei ddyfodiad i'r byd yn ddigwyddiad arbennig ac anghyffredin. Ar noson ei enedigaeth roedd seryddwyr Babilon yn gwledda yn nhŷ Tera. Gwelsant seren wib yn dod o'r dwyrain ac yn llyncu pob seren arall. Arwydd digamsyniol oedd hwn, meddent, fod bachgen ar fin cael ei eni i Tera a fyddai'n codi yn erbyn y brenin a'i grefydd. Pan glywodd y brenin am y bygythiad, gorchmynnodd i bob merch feichiog yn y deyrnas ddod i'r brifddinas, ac aros yno nes geni ei phlentyn. Byddai pob geneth yn cael byw, ond pob bachgen yn cael ei ladd. Lladdwyd saith deg mil o blant diniwed. Ond roedd mam Abraham wedi ffoi i'r anialwch a chuddio mewn ogof. Pan anwyd y plentyn, llanwyd yr ogof â goleuni. Rhag ofn iddi gael ei dal gydag Abraham yn ei breichiau, gadawodd ei fab yn yr ogof, a daeth yr angel Gabriel i ofalu amdano.

Yn ogystal â'i enedigaeth, caiff cyfraniad sylfaenol Abraham i'r grefydd Iddewig, sef undduwiaeth, sylw arbennig. Cofiwn mai eilunaddolwyr oedd teulu Tera yn ôl Josua 24:2. Mae'r traddodiad yn ymhelaethu ar hyn. Roedd Tera nid yn unig yn addoli eilunod ond yn ennill ei fywoliaeth trwy eu llunio. Swydd Abraham oedd gwerthu gwaith ei dad. Ond pan syrthiodd eilun o garreg oddi ar y fainc yn y gweithdy a malu, cafodd ei argyhoeddi nad duwiau mohonynt. Sarhad, nid parch a ddylai'r agwedd tuag atynt fod. Hyn a'i harweiniodd i droi cefn ar amldduwiaeth Babilon a chredu mewn un Duw yn unig, sef Yahweh.

Y gosb am wadu bodolaeth y duwiau oedd dienyddiad. I esbonio pam yr ymfudodd Abraham o Ur y Caldeaid, datblygodd y traddodiad iddo gael ei achub trwy wyrth rhag cael ei losgi am ei drosedd. Un o'r geiriau Hebraeg am 'tân' yw *'ur.* Yn achos Abraham, roedd y ffwrnais mor boeth nes llosgi'r gweision, ond pan daflwyd Abraham iddi, cafodd ei thrawsnewid. Heb ddafn o ddŵr, trodd y ffwrnais yn ardd llawn o lysiau, a daeth yntau allan o'r tân *('ur)* yn ddianaf. Wedi clywed am y weithred achubol, credodd y brenin a'r holl bobl yn Nuw Abraham. (Adroddir stori debyg iawn am Daniel yn Daniel 3:8–30.) Ei lwyddiant cenhadol sydd i gyfrif am i Abraham gael ei ystyried yn genhadwr cyntaf undduwiaeth. Yn ddiweddarach, roedd ei grwydro parhaus o le i le yng Nghanaan yn hybu'r achos, a thrwy enwaedu ar ei weision, agorodd y drws i'r cenhedloedd ddod yn Iddewon.

Mae dychymyg yr esbonwyr Iddewig yn mynd ymhellach trwy roi sylw manwl i gyflawniadau Abraham. Caiff ei ganmol am ei ddawn a'i ddoethineb. Yn ddyn ifanc, roedd yn eithriadol o dalentog ac yn hyddysg mewn amryw o bynciau. Dysgodd rifyddeg i Pharo. Gallai ymresymu a chyflwyno dadl yn daclus. Roedd yn ieithydd penigamp. Hebraeg oedd iaith y greadigaeth yng nghyfnod Noa, ond aeth yn angof pan wasgarwyd trigolion Babel dros wyneb y ddaear. Meistrolodd Abraham yr iaith er mwyn astudio llyfrau ei hynafiaid a'u hatgyfodi. Roedd hwn yn gyfraniad pwysig yng ngolwg yr Iddew am mai Hebraeg oedd cyfrwng y datguddiad. Dyma iaith Duw.

Caiff glod hefyd am ei allu peirianyddol. Dyfeisiodd gelfi amaethyddol, yn enwedig aradr a fyddai'n gollwng yr had i'r ddaear trwy bibell y tu ôl i'r swch, er mwyn ei gladdu rhag i'r adar gael gafael arno; cyfraniad amhrisiadwy i ddynoliaeth yn gyffredinol. Mae'r cyfeiriadau at y sêr yn Genesis yn arwain i'r casgliad ei fod yn seryddwr o fri. Dysgodd seryddiaeth i'r Phoeniciaid a'r Eifftiaid, a thrwyddynt hwy i'r Groegiaid. Gallai iacháu cleifion trwy fwrw allan ysbrydion drwg.

Dau bortread

Erbyn tua 400 OC roedd dau bortread o Abraham ar gael ymysg Iddewon y Gwasgariad. Y cyntaf oedd Abraham fel *tad gwareiddiad*. Y testun allweddol i'r Iddewon a welai eu cyndad yn y goleuni hwn oedd: 'Ynot ti bendithir holl dylwythau'r ddaear' (Gen. 12:3). Dilynodd Ben Sira (awdur Llyfr Ecclesiasticus) y trywydd hwn i raddau trwy ddisgrifio Abraham fel 'cyndad mawr llu o genhedloedd' (Ecclus. 44:19). Yr un oedd agwedd Philo a Joseffws, dau brif ladmerydd yr Iddewon ar wasgar yn ystod y ganrif gyntaf OC, a oedd yn awyddus iawn i egluro eu daliadau crefyddol i baganiaid ac i'w hargyhoeddi nad bygythiad oedd Iddewiaeth i'r cenhedloedd, ond bendith. Ond er mwyn apelio at y di-gred, a chael derbyniad i'w dehongliad hwy o Iddewiaeth, roedd gofyn iddynt wneud cyndad y genedl yn llai Iddewig ac yn fwy eangfrydig na'r darlun Beiblaidd ohono. I gyflawni hyn, mae Joseffws yn anwybyddu'r traddodiad i Abraham gondemnio paganiaeth ei deulu a malu'r eilunod. Nid yw'n cyfeirio chwaith at y cyfamod rhyngddo a Duw, y digwyddiad creiddiol sy'n gosod Israel ar wahân i bawb arall.

Mae Philo'n pwysleisio cefndir, cymeriad, doniau a dylanwad Abraham. Iddo ef, nid Iddew ydoedd ond crwydryn o Fesopotamia, dieithryn nad oedd erioed wedi teimlo'n gartrefol yng ngwlad yr addewid. Protestio a wnâi Philo o bosibl yn erbyn Iddewon a fynnai bod llinach deuluol ddilychwin yn hollbwysig. Nid achau Abraham sy'n cyfrif iddo, ond ei gymeriad fel un a groesawodd ddieithriaid, un a fu'n garedig wrth Lot, un a fu'n hael mewn buddugoliaeth ac a eiriolodd dros Sodom. O ychwanegu at hynny gyfraniad amhrisiadwy ei ddysg a'i ddawn i'r ddynoliaeth gyfan, mae Philo'n awgrymu na all y cenhedloedd ond elwa o gael disgynyddion Abraham yn gymdogion.

Gwneir ymgais fwriadol gan amryw o Iddewon blaenllaw yng nghyfnod cynnar y Gwasgariad (200 CC–70 OC) i wneud Abraham yn dderbyniol i baganiaid. Gwyddai'r gwasgaredigion na fyddai culni crefyddol ac anoddefgarwch a chasineb at eu cymdogion paganaidd o unrhyw fantais iddynt yn eu hymdrech i ennill parch y Groegiaid a'r Rhufeiniaid.

Yr ail bortread oedd Abraham fel *tad yr Iddewon.* Daeth hwn i'r amlwg wedi cwymp y Deml yn 70 OC, y trobwynt tyngedfennol yn hanes Iddewiaeth. Y Phariseaid a'u disgyblion, y rabiniaid, oedd yr arweinwyr crefyddol erbyn diwedd y ganrif gyntaf. O hyn ymlaen, ni fyddai gan y mwyafrif llethol o Iddewon ddim dewis ond byw yn y Gwasgariad, a dioddef gelyniaeth gynyddol y diwylliant paganaidd a'r Eglwys Gristnogol. O fewn ychydig ganrifoedd, byddai Islam hefyd yn fygythiad sylweddol. Roedd erledigaeth yn wastad ar y gorwel. Yr unig ffordd i sicrhau parhad y Ffydd a'r genedl oedd sefyll yn gadarn y tu ôl i fur gwarcheidiol y Tora. Er mwyn eu hysbrydoli mewn cyfnodau tywyll, roedd ar y ffyddloniaid angen arwr. Y dewis oedd Abraham, cyfaill Duw a thad y genedl. Yn ogystal â chael lle arbennig yn y nefoedd, gyda Duw'n eistedd ar ei ddeheulaw, cafodd ei anrhydeddu gan y rabiniaid fel yr Iddew cyntaf. Ef oedd y crediniwr delfrydol.

Ond roedd yn haws portreadu Abraham fel cyfaill Duw na'i bortreadu fel y gwir Iddew. Gan mai byw yn ôl Cyfraith Moses oedd prif nodwedd pob Iddew ffyddlon, roedd rheidrwydd i ddangos bod Abraham wedi cadw'r Gyfraith, er mai oddeutu saith can mlynedd wedi iddo farw y'i rhoddwyd. Daeth testun hwylus i'r adwy. Yn Genesis 26:5, mae Duw'n cyfiawnhau rhoi disgynyddion a gwlad i Isaac 'am i Abraham wrando ar fy llais, a chadw fy ngofynion, fy ngorchmynion, fy neddfau a'm cyfreithiau'. Roedd Ben Sira eisoes wedi ategu hyn trwy ganmol Abraham a dweud na chafwyd ei debyg mewn bri: 'Cadwodd ef gyfraith y Goruchaf a dod i gyfamod ag ef, gan roi nod y cyfamod ar ei gnawd' (Eccles. 44:19). Mae Philo hefyd yn honni bod ei arwr yn gwybod y Gyfraith cyn iddi gael ei datguddio i Moses, ac wedi byw yn ôl ei gorchmynion.

Mae esboniadau diweddarach y rabiniaid yn manylu ar hyn. Yn y Midrash, mae'r crwydryn oedrannus o Mesopotamia'n Iddew delfrydol, sydd nid yn unig yn darllen ac yn esbonio'r Gyfraith, ond yn ei byw trwy ddegymu, enwaedu ei blant, a chadw'r deddfau bwyd. Caiff glod hefyd am sefydlu'r foreol weddi fel rhan o addoliad y synagog. Cred, cyfraith a chyfamod sy'n ei wneud yn arloeswr undduwiaeth. Galw ar ei ddilynwyr i gofio 'gweithredoedd' eu tadau a wnaeth Matathias i galonogi ei ddilynwyr ar ddechrau gwrthryfel y Macabeaid yn erbyn polisi gwrth-Iddewig y Groegiaid yn yr ail ganrif CC: 'Oni chafwyd Abraham yn ffyddlon dan brawf, ac oni chyfrifwyd hynny yn gyfiawnder iddo?' (1 Mac. 2:52). Mewn cyfnod argyfyngus pan fo dyfodol Iddewiaeth yn y fantol, esiampl Abraham a gaiff ei dwyn i gof.

Arwyddocâd Abraham

Mae'r temtasiwn i wneud cymeriadau Beiblaidd yn fwy duwiol nag ydynt yn yr hanes gwreiddiol amdanynt yn gryf a chyson. Erbyn yr Oesoedd Canol cynnar, mae Abraham y rabiniaid yn ymylu ar fod yn sant. Caiff yr un a drodd ei gefn ddwywaith ar ei wraig, yr un a adawodd Hagar ac Ismael i farw yn yr anialwch, yr un a oedd yn barod i aberthu ei fab heb air o brotest, a'r un a alltudiodd feibion ei ordderchwragedd o'r wlad ei ystyried fel ymgorfforiad o bob rhinwedd. Ac o ychwanegu genedigaeth wyrthiol a chyflawniadau sylweddol a ffyddlondeb i'r Gyfraith at ei drugaredd, ei letygarwch a'i haelioni, mae'n hawdd gweld sut y daw Abraham yn berson o fri.

Dengys y llên ôl-Feiblaidd pa mor allweddol yw Abraham i'r grefydd Iddewig. Er nad oes unrhyw sail Feiblaidd i'r portread a geir yn y llyfrau diweddarach, nid dibwys mo'r darlun i'r Iddew. Mae'r storïau a gyfansoddwyd ganrifoedd lawer wedi ei farwolaeth yr un mor bwysig, os nad yn bwysicach o safbwynt ffydd a chred, na chynnwys yr adroddiad gwreiddiol. Fel y mae'r traddodiad yn cynyddu, mae ei bersonoliaeth yn newid, a daw ei arwyddocâd i'r ffyddloniaid yn fwy a mwy amlwg gyda threigliad amser. Ef yw tarddiad pob agwedd bron o fywyd beunyddiol yr Iddew. Roedd dilyn ei esiampl ac ymfalchïo yn ei wrhydri yn gymorth hawdd ei gael mewn cyfyngder. Yn wyneb cymdeithas elyniaethus yr Ymerodraeth Rufeinig, nid oedd gan syniadau cynhwysol a rhyddfrydol Philo a Joseffws fawr o apêl i'r Iddew. Tad yr Iddewon yn unig oedd Abraham y Midrash. Roedd ei fendithion yn gyfyngedig i'r genedl etholedig; anghofier y bendithion a ddaw yn ei sgil i holl dylwythau'r ddaear. Y portread hwn sy'n goroesi.

Camgymeriad yw cyfeirio at Islam fel 'Mohametaniaeth'. Mae Abraham yr un mor bwysig i'r grefydd â Mohamed gan fod y grefydd wedi ei seilio ar y ddau gyda'i gilydd. Abraham y traddodiad Islamaidd yw'r Moslem delfrydol; ef yw'r patrwm i'w efelychu. Yn ôl y traddodiad Islamaidd, cyn bod sôn am Islam yr oedd Abraham yn cadw pedwar allan o'r pum egwyddor sy'n sylfaen i'r grefydd: gweddi, pererindod, elusen a chyffes ffydd; ympryd Ramadan yw'r unig beth sydd ar goll. Stori Abraham yw tarddiad bannau'r ffydd, a sail pob defod grefyddol.

Nid yw Cristnogaeth yn ymddiddori yn hanes Abraham cyn iddo adael Haran. Ni ddangosodd yr esbonwyr cynnar unrhyw awydd i wybod am ei enedigaeth a'i gyflawniadau ym Mesopotamia. Yr hyn a'i gwnaeth yn gyndad ysbrydol i gredinwyr, ac yn gymeriad o bwys i awduron y Testament Newydd, oedd ei ffydd a'i ufudd-dod wedi iddo gyrraedd Canaan. Ond mae Islam ac Iddewiaeth yn seiliedig ar y portread o'r patriarch a geir nid yn unig yn eu hysgrythurau, ond hefyd yn eu traddodiadau. Dim ond wrth gymryd sylw o'r traddodiadau hynny y deuwn i werthfawrogi'r pwyslais a roddir gan ddwy o'r crefyddau undduwiol ar eu cyndad ysbrydol.

Cwestiynau i'w trafod

1. Pa mor bwysig yw traddodiadau ôl-Feiblaidd yr Iddewon i'n hastudiaeth o'r Beibl?

2. Sut a pham y mae cymeriad Abraham yn esblygu dros y canrifoedd yn y traddodiad Iddewig?

3. Ym mha ffordd y bu hanes Abraham o gysur i Iddewon a wynebodd erledigaeth?

24. Abraham yn y Traddodiad Cristnogol

Galatiaid 3:1–9, 15–20; Rhufeiniaid 4:1–25; Luc 3:7–8; 13:10–17; 19:1–10; Ioan 8:31–59.

Ni wyddom i sicrwydd pa bryd na pha le yn union y ganwyd Iesu. Ond gwyddom ei fod o dras Iddewig, ac iddo fyw a marw fel Iddew. Roedd ef a'i ddilynwyr cynnar yn dilyn arferion a defodau eu crefydd trwy gadw'r gwyliau, mynychu'r synagog, a pharchu'r Gyfraith. Nid sefydlu crefydd newydd oedd y bwriad, ond diwygio'r hen grefydd. Er i Iesu gael ei groeshoelio am fod yn feirniadol o'r awdurdodau, nid dyna ddiwedd y mudiad. Aeth y neges ar goedd ei fod wedi ei atgyfodi, ac mai ef oedd yr hir-ddisgwyliedig Feseia. Aeth y disgyblion ar deithiau cenhadol i bregethu'r newydd da a gwahodd eraill i ymuno â hwy i greu enwad Iddewig newydd. Yr enw cyntaf ar y mudiad oedd 'sect y Nasareaid' (Ac. 24:5).

Dwy garfan Gristnogol

Gan mai llugoer oedd ymateb yr Iddewon i'w neges, penderfynodd rhai o'r cenhadon fynd y tu hwnt i ffiniau Palestina a phregethu i'r Cenhedloedd. Onid oedd grym achubol y Meseia'n berthnasol i'r byd cyfan? Onid neges gynhwysol oedd neges yr Efengyl? Ond fe arweiniodd hyn at rwyg yn y mudiad. Mynnodd yr arweinwyr cynnar, Iddewon gyda'u pencadlys yn Jerwsalem, roi eu stamp eu hunain ar y grefydd newydd trwy orchymyn na chai'r un Cenedl-ddyn ei fedyddio heb yn gyntaf droi at Iddewiaeth. Yn ogystal â chredu yng Nghrist, roedd rhaid i unrhyw un a oedd am fod mewn perthynas â'r unig wir Dduw fyw hefyd yn ôl Cyfraith Moses.

Golygai hynny bod yna res o orchmynion i'w cadw, yn enwedig ynghylch enwaedu, parchu deddfau bwyd a chadw'r Saboth. Cafwyd gwrthwynebiad chwyrn i ddehongliad mor gyfyngedig o'r Efengyl.

Cytunai'r wrthblaid fod gofynion moesol y Gyfraith yn berthnasol i bawb, ond nid oedd angen cadw'r gofynion seremonïol. Sail eu safbwynt hwy oedd yr argyhoeddiad bod ffydd yng Nghrist yn ddigon i sicrhau iachawdwriaeth y Cenhedloedd. Nid oedd angen enwaedu ar Genedl-ddyn er mwyn iddo gael rhan ym mreintiau Israel. Canlyniad yr anghydfod fu i Gristnogaeth ddatblygu'n ddwy garfan: Cristnogion Iddewig dan arweiniad Pedr, a Christnogion Cenhedlig dan arweiniad Paul. Adroddir peth o hanes y rhwyg yn Actau'r Apostolion, ond cawn gip arni hefyd yn rhai o lythyrau Paul.

Llythyrau Paul

Er mwyn ennill y ddadl yn erbyn yr awdurdodau a sicrhau ei annibyniaeth oddi wrth yr apostolion yn Jerwsalem, gwyddai Paul y byddai angen cysylltu neges gynhwysol yr Efengyl â ffigwr hanesyddol. Roedd angen rhywun a fendithiwyd gan Dduw er nad oedd yn cadw Cyfraith Moses. Roedd angen rhywun â phedigri ysbrydol cadarn. Abraham oedd y cymeriad delfrydol hwnnw. Profiad y patriarch oedd y prawf diymwad mai camgymeriad oedd gorfodi'r Cenhedloedd i addo cadw Cyfraith Moses fel amod o gael eu bedyddio. Er mwyn cael y maen i'r wal, defnyddiodd Paul y stori yn Genesis a'i dehongli yn null esboniadol y rabiniaid. Ar brydiau, stori yw'r unig ffordd i gyfleu'r gwirionedd. Sylwn ar y dystiolaeth mewn dau lythyr.

Y Llythyr at y Galatiaid.

Dyma'r chwerwaf a'r mwyaf dadleuol o'r llythyrau. Ynddo, mae Paul yn annerch cymuned o Gristnogion Cenhedlig yn Galatia, lle bu ef a Barnabas yn genhadon. Clywsai bod yr eglwys a sefydlodd wedi dod dan ddylanwad cenhadon eraill, Cristnogion Iddewig o Jerwsalem; ac y mae'n ystyried hynny'n fygythiad i wir neges yr Efengyl. Yn ddidrugaredd, mae'n lladd ar y gau athrawon ac ar y Galatiaid am wrando arnynt (1:6–9; 3:1–3; 5:7–12). Defnyddiodd yr Eglwys Fore ei agwedd negyddol at Gyfraith Moses yn y llythyr hwn i gyfiawnhau ei hagwedd wrth-Iddewig.

Er na allwn fod yn sicr o hynny, mae'n eithaf tebyg i'r cenhadon o Jerwsalem gyfeirio at Abraham fel esiampl i'r Cenhedloedd ei ddilyn. Roedd yr Ysgrythur yn tystio i'r ffaith bod un o dras genhedlig wedi derbyn bendith gan Dduw am iddo enwaedu arno'i hun a'i deulu, ac wedi cadw (yn ôl Genesis 26:5) y Gyfraith yn ei chrynswth. Enwaediad oedd yr arwydd o berthyn i deulu Abraham, a thrwyddo ef, i deulu Duw. Hyn, efallai, sydd i gyfrif am y sylw y mae Paul yn ei roi i'r patriarch. Yn sicr, defnyddia'i esboniad ef ei hun o Genesis i gefnogi ei safbwynt mai'r Cenhedloedd yw gwir blant Abraham.

Yn Galatiaid 3:6, mae Paul yn ateb cwestiwn rhethregol trwy ddyfynnu Genesis 15:6, testun sy'n arf perffaith iddo yn ei frwydr yn erbyn y gau genhadon. Nid cadw gofynion y Gyfraith a sicrhaodd fendith i Abraham, ond ffydd ac ymddiriedaeth. Yr hyn sy'n cyfrif yng ngolwg Duw yw ei ymateb crediniol i'r addewidion er gwaethaf popeth: crwydryn digartref yn cael gwlad; hynafgwr di-blant yn cael epil ac yn cenhedlu llu o ddisgynyddion. I wireddu'r addewid o fendith, ffydd oedd yr unig beth angenrheidiol. Sefydlodd Duw'r berthynas rhyngddo ag Abraham trwy gyfamod, ac fe'i cyfrifodd yn gyfiawn ymhell *cyn* iddo gael ei enwaedu a chadw'r gorchmynion (Gen. 17:10; 26:5). Wrth esbonio natur y cyfamod, mae Paul yn pwysleisio dau beth (Gal. 3:15–20).

Yn gyntaf, *ei barhad.* Mae'n cymharu'r cyfamod ag ewyllys neu destament olaf dyn, sy'n ddogfen swyddogol, ddigyfnewid. Ni all y Gyfraith, a ddaeth i fodolaeth ganrifoedd yn ddiweddarach, newid dim ar ei gynnwys. Felly, mae'r addewid o fendith i holl dylwythau'r ddaear yn parhau mewn grym. Ac yn ail, *ei ystyr.* Mewn dehongliad sy'n nodweddiadol o'r rabiniaid, mae Paul yn diffinio gwir ddisgynyddion Abraham trwy dynnu sylw at y gair *sperma* yn y cyfieithiad Groeg o Genesis 17:7. Y cyfieithiad llythrennol yw 'had'. Ond gan ei fod yn air unigol a lluosog (cymharer 'fish' a 'sheep' yn Saesneg), mae'r ystyr yn amwys. Er y gall *sperma* olygu 'disgynyddion', mae Paul yn dewis yr ystyr unigol, 'had', gan ei esbonio fel cyfeiriad at Grist. Nid trwy nifer o ddisgynyddion, sef cenedl Israel, ond trwy un dyn y mae'r Cenhedloedd yn elwa o'r cyfamod. Os yw'r Cenhedloedd yn credu yng Nghrist, fel y credodd Abraham yn Nuw a chael ei gyfrif yn gyfiawn, nid oes angen gwneud mwy. 'Gwyddoch ... am bobl ffydd, mai hwy yw plant Abraham ... Am hynny, y mae pobl ffydd yn cael eu bendithio ynghyd ag Abraham, un llawn ffydd' (Gal. 3:7–9). Nid oedd a wnelo enwaediad ddim â'r addewid o fendith. I Gristion Cenhedlig, fel yn achos Abraham, nid defod allanol oedd y drws i'r addewid, ond ffydd.

Y Llythyr at y Rhufeiniaid.

Gan mai cefndir y llythyr hwn hefyd yw cynnen rhwng Cristnogion Iddewig a Christnogion Cenhedlig, mae Paul (yn y bedwaredd bennod) yn datblygu ymhellach y pwynt a wnaeth yn ei lythyr at y Galatiaid. O'r hyn a ddywed yr adnod agoriadol, mae'n amlwg bod cynnwys y bennod yn gysylltiedig â'r pwnc a drafodwyd ar ddiwedd y bennod flaenorol: 'Ein dadl yw y cyfiawnheir rhywun trwy gyfrwng ffydd yn annibynnol ar gadw gofynion cyfraith' (Rhuf. 3:28). Os felly, mae'n gofyn a yw'r ffydd hon yn 'dileu'r Gyfraith' (3:31). A'i ateb yw nad yw hynny'n digwydd. Yr hyn sy'n ofynnol yw cydnabod fod y Tora, y Pumllyfr, y Gyfraith, yn cynnwys mwy na gorchmynion. Yn ogystal â deddfau, mae ynddo hanesion arwrol, ac un ohonynt yw stori Abraham. Gan mai tystiolaeth y Tora ei hun yw bod crediniwr yn cael ei gyfrif yn gyfiawn gerbron Duw trwy ffydd yn unig, nid dileu'r Gyfraith sydd ei angen ond ei defnyddio i herio gwrthwynebwyr. Cadarnhau'r Gyfraith, neu o leiaf un elfen ohoni, a wna Paul, yn hytrach na'i hanwybyddu.

Unwaith eto, mae'n dyfynnu Genesis 15:6 fel sail i'w ddadl yn erbyn y rhai sy'n dweud y cyfiawnhawyd Abraham trwy gadw gofynion cyfreithiol (Rhuf. 4:1–12). Yn 4:13–22, y syniad fod Abraham yn dad nid i'r Iddewon yn unig, ond i lawer o genhedloedd a gaiff sylw. Nodweddion ffydd Abraham oedd gobaith yng nghyflawniad yr addewidion, ac ymddiriedaeth yng ngallu Duw i greu bywyd o ddim. Wrth gloi'r bennod, mae Paul yn dangos perthnasedd ei ddehongliad i'r eglwys yn Rhufain. Cyfrifir Cristnogion hefyd yn gyfiawn oherwydd eu ffydd 'yn yr hwn a gyfododd Iesu ein Harglwydd oddi wrth y meirw' (4:24).

Mae tebygrwydd y defnydd a wna Paul o stori Abraham yn y ddau lythyr yn amlwg. Y cyd-destun yw'r diffyg cytundeb rhwng dwy garfan Gristnogol ynglŷn â sut i dderbyn y Cenhedloedd fel aelodau o Eglwys Crist. Yn ei ddadl gyda phlaid Pedr, sef y Cristnogion Iddewig, mae Paul yn defnyddio Abraham fel esiampl. Ei fwriad yw defnyddio'r Ysgrythur i ddangos fod perthynas â Duw yn bosibl heb gyflawni gofynion y Gyfraith. Daw'r Cenhedloedd yn blant Abraham trwy ffydd yng Nghrist, sef had Abraham. I Paul y mae'r diolch am 'ddarganfod' Abraham fel tad-yn-y-ffydd, neu gyndad ysbrydol y Cristion.

Efengyl Luc

Wrth fyfyrio ar weinidogaeth Iesu, mae Luc yn canolbwyntio ar un peth: ei ofal dros bobl yr ymylon. Neges gynhwysol sydd gan ei efengyl i Genedl-ddynion, yn ogystal ag Iddewon difreintiedig. Ynddi mae Iesu'n ochri â 'gwrthodedigion trist ein byd' – gweddwon, tlodion, cleifion, merched, y diamddiffyn a'r gorthrymedig – o ba hil bynnag y bônt. Daw hyn yn amlwg yn Luc 4:16–19, lle mae'n dyfynnu adnodau o Eseia fel maniffesto ei weinidogaeth. Er mwyn gwireddu ei neges, mae'r efengylydd yn defnyddio Abraham i herio'r syniad fod gan ddisgynyddion corfforol y patriarch statws breintiedig yng ngolwg Duw. Trwy roi lle arbennig i'r difreintiedig a'r edifeiriol yn ei efengyl, mae'n dangos nad llinach deuluol sy'n cyfrif wrth ystyried pwy yw plant Abraham. Sylwn ar bedair enghraifft.

Pregethu Ioan Fedyddiwr: 3:7–8

Roedd y gred eu bod yn ddisgynyddion Abraham o dragwyddol bwys i'r Iddewon. Credent fod eu tras yn ddigon i'w harbed rhag unrhyw drybini. Mae Ioan yn eu dadrithio trwy bregethu fod yr addewidion a wnaed i Abraham i'w cael y tu allan i Iddewiaeth. Gall Duw wneud pwy bynnag a fyn yn blentyn Abraham, ac felly yn etifedd y cyfamod, am mai cyfiawnder ac edifeirwch sy'n cyfrif yn ei olwg ef, nid achau. Mae stori sy'n defnyddio Abraham i lefelu'r gwahaniaeth rhwng Iddew a Chenedl-ddyn yn apelio at Luc.

Iachâd gwyrthiol: 13:10–17

Mae'r stori hon yn pwysleisio tri pheth: iachâd y wraig o'i salwch; y ffaith mai Iesu sy'n cymryd y cam cyntaf; ac anghytundeb ynglŷn â chadw'r Saboth. Ond pam fod Iesu'n cyfeirio at y wraig fel 'un o ferched Abraham'? Gan ei bod yn y synagog, mae'n sicr o fod yn Iddewes. Felly, mae'n amlwg nad ei llinach sydd o bwys i Iesu ond ei defosiwn. Y wers yw nad braint arbennig y cyfoethog, y grymus a'r holliach yw bod yn blentyn Abraham. Luc yw'r unig efengylydd sy'n adrodd y stori. Mae ef yn ei chynnwys am ei bod yn ategu ei gred fod y duwiol, beth bynnag fo'u cyflwr, yn cyfrif fel un o blant Abraham.

Y Dyn Cyfoethog a Lasarus: 16:19–31

Stori yw hon am brofiad dau ddyn yn y byd a ddaw. Mae dyn tlawd o'r enw Lasarus yn gwledda gydag Abraham ym Mharadwys, a dyn cyfoethog mewn poen arteithiol yn Hades. Dibynna un ar drugaredd Duw tuag at y dioddefus a'r gorthrymedig; mae'r llall yn cyfarch Abraham fel ei 'dad', ac yn disgwyl trugaredd ar gyfrif ei dras a'i deulu. Mae'n galw ar Abraham i leddfu ei boen a rhybuddio'i frodyr. Ond am nad yw wedi edifarhau am gam-drin Lasarus (mae'n dal i'w ystyried fel gwas bach), caiff apêl y dyn cyfoethog ei gwrthod. Er i Abraham gydnabod y berthynas rhyngddynt trwy ei gyfarch fel 'fy mhlentyn', nid yw'n derbyn y syniad fod llinach deuluol yn sicrhau ffafr a blaenoriaeth. Ni all ei ddisgynyddion yn ôl y cnawd ddibynnu ar ei eiriolaeth. Er bod perthynas y crediniwr ag Abraham yn parhau yn y byd a ddaw, penderfynir natur y berthynas yn y byd hwn. Dyma stori arall sy'n unigryw i Luc ac yn cefnogi ei ddaliadau diwinyddol.

Iesu a Sacheus: 19:1–10

Mae stori Sacheus, y casglwr trethi cyfoethog o Jericho a syrthiodd ar ei fai a chael ei wneud yn ddyn newydd, yn gyfarwydd. A hwythau'n Iddewon yng ngwasanaeth y Rhufeiniaid, roedd y casglwyr trethi'n amhoblogaidd iawn. Ond yn ei ymateb i gyfeillgarwch Iesu, croesawodd Sacheus ef yn llawen i'w dŷ; edifarhaodd am ei gamweddau, a rhoi hanner ei eiddo i'r tlodion. Enillodd hyn glod gan Iesu a'i cydnabu yn 'fab i Abraham'. Dim ond Luc sy'n adrodd y stori. Ei fwriad yw dangos mai edifeirwch, nid llinach, sy'n gwneud unigolion yn blant Abraham. Yn ôl Luc, nid achau a statws cymdeithasol sy'n cyfrif yng ngolwg Duw. Mae teulu Abraham yn cynnwys credinwyr sydd y tu allan i'r genedl Iddewig, yn ogystal â'r difreintiedig a'r edifeiriol y tu mewn iddi. Fel un o dras genhedlig ei hun, mae Luc yn awyddus i Gristnogion gael eu derbyn gan yr Iddewon fel cyd-etifeddion y cyfamod, ac felly fel plant i Abraham.

Efengyl Ioan

Y farn gyffredinol yw bod Ioan wedi ysgrifennu ei efengyl tua diwedd y ganrif gyntaf OC. Dyma'r cyfnod pan oedd yr Eglwys a'r Synagog yn prysur fynd ar wahân gan ddechrau dangos yr atgasedd a fyddai'n nodweddu'r berthynas rhyngddynt yn ystod y ganrif ganlynol. Gan fod nifer cynyddol o Iddewon yn derbyn Iesu fel y Meseia, ond yn dymuno glynu wrth Iddewiaeth, gorfodwyd y gymuned Iddewig i warchod ei buddiannau yn wyneb cenhadaeth Gristnogol. Maes o law, bwriwyd y Cristnogion cudd allan o'r synagogau. *The Partings of the Ways between Christianity and Judaism* yw teitl llyfr sy'n disgrifio'r anghydfod. Ymateb y rhai a esgymunwyd oedd mynd ati i brofi mai ganddynt hwy yr oedd y wir berthynas â Duw. Mae Ioan yn cyfeirio at y gynnen dair gwaith, ond mae'n gosod y ffrae yng nghyd-destun gweinidogaeth Iesu, tua chwe deg mlynedd yn gynharach. Mae'n anodd credu bod yr anghydfod wedi datblygu i'r fath raddau yn nechrau'r ganrif, ond erbyn ei diwedd gwyddom i sicrwydd fod yr elyniaeth rhwng Iddew a Christion yn tyfu'n gyflym. Adlewyrchu tensiynau diwedd y ganrif yn hytrach na'i dechrau a wna testunau fel In. 3:1–2; 9:18–23; 12:42–43; 19:38.

Defnyddia Ioan y ddadl rhwng Iesu a'r Phariseaid i enwi gwir blant Abraham, ac i fynegi ei atgasedd at yr Iddewon. Cyfyngir y sylw a roddir i Abraham i ran o un bennod, sef In. 8:31–59, lle mae'r gynnen rhwng Iesu a'r Iddewon yn amlwg. Ond sylwer fod Iesu'n barnu, nid yr awdurdodau, ond 'yr Iddewon oedd wedi credu ynddo' (8:31). Gan fod hyn, a dweud y lleiaf, yn annisgwyl, pwy oedd y rhain? Un awgrym yw mai Cristnogion Iddewig yng nghyfnod Ioan oeddent a oedd wedi gadael yr Eglwys dan bwysau propaganda'r Synagog. Ymgais sydd yma gan yr efengylydd i rwystro eraill rhag gwneud yr un peth. Mae'r testun yn rhannu'n dair rhan.

Plant Abraham: 8:31–36

Sylwer ar ddau air Groeg sy'n disgrifio perthynas yr Iddewon ag Abraham, *sperma* a *tekna*. Mae'r gwahaniaeth rhwng y ddau air o bwys. Yn adnod 33, mae'r Iddewon yn honni eu bod yn *sperma* Abraham ('descendants' yn y *Revised English Bible;* 'plant' yn BCND), a thrwyddo ef yn blant i Dduw. Yn adnod 37, mae Iesu'n cytuno mai *sperma* Abraham ydynt; 'plant' sydd yn y BCND eto. Ond o ddibynnu ar y cyfieithiad Cymraeg, gellid tybio bod Iesu'n ei wrthddweud ei hun yn adnod 39, 'Pe baech yn blant i Abraham ...'. Ond nid felly, oherwydd yn yr adnod hon *tekna* sydd yn y Roeg gwreiddiol, nid *sperma*. Mae Iesu'n cydnabod yr Iddewon fel disgynyddion corfforol *(sperma)* Abraham, ond yn gwadu eu bod yn ddisgynyddion ysbrydol *(tekna)* iddo, am nad ydynt yn gwneud yr un gweithredoedd ag ef. Cyfeirio a wna 'gweithredoedd' at rinweddau Abraham, yn enwedig ei oddefgarwch, ei haelioni a'i letygarwch. Ond ceisio lladd Iesu a wna'r Iddewon, nid ei groesawu na chredu ynddo. Oni ddylai plant fod yn dilyn esiampl eu tad?

Plant y Diafol: 8:37–47

Mae'r anghydfod yn dwysáu a'r cyhuddiadau'n mynd yn fwy miniog. Nid plant Abraham yw'r Iddewon, na hyd yn oed blant i Dduw, ond plant y diafol, hynny yw, ei ddisgynyddion ysbrydol; dyna ystyr 'eich tad eich hunain' (8:41). Y diafol, nid Duw, yw tad pob un sy'n gwrthod cydnabod mai Iesu yw'r ffordd, y gwirionedd, a'r bywyd. Er i'r syniad mai plentyn y Fall yw'r Iddew ymddangos yn gyson ym mhropaganda gwrthsemitaidd Hitler, nid cynnyrch y Natsïaid mohono yn y bôn.

Gweledigaeth Abraham: 8:48–59

Yn ôl llen ôl-Feiblaidd yr Iddewon, cafodd Abraham weledigaeth o'r dyfodol a oedd yn cynnwys dyfodiad y Meseia i'r byd. Ym meddwl

Ioan, prif 'weithred' Abraham oedd ei barodrwydd i dystiolaethu i bresenoldeb Duw yng Nghrist: 'Gorfoleddu a wnaeth eich tad Abraham o weld fy nydd i' (8:56). Hyn, nid genedigaeth Isaac, neu addewid am wlad, sydd i gyfrif am ei orfoledd. Ond nid llawenhau a wna'r Iddewon; ceisiant hwy ladd y Meseia. Gan nad ydynt yn dilyn esiampl eu tad, nid ydynt yn deilwng o gael eu hystyried yn blant iddo. I Ioan, tyst i'r gwirionedd yw Abraham; llais sy'n galw am ffydd yng Nghrist ac yn barnu anghredinwyr. Trwy Grist y cyflawnir y cyfamod. Dim ond y sawl sy'n credu mai Iesu oedd y Meseia sy'n elwa ar yr addewidion. Dyma'r enghraifft gyntaf o Gristioneiddio Abraham. Y canlyniad yw bod yr Iddewon yn cael eu hamddifadu o'u statws breintiedig. Collant eu hunaniaeth: dim ond Cristnogion yw gwir blant Abraham.

Cyd-destun syniadau diwinyddol Ioan yw'r tensiwn rhwng yr Eglwys a'r Synagog ar ddiwedd y ganrif gyntaf. Ond parhaodd eu dylanwad yn yr Eglwys am ganrifoedd trwy hybu ei hagwedd negyddol at Iddewiaeth wrth iddi ddatblygu'n rym gwleidyddol, crefyddol a chymdeithasol. Mae'r esboniad cyfyngedig hwn o stori Abraham yn diarddel yr Iddewon; a'r esboniad hwn a orfu. Dim ond o ganlyniad i'r Holocost y cafodd y dehongliad cynhwysol o'r stori, mai Abraham yw ein tad ni oll, sylw gan ddiwinyddion Cristnogol.

Cwestiynau i'w trafod

1. I ba raddau y mae cynnen rhwng Cristnogion yn fagl i gyhoeddi'r Efengyl?

2. Ym mha ffyrdd y mae awduron y Testament Newydd yn ymhelaethu ar stori Abraham ac yn ei defnyddio i'w dibenion eu hunain?

3. Sut mae Cristnogaeth yn defnyddio stori i gyfleu gwirionedd?

25. Plant Abraham

Dangosodd ein hastudiaeth bod y tair crefydd undduwiol yn hawlio Abraham, ac yn ei ystyried fel y gwir grediniwr y dylai'r ffyddloniaid ei efelychu. Serch hynny, mae stori'r patriarch eciwmenaidd wedi gwneud mwy i gadw ei blant ar wahân nag i'w hannog i ddod at ei gilydd. Nid parch, goddefgarwch a chydweithrediad yw nodweddion amlycaf yr un o'r crefyddau. Er y ceir peth gweithgaredd ar y cyd rhwng y tair crefydd, prin yw'r ymwybyddiaeth eciwmenaidd ar y cyfan. Cyn i ni ystyried natur eciwmeniaeth rhyng-grefyddol, purion yw gofyn beth sy'n rhwystro crefyddau sy'n tarddu o'r un ffynhonnell rhag cyd-fyw'n heddychlon.

Agwedd Ymosodol

Tystia hanes i'r ysbryd ynysol a chystadleuol a esgorodd ar erlid a rhyfel rhwng y crefyddau. Pan ddaeth yr Eglwys yn rym gwleidyddol yn y bedwaredd ganrif, yr Iddew a ddioddefodd. Ar sail diwinyddiaeth disodli, sef y gred fod yr Eglwys wedi cymryd lle'r Synagog yn arfaeth Duw wedi cwymp y Deml yn 70 OC, ni welai Cristnogion unrhyw gyfiawnhad dros fodolaeth Iddewiaeth fel crefydd, na'r Iddewon fel cenedl. Pasiwyd llu o ddeddfau gwrth-Iddewig i geisio argyhoeddi'r Iddewon o'u pechod yn gwrthod y Meseia. Aeth pethau o ddrwg i waeth dros y canrifoedd, fel y tystia hanes y Croesgadau a'r Chwilys yn Sbaen. Mae atgasedd Martin Luther at yr Iddewon, a'i argymhellion ciaidd i dywysogion yr Almaen ynglŷn â'r ffordd i'w trin, yn achos cywilydd o hyd i'r Eglwys Lutheraidd. Er nad oedd diwinyddiaeth y Diwygiwr o ddiddordeb i Hitler, yr oedd ei arddull a'i awgrymiadau'n apelio'n fawr ato. Gwnaeth y Natsïaid ddefnydd helaeth o'i ysgrifau gwrth-Iddewig.

Yn ystod y Rhyfel Byd Cyntaf daeth ffwndamentaliaeth Gristnogol i'r amlwg, yn enwedig yn America. Roedd y garfan ddylanwadol hon nid yn unig yn gwbl anoddefgar o unrhyw ddehongliad o'r Testament Newydd a oedd yn wahanol i'r eiddynt hwy ond yn barod iawn i gollfarnu pob crefydd arall. Mor ddiweddar ag wythdegau'r ganrif ddiwethaf, achosodd arweinydd enwad y Southern Baptists, Bailey Smith, gryn gynnwrf pan ddywedodd ar goedd nad oedd gweddi'r Iddew yn cyrraedd gorsedd gras. Rhesymai Smith fod y genedl Iddewig yn wrthodedig gan Dduw am iddi groeshoelio Crist. Sut y gallai Duw wrando gweddi'r rhai a fu'n gyfrifol am y fath anfadwaith?

Penllanw'r berthynas rhwng Cristnogaeth ac Islam, dwy grefydd genhadol a milwriaethus, oedd Rhyfeloedd y Groes yn y ddeuddegfed ganrif. Bwriad y Croesgadwyr oedd nid yn unig adennill y mannau cysegredig ym Mhalestina, ond hefyd rwystro'r Moslemiaid rhag meddiannu Ewrop. Er i'r rhyfeloedd barhau am ddwy ganrif a hanner, prin fu llwyddiant y Cristnogion. Cwympodd Caergystennin (Istanbul), canolfan Eglwys y Dwyrain, yn 1453, a thrwy groen ei dannedd y llwyddodd Fienna i osgoi'r un dynged yn 1529. Esgorodd bygythiad Islam ar agwedd ddilornus a gelyniaethus at y Moslem ymhlith diwinyddion Cristnogol Ewrop. Ond yn raddol, collodd yr Ymerodraeth Otoman ei grym. Cyfyngwyd Islam i'r anialwch, a daeth cyfle i Gristnogaeth ymledu trwy wladychu America, Affrica a'r Dwyrain Pell. Erbyn diwedd y bedwaredd ganrif ar bymtheg, roedd gan y grefydd Gristnogol le unigryw yn y byd. Fel yn y bedwaredd ganrif, daeth diwinyddiaeth a gwleidyddiaeth yn bartneriaid agos. Roedd yna le i orfoleddu.

Cafodd agwedd fuddugoliaethus yr Eglwys Gatholig Rufeinig ei hadlewyrchu gan y Protestaniaid mewn cynhadledd genhadol enwog yng Nghaeredin yn 1910. Bwriad y *World Missionary Conference* oedd hybu 'the evangelization of the world in this generation'. Proffwydodd y gynhadledd y byddai'r deugain mlynedd nesaf yn drobwynt yn hanes dynoliaeth. Gwireddwyd hynny, ond nid yn y modd a ddisgwyliai'r aelodau. Erbyn 1950, wedi dau ryfel erchyll, roedd y byd yn edrych yn dra gwahanol, yn wleidyddol ac yn ddiwinyddol, i'r hyn ydoedd ar ddechrau'r ganrif. Yn 1948, wedi canrifoedd o erlid, yn bennaf gan Gristnogion, cafodd yr Iddewon gartref parhaol yn y wlad a addawodd Duw i Abraham. Daeth cenedlaetholdeb Arabaidd i'r amlwg mewn amryw o wledydd yn fuan wedyn.

O ystyried daliadau diwinyddol y tair crefydd, ac o gofio'r cefndir hanesyddol sy'n llawn casineb a chystadleuaeth, go brin fod eciwmeniaeth wedi cael blaenoriaeth gan gredinwyr, aelodau o'r un teulu neu beidio. Mae hyn yn codi cwestiwn perthnasol: a fedr y crefyddau undduwiol fyth gyd-fyw heb yr anoddefgarwch sy'n arwain at erlid, rhyfela a lladd?

Deialog ddidwyll

Er bod y mudiad eciwmenaidd wedi cloffi ymysg Cristnogion, mae eciwmeniaeth rhwng y crefyddau wedi dechrau blaguro. Un rheswm am hyn yw'r ffaith fod yr agwedd ymffrostgar a buddugoliaethus, a oedd yn disgwyl gweld un grefydd orchfygol, fyd-eang, wedi diflannu i bob pwrpas mewn Cristnogaeth. Erbyn diwedd yr ugeinfed ganrif roedd Cristnogaeth yn edwino'n gyflym yn Ewrop. Ni chafodd breuddwyd cynhadledd Caeredin, y câi'r byd ei efengylu o fewn un genhedlaeth, fyth ei gwireddu. Er i'r gred ym muddugoliaeth cenhadaeth fyd-eang barhau mewn rhai enwadau yn Islam, â siarad yn gyffredinol, erbyn hyn mae pob crefydd yn gorfod cydnabod bodolaeth y lleill. Yr unig ffordd i osgoi camweddau'r gorffennol yw parchu eraill, a bodloni ar gyd-fyw yn hytrach na chystadlu. Ond er mwyn i hynny lwyddo, rhaid cael deialog. Nid yw deialog yn golygu cyfaddawdu ar faterion cred. Nid ceisio osgoi'r gwahaniaethau sydd ei angen mewn deialog ddidwyll, ond eu derbyn, a hyd yn oed eu cadarnhau. Nid anwybyddu'r ffaith fod yna wahanol lwybrau at Dduw, ond pwysleisio fod y syniad o wahanol lwybrau'n dderbyniol.

Mae'r awydd am ddeialog i'w ganfod yn y tair crefydd. Fe dynnodd yr Holocost sylw'r byd at ganlyniadau echrydus canrifoedd o wrth-Iddewiaeth ar ran yr Eglwys Gristnogol. Daeth yn amlwg bod rhaid i ddiwinyddiaeth newid yn sylweddol i osgoi cyflafan arall. O gofio agwedd negyddol Martin Luther, aeth yr Eglwys Lutheraidd ati'n frwdfrydig i newid ei safbwynt ynglŷn ag Iddewiaeth. Digwyddodd yr un peth mewn enwadau eraill, ac yn enwedig yn yr Eglwys Gatholig Rufeinig. Ar y Sul olaf o Fawrth, 2000 aeth y Pab Ioan Paul II at Fur yr

Wylofain yn Jerwsalem. Gwthiodd rhwng y cerrig ddarn bach o bapur, ac arno roedd gweddi'n mynegi ei dristwch am droseddau'r gorffennol ac yn ceisio maddeuant i'w ragflaenwyr am erlid yr Iddewon yn enw Crist. Ei ddyhead oedd gweld yr Eglwys yn 'ymrwymo i greu brawdoliaeth ddiffuant rhyngddi a phobl y cyfamod'.

Am ganrifoedd, agwedd fuddugoliaethus a fu gan Foslemiaid tuag at Iddewiaeth a Christnogaeth. Statws eilradd oedd gan ffyddloniaid y ddwy grefydd arall ym mhob gwlad Islamaidd. Hyd heddiw, mae casineb ac erlid yn parhau mewn rhai gwledydd. Ond mae yna hefyd leisiau yn Islam sy'n galw am barch, goddefgarwch a chydweithrediad gyda Christnogaeth ac Iddewiaeth. Dyfynnant y Cwrân fel awdurdod i gynnal deialog: 'Siaradwch yn gwrtais bob amser gyda Phobl y Llyfr' (Sura 29:46). 'Na fydded unrhyw orfodaeth mewn crefydd' (Sura 2:256).

Yn ôl un o rabiniaid blaenllaw Israel gyfoes, er bod gan bob crefydd ei ffordd ei hun at Dduw y dylid ei gwarchod, y mae iddynt hefyd nodweddion sy'n gyffredin i grefyddau eraill. Rhaid gofalu peidio â cholli golwg ar yr elfennau cyffredinol ym mhob traddodiad. Er mwyn i ddeialog lwyddo, mae angen cydnabod bodolaeth ffynhonnell gyffredin, sail sy'n ennill parch y tair crefydd, sail sy'n ymgorffori undduwiaeth a brawdoliaeth, ac yn bodoli cyn i'r un o'r crefyddau ymddangos. Mae angen Abraham.

Canolbwyntio ar Abraham

Er mwyn symbylu deialog, crëwyd amryw o gymdeithasau rhyng-grefyddol yn ystod ail hanner yr ugeinfed ganrif. Nodwn dair ohonynt sydd erbyn hyn gydag aelodaeth fyd-eang. Yn 1967, sefydlwyd *Fraternité d'Abraham* ym Mharis yn sgil Ail Gyngor y Fatican i hybu dealltwriaeth a goddefgarwch rhwng Cristion a Moslem. Yn 1995, daeth *The International Abrahamic Forum* yn Jerwsalem i fodolaeth i geisio gwella'r berthynas rhwng y tair crefydd sy'n rhannu'r ddinas. Yn 1997, sefydlwyd *The Three Faiths Forum* yn Llundain er mwyn cefnogi trialog trwy astudio ysgrythurau'r crefyddau Abrahamaidd. Mae cangen ohono mewn amryw o wledydd eraill erbyn hyn dan enw newydd a roddwyd iddo yn 2018, *The Forum for Faiths and Belief.* Er eu bod yn parchu safbwynt y gwahanol grefyddau undduwiol, mae'r cymdeithasau hyn a'u tebyg yn chwilio am dir canol yn sail i drafodaeth ffrwythlon, wedi canrifoedd o neilltuolaeth niweidiol. Trwy roi sylw i stori Abraham, mae modd i Iddewon, Cristnogion a Moslemiaid gydnabod ei gilydd fel plant yr un tad.

Cafodd yr ymgyrch hon i greu deialog hwb sylweddol tua diwedd Medi 2002 gan *Time Magazine.* Mewn ymateb i 'Drychineb 9/11' yn yr Unol Daleithiau flwyddyn yn gynharach, rhoddwyd llun o Abraham ar glawr yr wythnosolyn gyda'r cwestiwn: 'Jews, Christians and Muslims all claim him as their father. Can he be their peacemaker?' Daeth nifer sylweddol o lythyrau i law yn ymateb yn gadarnhaol. O ganlyniad, yn ystod y pymtheg mlynedd diwethaf cyhoeddwyd amryw o lyfrau ac erthyglau mewn cyfnodolion yn gwyntyllu'r pwnc.

Cyfraniad Abraham

Mae pob crefydd wedi dehongli hanes Abraham ac wedi cyfansoddi chwedlau er mwyn cefnogi safbwyntiau diwinyddol arbennig a hybu neilltuolaeth. O ganlyniad, cafodd y stori yn Genesis ei thrawsnewid. Fe'i camddefnyddiwyd i gyfreithloni erlid, gorchestion milwrol, a bwriadau gwleidyddol. Ond dim ond trwy dalu sylw i Genesis, yn hytrach na'r darlun a geir yn y Midrash, y Testament Newydd a'r Cwrân, y daw cyfraniad Abraham fel y patriarch eciwmenaidd i'r golwg. Yr hyn sy'n gyffredin i'r tair crefydd yw Abraham fel y mae'n ymddangos yn Genesis, nid yn y traddodiadau diweddarach. Beth, felly, yn ôl y stori sylfaenol, a ddylai cyfraniad Abraham fod i'r berthynas rhyngddynt?

Sylwn yn gyntaf ar ei *gymeriad.* Pwysleisia'r portread ohono yn Genesis ddwy elfen bwysig na chaiff fawr o sylw. Mae'n gymeriad goddefgar. Nid ffanatig yn pregethu neilltuolaeth ac yn erlid pawb oedd yn gwrthod derbyn ei undduwiaeth, sydd yma. I'r gwrthwyneb; pan ddaw i Ganaan, mae'n derbyn yn ddigynnwrf fodolaeth duwiau eraill. Mae'n ffyddlon i'r

Duw a'i galwodd, ond nid yw'n gwahardd eraill rhag addoli eu duwiau eu hunain. Nid oes unrhyw gyfeiriad ato'n mynd trwy'r wlad yn malurio allorau paganaidd ac yn dienyddio'r addolwyr; dim ond mewn cyfnod diweddarach gyda Moses a Josua y mae'r fath anoddefgarwch yn datblygu yn hanes Israel. Mae hefyd yn gymeriad hael a heddychol. Yn yr anghydfod rhwng ei fugeiliaid ef a bugeiliaid Lot ynghylch y borfa orau (Gen. 13:8), sicrhaodd Abraham heddwch trwy adael i Lot gael rhan fwyaf ffrwythlon y wlad. Rhoddodd ddegwm o'i eiddo i Melchisedec, brenin Salem (14:19). Parodrwydd i rannu ac i gyfamodi sydd yma; patrwm delfrydol i'w blant.

Sylwn yn ail ar *addewid Duw*. Mae Genesis yn gwneud yn glir bod bendith Duw'n ymestyn ymhell y tu hwnt i Israel: 'ynot ti bendithir holl dylwythau'r ddaear' (12:3). Mae gan natur gyfanfydol yr addewid oblygiadau i'r tair crefydd; goblygiadau a drafodir yn y rhaglenni deialog a nodwyd uchod. Nid yw Duw'n cyfyngu ei addewidion i'r Iddewon. Y mae i'r Iddew gydnabod hyn yn golygu rhoi llai o bwyslais ar y syniad o etholedigaeth. Rhaid gwrthod y gred mai dim ond trwy dderbyn Iddewiaeth y caiff Cenedl-ddynion ran ym mendithion Abraham: nid hil yn unig sy'n gwneud rhywun yn blentyn i Abraham. Mae'n bosibl i'r Iddew weld ym modolaeth Cristnogaeth ac Islam ddatblygiad o'r cyfamod gwreiddiol, ac ystyried y ddwy grefydd fel cyflawniad o'r addewid dwyfol i wneud Abraham yn dad i lu o genhedloedd.

Am ganrifoedd, gwrthododd yr Eglwys gydnabod mai had Abraham oedd y ddwy grefydd arall; Cristnogion yn unig oedd ei wir ddisgynyddion ef. Gan mai ffydd, nid hil, oedd yn cyfrif yng ngolwg Duw, anwybyddwyd yr addewid o wlad a disgynyddion i had Abraham. Oherwydd anghrediniaeth yr Iddewon, credai'r Eglwys fod ganddi gyfiawnhad dros eu dietifeddu a'u herlid. Ond yng nghysgod yr Holocost, diwygiwyd diwinyddiaeth disodli'r canrifoedd yn sylweddol.

Os oedd yr Eglwys yn wrth-Iddewig, roedd yn llai parod fyth i gydnabod y Moslem fel plentyn Abraham. Gau grefydd oedd Islam. Ond mae astudiaeth newydd o Genesis, yn rhydd o hualau'r gorffennol, wedi newid y persbectif. Onid oedd gan Ismael hefyd ran yn arfaeth Duw? Derbyniodd yntau arwydd y cyfamod. Cafodd ei arbed gan angel rhag marw yn yr anialwch. Addawodd Duw ei fendithio trwy ei wneud yn ffrwythlon, ac amlhau ei ddisgynyddion. Gwireddwyd yr addewid. Daeth yn dad i ddeuddeg tywysog, ac yn gyndad cenedl fawr (Gen. 17:20). Stori hynt a helynt un teulu arbennig yw stori Abraham. Yr her i bob un o'i blant heddiw yw canfod presenoldeb eu tad yn y crefyddau eraill, a derbyn bod pawb yn perthyn i'r un teulu. Ac o gydnabod hynny, bod yn barod i wneud yr hyn a wna aelodau pob teulu, sef gofalu am ei gilydd.

Cwestiynau i'w trafod

1. 'Nid yw neb yn dod at y Tad ond trwof fi' (In. 14:6). Sut mae dehongli'r adnod hon yng nghyd-destun deialog rhwng y crefyddau?

2. Pam fod pob crefydd undduwiol yn gallu gwneud credinwyr yn anoddefgar o bobl eraill?

3. Ym mha ffyrdd y mae Abraham yn gymeriad cyfanfydol, un sy'n perthyn i'r ddynoliaeth gyfan?

Llyfryddiaeth Ddethol

Auerbach, E., **Mimesis: the Representation of Reality in Western Literature,** 1953, Princeton Univ. Press, Princeton.

Brueggemann, Walter, **Genesis,** 1982, John Knox Press, Atlanta.

Cassuto, Umberto, **A Commentary on the Book of Genesis,** 1964, Magnes Press, Jerwsalem.

Darr, K. P., **Far More Precious than Jewels: Perspectives on Biblical Women,** 1991, Westminster John Knox, Lousiville.

Davidson, Robert, **Genesis 12-50,** 1979, Cambridge Univ. Press, Caergrawnt.

Davies, Noel A., **Detholion o Genesis,** 2005, Gwasg Pantycelyn, Caernarfon.

Dunn, James, **The Parting of the Ways between Christianity and Judaism,** 1991, SCM, Llundain.

Feiler, Bruce, **Abraham: A Journey to the Heart of three Faiths,** 2004, HarperCollins, Efrog Newydd.

Firestone, Reuven, **Journey in Holy Lands: The Evolution of the Abraham-Ishmael Legends in Islamic Exegesis,** 1990, State Univ. of New York Press, Albany NY.

Ginzberg, Louis, **Legends of the Jews,** 6ed. arg. 1992, Jewish Publication Society, Philadelphia.

Gordon, Charlotte, **The Woman who Named God,** 2009, Little, Brown and Company, Efrog Newydd.

Kierkegaard, Soren, **Fear and Trembling,** 1983, Princeton Univ. Press, Princeton.

Klinghoffer, David, **The Discovery of God: Abraham and the Birth of Monotheism**, 2003, Doubleday, Efrog Newydd.

Kugel, James L., **How to Read the Bible: A Guide to Scripture, Then and Now,** 2007, Free Press, Efrog Newydd.

Kuschel, Karl-Josef, **Abraham: A Symbol of Hope for Jews, Christians and Muslims,** 1955, SCM Press, Llundain.

Levenson, Jon D., **The Death and Resurrection of the Beloved Son,** 1987, Yale Univ. Press, New Haven.

Lieber, D. L., gol., **Etz Hayim: Torah and Commentary,** 1999, The Jewish Publication Society of America, Efrog Newydd.

Meredith, J. E., **Hanes yr Apocryffa,** 1942, Llyrfa'r Methodistiaid Calfinaidd, Caernarfon.

Russell, D.S., **The Old Testament Pseudepigrapha: Patriarchs and Prophets in Early Judaism,** 1987, SCM, Llundain.

Sarna, Nahum., **Understanding Genesis: The World of the Bible in the light of History,** 5ed. arg. 1978, Schocken, Efrog Newydd.

Siker, J.S., **Disinheriting the Jews: Abraham in Christian Controversy**, 1991, Westminster John Knox, Louisville.

Trible, Phyllis., **Texts of Terror: Literary-Feminist Readings of Biblical Narratives,** 1984, Fortress Press, Philadelphia.

Van Seters, John, **Abraham in History and Tradition,** 1975, Yale Univ. Press, New Haven.

Vawter, Bruce, **On Genesis: A New Reading,** 1977, Collier Macmillan, Llundain.

von Rad, G., **Genesis: A Commentary,** 1963, SCM, Llundain.

Westermann, Claus, **Genesis 12-36: A Commentary,** 1986, SPCK, Llundain.

Wiesel, Elie, **Messengers of God,** 1976, Touchstone, Efrog Newydd.

Williams, Catrin H., 'Patriarchs and Prophets Remembered: Framing Israel's Past in the Gospel of John', yn A. D. Myers a B.G.Schuchard (gol.), **Abiding Words: The Use of Scripture in the Gospel of John,** 2015, SBL, Atlanta, tt. 187-212.